LIVRE I

Sections 5 à 8

KARL MARX

LE CAPITAL

LIVRE I

Sections 5 à 8

Traduction de
J. Roy
Chronologie et avertissement
par
Louis Althusser

FLAMMARION

CINQUIÈME SECTION

RECHERCHES ULTÉRIEURES SUR LA PRODUCTION DE LA PLUS-VALUE

CHAPITRE XVI

PLUS-VALUE ABSOLUE ET PLUS-VALUE RELATIVE

En étudiant le procès de travail sous son aspect le plus simple, commun à toutes ses formes historiques, comme acte qui se passe entre l'homme et la nature, nous avons vu, que « si l'on considère l'ensemble de ce mouvement au point de vue de son résultat, du produit, moyen et objet de travail se présentent tous les deux, comme moyens de production, et le travail lui-même comme *travail productif*[1] ». L'homme crée un produit en appropriant un objet externe à ses besoins, et dans cette opération le travail manuel et le travail intellectuel sont unis par des liens indissolubles, de même que dans le système de la nature le bras et la tête ne vont pas l'un sans l'autre.

A partir du moment, cependant, où le produit individuel est transformé en produit social, en produit d'un travailleur collectif dont les différents membres participent au maniement de la matière à des degrés très divers, de près ou de loin, ou même pas du tout, les déterminations de *travail productif*, *de travailleur productif*, s'élargissent nécessairement. Pour être productif, il n'est plus nécessaire de mettre soi-même la main à l'œuvre; il suffit d'être un organe du travailleur collectif ou d'en remplir une fonction quelconque. La détermination primitive du travail productif, née de la nature même de la production matérielle, reste toujours vraie par rapport au travailleur collectif, considéré comme une seule personne, mais elle ne s'applique plus à chacun de ses membres pris à part.

Mais ce n'est pas cela qui caractérise d'une manière spéciale le travail productif dans le système capitaliste. Là le but déterminant de la production, c'est la plus-value. Donc, n'est censé productif que le travailleur qui rend une plus-value au capitaliste ou dont le travail féconde le capital. Un maître d'école, par exemple, est un travailleur productif, non parce qu'il forme l'esprit de ses élèves, mais parce qu'il rapporte des pièces de cent sous à son patron. Que celui-ci ait placé son capital dans une fabrique de leçons au lieu de le placer dans une fabrique de saucissons, c'est son affaire. Désormais la notion de travail productif ne renferme plus simplement un rapport entre activité et effet utile, entre producteur et produit, mais encore, et surtout un rapport social qui fait du travail l'instrument immédiat de la mise en valeur du capital.

Aussi l'économie politique classique a-t-elle toujours, tantôt instinctivement, tantôt consciemment, soutenu que ce qui caractérisait le travail productif, c'était de rendre *une plus-value*. Ses définitions du travail productif changent à mesure qu'elle pousse plus avant son analyse de la plus-value. Les physiocrates, par exemple, déclarent que le travail agricole seul est productif. Et pourquoi ? Parce que seul il donne une plus-value qui, pour eux, n'existe que sous la forme de la rente foncière.

Prolonger la journée de travail au-delà du temps nécessaire à l'ouvrier pour fournir un équivalent de son entretien, et allouer ce surtravail au capital : voilà la production de la plus-value absolue. Elle forme la base générale du système capitaliste et le point de départ de la production de la plus-value relative. Là la journée est déjà divisée en deux parties, travail nécessaire et surtravail. Afin de prolonger le surtravail, le travail nécessaire est raccourci par des méthodes qui font produire l'équivalent du salaire en moins de temps. La production de la plus-value absolue n'affecte que la durée du travail, la production de la plus-value relative en transforme entièrement les procédés techniques et les combinaisons sociales. Elle se développe donc avec le mode de production capitaliste proprement dit.

Une fois celui-ci établi et généralisé, la différence entre plus-value relative et plus-value absolue se fait sentir dès qu'il s'agit d'élever le taux de la plus-value. Supposé que la force de travail se paye à sa juste valeur, nous arrivons évidemment à cette alternative : les limites de la journée étant données, le taux de la plus-value ne peut être élevé que par l'accroissement, soit de l'intensité, soit de la productivité du travail. Par contre, si l'intensité et la productivité du travail restent les mêmes, le taux de la plus-value ne peut être élevé que par une prolongation ultérieure de la journée.

Néanmoins, quelle que soit la durée du travail, il ne rendra pas de plus-value sans posséder ce minimum de productivité qui met l'ouvrier à même de ne consommer *qu'une partie de sa journée* pour son propre entretien. Nous sommes donc amenés à nous demander s'il n'y a pas, comme on l'a prétendu, une *base naturelle* de la plus-value ?

Supposé que le travail nécessaire à l'entretien du producteur et de sa famille absorbât tout son temps disponible, où trouverait-il le moyen de travailler gratuitement pour autrui ? Sans un certain degré de productivité du travail, point de temps disponible; sans ce surplus de temps, point de surtravail, et, par conséquent, point de plus-value, point de produit net, point de capitalistes, mais aussi point d'esclavagistes, point de seigneurs féodaux, en un mot, point de classe propriétaire[2] !

La nature n'empêche pas que la chair des uns serve d'aliment aux autres[3]; de même elle n'a pas mis d'obstacle insurmontable à ce qu'un homme puisse arriver à travailler pour plus d'un homme, ni à ce qu'un autre réussisse à se décharger sur lui du fardeau du travail. Mais à ce fait naturel on a donné quelque chose de mystérieux en essayant de l'expliquer à la manière scolastique, par une qualité « occulte » du travail, sa productivité innée, productivité toute prête dont la nature aurait doué l'homme en le mettant au monde.

Les facultés de l'homme primitif, encore en germe, et comme ensevelies sous sa croûte animale, ne se forment au contraire que lentement sous la pression de ses besoins physiques. Quand, grâce à de rudes labeurs, les hommes sont parvenus à s'élever au-dessus de leur premier état animal, que par conséquent leur travail est déjà dans une certaine mesure socialisé, alors, et seulement alors, se produisent des conditions où le surtravail de l'un peut devenir une source de vie pour l'autre, et cela n'a jamais lieu sans l'aide de la force qui soumet l'un à l'autre.

A l'origine de la vie sociale les forces de travail acquises sont assurément minimes, mais les besoins le sont aussi, qui ne se développent qu'avec les moyens de les satisfaire. En même temps, la partie de la société qui subsiste du travail d'autrui ne compte presque pas encore, comparativement à la masse des producteurs immédiats. Elle grandit absolument et relativement à mesure que le travail social devient plus productif[4].

Du reste, la production capitaliste prend racine sur un terrain préparé par une longue série d'évolutions et de révolutions économiques. La productivité du travail, qui lui sert de point de départ, est l'œuvre d'un développement historique dont les périodes se comptent non par siècles, mais par milliers de siècles.

Abstraction faite du mode social de la production, la productivité du travail dépend des conditions naturelles au milieu desquelles il s'accomplit. Ces conditions peuvent toutes se ramener soit à la nature de l'homme lui-même, à sa race, etc., soit à la nature qui l'entoure. Les conditions naturelles externes se décomposent au point de vue économique en deux grandes classes : richesse naturelle en moyens de subsistance, c'est-à-dire fertilité du sol, eaux poissonneuses, etc., et richesse naturelle en moyens de travail, tels que chutes d'eau vive, rivières navigables, bois, métaux, charbon, et ainsi de suite. Aux origines de la civilisation c'est la première classe de richesses naturelles qui l'emporte; plus tard, dans une société plus avancée, c'est la seconde. Qu'on compare, par exemple, l'Angleterre avec l'Inde, ou, dans le monde antique, Athènes et Corinthe avec les contrées situées sur la mer Noire.

Moindre est le nombre des besoins naturels qu'il est indispensable de satisfaire, plus le sol est naturellement fertile et le climat favorable, moindre est par cela même le temps de travail nécessaire à l'entretien et à la reproduction du producteur, et plus son travail pour autrui peut dépasser son travail pour lui-même. Diodore de Sicile faisait déjà cette remarque à propos des anciens Egyptiens. « On ne saurait croire, dit-il, combien peu de peine et de frais il leur en coûte pour élever leurs enfants. Ils font cuire pour eux les aliments les plus simples et les premiers venus; ils leur donnent aussi à manger cette partie de la racine du papyrus, qu'on peut rôtir au feu, ainsi que les racines et les tiges des plantes marécageuses soit crues, soit bouillies ou rôties. L'air est si doux que la plupart des enfants vont sans chaussures et sans vêtements. Aussi un enfant, jusqu'à sa complète croissance, ne coûte pas en gros à ses parents plus de vingt drachmes. C'est là principalement ce qui explique qu'en Egypte la population soit si nombreuse et que tant de grands ouvrages aient pu être entrepris[5]. » C'est bien moins cependant à l'étendue de sa population qu'à la faculté d'en employer à des travaux improductifs une partie relativement considérable que l'ancienne Egypte doit ses grandes œuvres d'architecture. De même que le travailleur individuel peut fournir d'autant plus de surtravail que son temps de travail nécessaire est moins considérable, de même moins est nombreuse la partie de la population ouvrière que réclame la production des subsistances nécessaires, plus est grande la partie disponible pour d'autres travaux.

La production capitaliste une fois établie, la grandeur du surtravail variera, toutes autres circonstances restant les mêmes, selon les conditions naturelles du travail et surtout selon la fertilité du sol. Mais il ne s'ensuit pas le moins du monde que le sol le plus fertile soit aussi le plus propre et le plus favorable au développement de la production capitaliste, qui suppose la domination de l'homme sur la nature. Une nature trop prodigue « retient l'homme par la main comme un enfant en lisière »; elle l'empêche de se développer en ne faisant pas de son développement une nécessité de nature[6]. La patrie du capital ne se trouve pas sous le climat des tropiques, au milieu d'une végétation luxuriante, mais dans la zone tempérée. Ce n'est pas la fertilité absolue du sol, mais plutôt la diversité de ses qualités chimiques, de sa composition géologique, de sa configuration physique, et la variété de ses produits naturels, qui forment la base naturelle de la division sociale du travail et qui excitent l'homme, en raison des conditions multiformes au milieu desquelles il se trouve placé, à multiplier ses besoins, ses facultés, ses moyens et modes de travail.

C'est la nécessité de diriger socialement une force naturelle, de s'en servir, de l'économiser, de se l'approprier en grand par des œuvres d'art, en un mot de la dompter, qui joue le rôle décisif dans l'histoire de l'industrie. Telle a été la nécessité de régler et de distribuer le cours des eaux, en Egypte[7], en Lombardie, en Hollande, etc. Ainsi en est-il dans l'Inde, dans la Perse, etc., où l'irrigation au moyen de canaux artificiels fournit au sol non seulement l'eau qui lui est indispensable, mais encore les engrais minéraux qu'elle détache des montagnes et dépose dans son limon. La canalisation, tel a été le secret de l'épanouissement de l'industrie en Espagne et en Sicile sous la domination arabe[8].

La faveur des circonstances naturelles fournit, si l'on veut, la possibilité, mais jamais la réalité du surtravail, ni conséquemment du produit net ou de la plus-value. Avec le climat plus ou moins propice, la fertilité de la terre plus ou moins spontanée, etc., le nombre des premiers besoins et les efforts que leur satisfaction impose, seront plus ou moins grands, de sorte que, dans des circonstances d'ailleurs analogues, le temps de travail nécessaire variera d'un pays à l'autre[9]; mais le surtravail ne peut commencer qu'au point où le travail nécessaire finit. Les influences physiques, qui déterminent la grandeur relative de celui-ci, tracent donc une limite naturelle à celui-là. A mesure que l'industrie avance, cette limite naturelle recule. Au milieu de notre société européenne, où le travailleur n'achète la permission de travailler pour sa propre existence que moyennant surtravail, on se figure facilement que c'est une qualité innée du travail humain de fournir un produit net[10]. Mais qu'on prenne par exemple l'habitant des îles orientales de l'archipel asiatique, où le palmier sagou pousse en plante sauvage dans les forêts. « Quand les habitants, en perçant un trou dans l'arbre, se sont assurés que la moelle est mûre, aussitôt le tronc est abattu et divisé en plusieurs morceaux et la moelle détachée. Mêlée avec de l'eau et filtrée, elle donne une farine parfaitement propre à être utilisée. Un arbre en fournit communément trois cents livres et peut en fournir de cinq à six cents. On va donc là dans la forêt et on y coupe son pain comme chez nous on abat son bois à brûler[11]. » Supposons qu'il faille à un de ces insulaires douze heures de travail par semaine pour satisfaire tous ses besoins; on voit que la première faveur que lui accorde la nature, c'est beaucoup de loisir. Pour qu'il l'emploie productivement pour lui-même, il faut tout un enchaînement d'incidents historiques; pour qu'il le dépense en surtravail pour autrui, il doit être contraint par la force. Si la production capitaliste était introduite dans son île, ce brave insulaire devrait peut-être travailler six jours par semaine pour obtenir la permission de s'approprier le produit d'une seule journée de son travail hebdomadaire. La faveur de la nature n'expliquerait point pourquoi il travaille maintenant six jours par semaine, ou pourquoi il fournit cinq jours de surtravail. Elle expliquerait simplement pourquoi son temps de travail nécessaire peut être réduit à une seule journée par semaine.

Le travail doit donc posséder un certain degré de productivité avant qu'il puisse être prolongé au-delà du temps nécessaire au producteur pour se procurer son entretien; mais ce n'est jamais cette productivité, quel qu'en soit le degré, qui est la cause de la plus-value. Cette cause, c'est toujours le surtravail, quel que soit le mode de l'arracher.

Ricardo ne s'occupe jamais de la raison d'être de la plus-value. Il la traite comme une chose inhérente à la production capitaliste, qui pour lui est la forme naturelle de la production sociale. Aussi, quand il parle de la productivité du travail, il ne prétend pas y trouver la cause de l'existence de la plus-value, mais seulement la cause qui en détermine la grandeur. Son école, au contraire, a hautement proclamé la force productive du travail comme la raison d'être du profit (lisez plus-value). C'était certainement un progrès vis-à-vis des mercantilistes, qui, eux, faisaient dériver l'excédent du prix des produits sur leurs frais, de l'échange, de la vente des marchandises au-dessus de leur valeur. Néanmoins c'était escamoter le problème et non le résoudre. En fait, ces économistes bourgeois sentaient instinctivement qu'il « y avait péril grave et grave péril », pour parler le langage emphatique de M. Guizot, à vouloir trop approfondir cette question brûlante de l'origine de la plus-value. Mais que dire quand, un demi-siècle après Ricardo, M. John Stuart Mill vient doctoralement constater sa supériorité sur les mercantilistes en répétant mal les faux-fuyants des premiers vulgarisateurs de Ricardo ?

M. Mill dit : « La cause du profit *(the cause of profit)*, c'est que le travail produit plus qu'il ne faut pour son entretien. » Jusque-là, simple répétition de la vieille chanson; mais, voulant y mettre du sien, il poursuit : « Pour *varier* la forme du théorème : la raison pour laquelle le capital rend un profit, c'est que nourriture, vêtements, matériaux et instruments *durent plus de temps qu'il n'en faut pour les produire.* » M. Mill confond ici la durée du travail avec la durée de ses produits. D'après cette doctrine, un boulanger, dont les produits ne durent qu'un jour, ne pourrait tirer de ses salariés le même profit qu'un constructeur de machines, dont les produits durent une vingtaine d'années et davantage. D'ailleurs, il est très vrai que si un nid ne durait pas plus de temps qu'il n'en faut à l'oiseau pour le faire, les oiseaux devraient se passer de nids.

Après avoir constaté cette vérité fondamentale, M. Mill constate sa supériorité sur les mercantilistes.

« Nous voyons ainsi, s'écrie-t-il, que le profit provient, non de l'*incident des échanges*, mais de la force productive du travail, et le profit général d'un pays est toujours ce que la force productive du travail le fait, qu'il y ait échange ou non. S'il n'y avait pas division des occupations, il n'y aurait ni achat ni vente, mais néanmoins il y aurait toujours du *profit*. » Pour lui, les échanges, l'achat et la vente, les conditions générales de la production capitaliste, n'en sont qu'un *incident*, et il y aurait toujours du *profit* sans l'achat et la vente de la force de travail!

« Si, poursuit-il, les travailleurs d'un pays produisent collectivement vingt pour cent au-dessus de leurs salaires, les profits seront de vingt pour cent quels que soient les prix des marchandises. »

C'est d'un côté une lapalissade des plus réussies; en effet, si des ouvriers produisent une plus-value de vingt pour cent pour les capitalistes, les profits de ceux-ci seront certainement aux salaires de ceux-là comme vingt est à cent. De l'autre côté, il est absolument faux que les profits seront « de vingt pour cent ». Ils seront toujours plus petits, parce que les profits sont calculés sur la somme totale du capital avancé. Si, par exemple, l'entrepreneur avance cinq cents livres sterling, dont quatre cinquièmes sont dépensés en moyens de production, un cinquième en salaires, et que le taux de la plus-value soit de vingt pour cent, le taux de profit sera comme vingt est à cinq cents, c'est-à-dire de quatre pour cent, et non de vingt pour cent.

M. Mill nous donne pour la bonne bouche un échantillon superbe de sa méthode de traiter les différentes formes historiques de la production sociale.

« Je présuppose toujours, dit-il, l'état actuel des choses qui prédomine universellement à peu d'exceptions près, c'est-à-dire que le capitaliste fait toutes les avances, y inclus la rémunération du travailleur. » Etrange illusion d'optique de voir universellement un état de choses qui n'existe encore que par exception sur notre globe! Mais passons outre. M. Mill veut bien faire la concession « que ce n'est pas une nécessité absolue qu'il en soit ainsi ». Au contraire, « jusqu'à la parfaite et entière confection de l'ouvrage, le travailleur pourrait attendre... même le payement entier de son salaire, s'il avait les moyens nécessaires pour subsister dans l'intervalle. Mais dans ce dernier cas, le travailleur serait réellement dans une certaine mesure un capitaliste qui placerait du capital dans l'entreprise en fournissant une portion des fonds nécessaires pour la mener à bonne fin ». M. Mill aurait pu aller plus loin et affirmer que l'ouvrier, qui se fait l'avance non seulement des vivres, mais aussi des moyens de production, ne serait en réalité que son propre salarié. Il aurait pu dire de même que le paysan américain n'est qu'un serf qui fait la corvée pour lui-même, au lieu de la faire pour son propriétaire.

Après nous avoir prouvé si clairement que la production capitaliste, même si elle n'existait pas, existerait toujours, M. Mill est assez conséquent en prouvant, par contre, qu'elle n'existe pas même quand elle existe.

« Et même dans le cas antérieur (quand l'ouvrier est un salarié auquel le capitaliste avance toute sa subsistance), il (l'ouvrier) peut être considéré au même point de vue (c'est-à-dire comme capitaliste), car, en livrant son travail au-dessous du prix de marché (!), il peut être considéré comme s'il prêtait la différence(?) à son entrepreneur, etc.[12]. » En réalité, l'ouvrier avance son travail gratuitement au capitaliste durant une semaine, etc., pour en recevoir le prix de marché à la fin de la semaine, etc., et c'est ce qui, toujours selon M. Mill, le transforme en capitaliste. Sur un terrain plat, de simples buttes font l'effet de collines; aussi peut-on mesurer l'aplatissement de la bourgeoisie contemporaine d'après le calibre de ses esprits forts.

CHAPITRE XVII

VARIATIONS DANS LE RAPPORT DE GRANDEUR ENTRE LA PLUS-VALUE ET LA VALEUR DE LA FORCE DE TRAVAIL

Nous avons vu que le rapport de grandeur entre la plus-value et le prix de la force de travail est déterminé par trois facteurs : 1° la durée du travail ou sa grandeur extensive; 2° son degré d'intensité, suivant lequel différentes quantités de travail sont dépensées dans le même temps; 3° son degré de productivité, suivant lequel la même quantité de travail rend dans le même temps différentes quantités de produits. Des combinaisons très diverses auront évidemment lieu selon que l'un de ces trois facteurs est constant (ne change pas de grandeur) et les deux autres variables (changent de grandeur), ou que deux facteurs sont constants et un seul variable, ou enfin que tous les trois sont variables à la fois. Ces combinaisons seront encore multipliées, si le changement simultané dans la grandeur de différents facteurs ne se fait pas dans le même sens — l'un peut augmenter tandis que l'autre diminue — ou pas dans la même mesure — l'un peut augmenter plus vite que l'autre, etc. Nous n'examinerons ici que les combinaisons principales.

I. — DONNÉES : DURÉE ET INTENSITÉ DE TRAVAIL CONSTANTES. PRODUCTIVITÉ VARIABLE

Ces conditions admises, nous obtenons les trois lois suivantes :

1° *La journée de travail d'une grandeur donnée produit toujours la même valeur, quelles que soient les variations dans la productivité du travail.*

Si une heure de travail d'intensité normale produit une valeur d'un demi-franc, une journée de douze heures ne produira jamais qu'une valeur de six francs[1]. Si la productivité du travail augmente ou diminue, la même journée fournira plus ou moins de produits et la valeur de six francs se distribuera ainsi sur plus ou moins de marchandises.

2° *La plus-value et la valeur de la force de travail varient en sens inverse l'une de l'autre. La plus-value varie dans le même sens que la productivité du travail, mais la valeur de la force de travail en sens opposé.*

Il est évident que des deux parties d'une grandeur constante aucune ne peut augmenter sans que l'autre diminue, et aucune diminuer sans que l'autre augmente. Or, la journée de douze heures produit toujours la même valeur, six francs par exemple, dont la plus-value forme une partie, et l'équivalent de la force de travail l'autre, mettons trois francs pour la première et trois francs pour la seconde. Il est clair que la force de travail ne peut pas atteindre un prix de quatre francs sans que la plus-value soit réduite à deux francs, et que la plus-value ne peut monter à quatre francs, sans que la valeur de la force de travail tombe à deux. Dans ces circonstances chaque variation dans la grandeur absolue, soit de la plus-value, soit de l'équivalent de la force ouvrière, présuppose donc une variation de leurs grandeurs relatives ou proportionnelles. Il est impossible qu'elles augmentent ou diminuent toutes les deux simultanément.

Toute variation dans la productivité du travail amène une variation en sens inverse dans la valeur de la force de travail. Si le surcroît de productivité permet de fournir en quatre heures la même masse de subsistances qui coûtait auparavant six heures, alors la valeur de la force ouvrière va tomber de trois francs à deux; mais elle va s'élever de trois francs à quatre, si une diminution de productivité exige huit heures de travail où il n'en fallait auparavant que six.

Enfin, comme valeur de la force de travail et plus-value changent de grandeur en sens inverse l'une de l'autre, il s'ensuit que l'augmentation de productivité, en diminuant la valeur de la force de travail, doit augmenter la plus-value, et que la diminution de productivité, en augmentant la valeur de la force de travail, doit diminuer la plus-value.

En formulant cette loi, Ricardo a négligé un point important. Quoique la plus-value — ou le surtravail — et la valeur de la force de travail — ou le travail nécessaire — ne puissent changer de grandeur qu'en sens inverse, il ne s'ensuit pas qu'ils changent dans la même proportion. Si la valeur de la force de travail était de quatre francs ou le temps de travail nécessaire de huit heures, la plus-value de deux francs ou le surtravail de quatre heures, et que, par suite d'une augmentation de productivité, la valeur de la force de travail tombe à trois francs ou le travail nécessaire à six heures, alors la plus-value montera à trois francs ou le surtravail à six heures. Cette même quantité de deux heures ou d'un franc, qui est ajoutée à une partie et retranchée de l'autre, n'affecte pas la grandeur de chacune dans la même proportion. En même temps que la valeur de la force de travail ne tombe que de quatre francs à trois, c'est-à-dire d'un quart ou de vingt-cinq pour cent, la plus-value s'élève de deux francs à trois, c'est-à-dire de moitié ou de cinquante pour cent.

En général : donné la longueur de la journée ainsi que sa division en deux parts, celle du travail nécessaire et celle du surtravail, l'accroissement proportionnel de la plus-value, dû à une augmentation de productivité, sera d'autant plus grand, que la part du surtravail était primitivement plus petite, et le décroissement proportionnel de la plus-value, dû à une diminution de productivité, sera d'autant plus petit, que la part du surtravail était primitivement plus grande.

3° *L'augmentation ou la diminution de la plus-value est toujours l'effet et jamais la cause de la diminution ou de l'augmentation parallèles de la valeur de la force de travail*[2].

La journée de travail est de grandeur constante et rend constamment la même valeur, qui se divise en équivalent de la force de travail et en plus-value; chaque changement dans la grandeur de la plus-value est accompagné d'un changement inverse dans la valeur de la force de travail, et cette valeur, enfin, ne peut changer de grandeur qu'en conséquence d'une variation survenue dans la productivité du travail. Dans ces données, il est clair que c'est la variation de la productivité du travail qui, en premier lieu, fait augmenter ou diminuer la valeur de la force de travail, tandis que le mouvement ascendant ou descendant de celle-ci entraîne de son côté le mouvement de la plus-value en sens inverse. Tout changement dans le rapport de grandeur entre la plus-value et la valeur de la force de travail, provient donc toujours d'un changement dans la grandeur absolue de celle-ci.

Nous avons supposé que la journée de douze heures produit une valeur totale de six francs, qui se divise en quatre francs, valeur de la force de travail, et en une plus-value de deux francs. En d'autres termes, il y a huit heures de travail nécessaire et quatre de surtravail. Que la productivité du travail vienne à doubler, alors l'ouvrier n'aura plus besoin que de la moitié du temps qu'il lui fallait jusque-là pour produire l'équivalent de sa subsistance quotidienne. Son travail nécessaire tombera de huit heures à quatre, et par là son surtravail s'élèvera de quatre heures à huit; de même la valeur de sa force tombera de quatre francs à deux, et cette baisse fera monter la plus-value de deux francs à quatre.

Néanmoins, cette loi, d'après laquelle le prix de la force de travail est toujours réduit à sa valeur, peut rencontrer des obstacles qui ne lui permettent de se réaliser que jusqu'à certaines limites. Le prix de la force de travail ne peut descendre qu'à trois francs quatre-vingts centimes, trois francs quarante centimes, trois francs vingt centimes, etc., de sorte que la plus-value ne monte qu'à deux francs vingt centimes, deux francs soixante centimes, deux francs quatre-vingts centimes, etc. Le degré de la baisse, dont la limite minima est deux francs, nouvelle valeur de la force de travail, dépend du poids relatif que la pression du capital d'une part, la résistance de l'ouvrier de l'autre, jettent dans la balance.

La valeur de la force de travail est déterminée par la valeur des subsistances nécessaires à l'entretien de l'ouvrier, lesquelles changent de valeur suivant le degré de productivité du travail. Dans notre exemple, si, malgré le doublement de la productivité du travail, la division de la journée en travail nécessaire et surtravail restait la même, l'ouvrier recevrait toujours quatre francs et le capitaliste deux; mais chacune de ces sommes achèterait deux fois plus de subsistances qu'auparavant. Bien que le prix de la force de travail fût resté invariable, il se serait élevé au-dessus de sa valeur. S'il tombait, non à la limite minima de sa nouvelle valeur de deux francs, mais à trois francs quatre-vingts centimes, trois francs quarante centimes, trois francs vingt centimes, etc., ce prix décroissant représenterait cependant une masse supérieure de subsistances. Avec un accroissement continuel dans la productivité du travail, le prix de la force de travail pourrait ainsi tomber de plus en plus, en même temps que les subsistances à la disposition de l'ouvrier continueraient à augmenter. Mais, même dans ce cas, la baisse continuelle dans le prix de la force de travail, en amenant une hausse continuelle de la plus-value, élargirait l'abîme entre les conditions de vie du travailleur et du capitaliste[3].

Les trois lois que nous venons de développer ont été rigoureusement formulées, pour la première fois, par Ricardo; mais il commet l'erreur de faire des conditions particulières dans lesquelles elles sont vraies, les conditions générales et exclusives de la production capitaliste. Pour lui, la journée de travail ne change jamais de grandeur ni le travail d'intensité, de sorte que la productivité du travail reste le seul facteur variable.

Ce n'est pas tout. A l'instar de tous les autres économistes, il n'est jamais parvenu à analyser la plus-value en général, indépendamment de ses formes particulières, profit, rente foncière, etc. Il confond le taux de la plus-value avec le taux du profit, et traite, par conséquent, celui-ci comme s'il exprimait directement le degré d'exploitation du travail. Nous avons déjà indiqué[4] que le taux du profit est la proportion de la plus-value avec le total du capital avancé, tandis que le taux de la plus-value est la proportion de la plus-value avec la partie variable du capital avancé. Supposez qu'un capital de cinq cents livres sterling (C) se décompose en matières premières, instruments, etc., d'une valeur de quatre cents livres sterling *(c)*, et en cent livres sterling payés aux ouvriers *(v)*, qu'en outre la plus-value *(p)* est de cent livres sterling; alors le taux de la plus-value,

$$\frac{p}{v} = \frac{100 \text{ livres sterling}}{100 \text{ livres sterling}} = 100 \text{ pour } 100;$$

$$\text{mais le taux du profit} = \frac{p}{C} = \frac{100 \text{ livres sterling}}{500 \text{ livres sterling}} = 20 \text{ pour } 100.$$

A part cette différence de grandeur, il est évident que le taux du profit peut être affecté par des circonstances tout à fait étrangères au taux de la plus-value. Je démontrerai plus tard, dans le troisième livre, que donné le taux de la plus-value, le taux du profit peut varier indéfiniment, et que donné le taux du profit, il peut correspondre aux taux de plus-value les plus divers.

II. — DONNÉES : DURÉE ET PRODUCTIVITÉ DU TRAVAIL CONSTANTES. INTENSITÉ VARIABLE

Si sa productivité augmente, le travail rend dans le même temps plus de produits, mais non plus de valeur. Si son intensité croît, il rend dans le même temps non seulement plus de produits, mais aussi plus de valeur, parce que l'excédent de produits provient alors d'un excédent de travail.

Sa durée et sa productivité étant données, le travail se réalise donc en d'autant plus de valeur que son degré d'intensité dépasse celui de la moyenne sociale. Comme la valeur produite durant une journée de douze heures, par exemple, cesse ainsi d'être constante et devient variable, il s'ensuit que plus-value et valeur de la force de travail peuvent varier dans le même sens, l'une à côté de l'autre, en proportion égale ou inégale. La même journée produit-elle huit francs au lieu de six, alors la part de l'ouvrier et celle du capitaliste peuvent évidemment s'élever à la fois de trois francs à quatre.

Une pareille hausse dans le prix de la force de travail n'implique pas qu'elle est payée au-dessus de sa valeur. La hausse de prix peut au contraire être accompagnée d'une baisse de valeur. Cela arrive toujours quand l'élévation du prix ne suffit pas pour compenser le surcroît d'usure de la force de travail. On sait que les seuls changements de productivité qui influent sur la valeur de la force ouvrière sont ceux qui affectent des industries dont les produits entrent dans la consommation ordinaire de l'ouvrier. Toute variation dans la grandeur, extensive ou intensive, du travail affecte au contraire la valeur de la force ouvrière, dès qu'elle en accélère l'usure.

Si le travail atteignait simultanément dans toutes les industries d'un pays le même degré supérieur d'intensité, cela deviendrait désormais le degré d'intensité ordinaire du travail national et cesserait d'entrer en ligne de compte. Cependant, même dans ce cas, les degrés de l'intensité moyenne du travail resteraient différents chez diverses nations et modifieraient ainsi la loi de la valeur dans son application internationale, la journée de travail plus intense d'une nation créant plus de valeur et s'exprimant en plus d'argent que la journée moins intense d'une autre[5].

III. — DONNÉES : PRODUCTIVITÉ ET INTENSITÉ DU TRAVAIL CONSTANTES. DURÉE DU TRAVAIL VARIABLE

Sous le rapport de la durée, le travail peut varier en deux sens, être raccourci ou prolongé. Nous obtenons dans nos données nouvelles les lois que voici :

1° *La journée de travail se réalise, en raison directe de sa durée, en une valeur plus ou moins grande — variable donc et non constante.*

2° *Toute variation dans le rapport de grandeur entre la plus-value et la valeur de la force de travail provient d'un changement dans la grandeur absolue du surtravail, et, par conséquent, de la plus-value.*

3° *La valeur absolue de la force de travail ne peut changer que par la réaction que le prolongement du surtravail exerce sur le degré d'usure de cette force. Tout mouvement dans sa valeur absolue est donc l'effet, et jamais la cause, d'un mouvement dans la grandeur de la plus-value.*

Nous supposerons toujours dans ce chapitre, comme dans la suite, que la journée de travail comptant originairement douze heures, — six heures de travail nécessaire et six heures de surtravail — produit une valeur de six francs, dont une moitié échoit à l'ouvrier et l'autre au capitaliste.

Commençons par le *raccourcissement de la journée*, soit de douze heures à dix. Dès lors elle ne rend plus qu'une valeur de cinq francs. Le surtravail étant réduit de six heures à quatre, la plus-value tombe de trois francs à deux. Cette diminution dans sa grandeur absolue entraîne une diminution dans sa grandeur relative. Elle était à la valeur de la force de travail comme trois est à trois, et elle n'est plus que comme deux est à trois. Par contrecoup, la valeur de la force de travail, tout en restant la même, gagne en grandeur relative; elle est maintenant à la plus-value comme trois est à deux au lieu d'être comme trois est à trois.

Le capitaliste ne pourrait se rattraper qu'en payant la force de travail au-dessous de sa valeur.

Au fond des harangues habituelles contre la réduction des heures de travail se trouve l'hypothèse que le phénomène se passe dans les conditions ici admises; c'est-à-dire qu'on suppose stationnaires la productivité et l'intensité du travail, dont, en fait, l'augmentation suit toujours de près le raccourcissement de la journée, si elle ne l'a pas déjà précédé[6].

S'il y a *prolongation de la journée*, soit de douze heures à quatorze, et que les heures additionnelles soient annexées au surtravail, la plus-value s'élève de trois francs à quatre. Elle grandit absolument et relativement, tandis que la force de travail, bien que sa valeur nominale reste la même, perd en valeur relative. Elle n'est plus à la plus-value que dans la raison de trois à quatre.

Comme, dans nos données, la somme de valeur quotidiennement produite augmente avec la durée du travail quotidien, les deux parties de cette somme croissante — la plus-value et l'équivalent de la force de travail — peuvent croître simultanément d'une quantité égale ou inégale, de même que dans le cas où le travail devient plus intense.

Avec une journée prolongée, la force de travail peut tomber au-dessous de sa valeur, bien que son prix reste invariable ou s'élève même. Dans une certaine mesure, une plus grande recette peut compenser la plus grande dépense en force vitale que le travail prolongé impose à l'ouvrier[7]. Mais il arrive toujours un point où toute prolongation ultérieure de sa journée raccourcit la période moyenne de sa vie, en bouleversant les conditions normales de sa reproduction et de son activité. Dès lors le prix de la force de travail et son degré d'exploitation cessent d'être des grandeurs commensurables entre elles.

IV. — DONNÉES : VARIATIONS SIMULTANÉES DANS LA DURÉE, LA PRODUCTIVITÉ ET L'INTENSITÉ DU TRAVAIL

La coïncidence de changements dans la durée, la productivité et l'intensité du travail donnent lieu à un grand nombre de combinaisons, et, par conséquent, de problèmes qu'on peut cependant toujours facilement résoudre en traitant tour à tour chacun des trois facteurs comme variable, et les deux autres comme constants, ou en calculant le produit des trois facteurs qui subissent des variations. Nous ne nous arrêterons ici qu'à deux cas d'un intérêt particulier.

Diminution de la productivité du travail et prolongation simultanée de sa durée.

Mettons que par suite d'un décroissement dans la fertilité du sol, la même quantité de travail produit moins de denrées ordinaires, dont la valeur augmentée renchérit l'entretien journalier de l'ouvrier, de sorte qu'il coûte désormais quatre francs au lieu de trois. Le temps nécessaire pour reproduire la valeur quotidienne de la force de travail s'élèvera de six heures à huit, ou absorbera deux tiers de la journée au lieu de la moitié. Le surtravail tombera, par conséquent, de six heures à quatre et la plus-value de trois francs à deux.

Que, dans ces circonstances, la journée soit prolongée à quatorze heures et les deux heures additionnelles annexées au surtravail : comme celui-ci compte de nouveau six heures, la plus-value va remonter à sa grandeur originaire de trois francs, mais sa grandeur proportionnelle a néanmoins diminué, car ayant été à la valeur de la force de travail comme trois est à trois, elle n'est plus que dans la raison de trois à quatre.

Si la journée est prolongée à seize heures ou le surtravail à huit, la plus-value s'élèvera à quatre francs et sera à la valeur de la force de travail comme quatre est à quatre, c'est-à-dire dans la même raison qu'avant le décroissement survenu dans la productivité du travail, car 4 à 4 = 3 à 3. Néanmoins, bien que sa grandeur proportionnelle soit ainsi simplement rétablie, sa grandeur absolue a augmenté d'un tiers, de trois francs à quatre.

Quand une diminution dans la productivité du travail est accompagnée d'une prolongation de sa durée, la grandeur absolue de la plus-value peut donc rester invariable, tandis que sa grandeur proportionnelle diminue ; sa grandeur proportionnelle peut rester invariable, tandis que sa grandeur absolue augmente, et, si l'on pousse la prolongation assez loin, toutes deux peuvent augmenter à la fois.

Les mêmes résultats s'obtiennent plus vite, si l'intensité du travail croît en même temps que sa durée.

En Anglcterre, dans la période de 1799 à 1815, l'enchérissement progressif des vivres amena une hausse des salaires nominaux, bien que le salaire réel tombât. De ce phénomène West et Ricardo inféraient que la diminution de productivité du travail agricole avait causé une baisse dans le taux de la plus-value, et cette donnée tout imaginaire leur servait de point de départ pour des recherches importantes sur le rapport de grandeur entre le salaire, le profit et la rente foncière; mais en réalité, la plus-value s'était élevée absolument et relativement, grâce à l'intensité accrue et à la prolongation forcée du travail[8]. Ce qui caractérise cette période, c'est précisément le progrès accéléré et du capital et du paupérisme[9].

Augmentation de l'intensité et de la productivité du travail avec raccourcissement simultané de sa durée.

L'augmentation de la productivité du travail et de son intensité multiplie la masse des marchandises obtenues dans un temps donné, et par là raccourcit la partie de la journée où l'ouvrier ne fait que produire un équivalent de ses subsistances. Cette partie nécessaire, mais contractile, de la journée de travail en forme la limite absolue, qu'il est impossible d'atteindre sous le régime capitaliste. Celui-ci supprimé, le travail disparaîtrait, et la journée tout entière pourrait être réduite au travail nécessaire. Cependant, il ne faut pas oublier qu'une partie du surtravail actuel, celle qui est consacrée à la formation d'un fonds de réserve et d'accumulation, compterait alors comme travail nécessaire, et que la grandeur actuelle du travail nécessaire est limitée seulement par les frais d'entretien d'une classe de salariés, destinée à produire la richesse de ses maîtres.

Plus le travail gagne en force productive, plus sa durée peut diminuer, et plus sa durée est raccourcie, plus son intensité peut croître. Considéré au point de vue social, on augmente aussi la productivité du travail en l'économisant, c'est-à-dire en supprimant toute dépense inutile, soit en moyens de production, soit en force vitale. Le système capitaliste, il est vrai, impose l'économie des moyens de production à chaque établissement pris à part; mais il ne fait pas seulement de la folle dépense de la force ouvrière un moyen d'économie pour l'exploiteur, il nécessite aussi, par son système de concurrence anarchique, la dilapidation la plus effrénée du travail productif et des moyens de production sociaux, sans parler de la multitude de fonctions parasites qu'il engendre et qu'il rend plus ou moins indispensables.

Etant donné l'intensité et la productivité du travail, le temps que la société doit consacrer à la production matérielle est d'autant plus court, et le temps disponible pour le libre développement des individus d'autant plus grand, que le travail est distribué plus également entre tous les membres de la société, et qu'une couche sociale a moins le pouvoir de se décharger sur une autre de cette nécessité imposée par la nature. Dans ce sens le raccourcissement de la journée trouve sa dernière limite dans la généralisation du travail manuel.

La société capitaliste achète le loisir d'une seule classe par la transformation de la vie entière des masses en temps de travail.

CHAPITRE XVIII

FORMULES DIVERSES POUR LE TAUX DE LA PLUS-VALUE

On a vu que le taux de la plus-value est représenté par les formules :

$$\text{I.} \quad \frac{\text{Plus-value}}{\text{Capital variable}} \left(\frac{p}{v}\right) = \frac{\text{Plus-value}}{\text{Valeur de la force de travail}} = \frac{\text{Surtravail}}{\text{Travail nécessaire}}.$$

Les deux premières raisons expriment comme rapports de valeur ce que la troisième exprime comme un rapport des espaces de temps dans lesquels ces valeurs sont produites.

Ces formules, complémentaires l'une de l'autre, ne se trouvent qu'implicitement et inconsciemment dans l'économie politique classique, où les formules suivantes jouent au contraire un grand rôle :

$$\text{II.} \quad \left(\frac{\text{Surtravail}}{\text{Journée de travail}}\right)^1 = \frac{\text{Plus-value}}{\text{Valeur du produit}} = \frac{\text{Produit net}}{\text{Produit total}}.$$

Une seule et même proportion est ici exprimée tour à tour sous la formule des quantités de travail, des valeurs dans lesquelles ces quantités se réalisent, et des produits dans lesquels ces valeurs existent. Il est sous-entendu que par valeur du produit il faut comprendre le produit en valeur rendu par une journée de travail, et qu'il n'y est pas renfermé une parcelle de la valeur des moyens de production.

Dans toutes ces formules le degré réel de l'exploitation du travail ou le taux de la plus-value est faussement exprimé. Dans l'exemple employé plus haut, le degré réel d'exploitation serait indiqué par les proportions :

$$\frac{\text{6 heures de surtravail}}{\text{6 heures de travail nécessaire}} = \frac{\text{Plus-value de 3 francs}}{\text{Capital variable de 3 francs}} = \frac{100}{100}.$$

D'après les formules II, nous obtenons au contraire :

$$\frac{\text{6 heures de surtravail}}{\text{Journée de 12 heures}} = \frac{\text{Plus-value de 3 francs}}{\text{Produit en valeur de 6 francs}} = \frac{50}{100}.$$

Ces formules dérivées n'expriment en fait que la proportion suivant laquelle la journée de travail, ou son produit en valeur, se distribue entre l'ouvrier et le capitaliste. Si on les traite comme des expressions immédiates de la mise en valeur du capital, on arrive à cette loi erronée : Le surtravail ou la plus-value ne peuvent jamais atteindre cent pour cent[2]. Le surtravail n'étant qu'une partie aliquote de la journée, et la plus-value qu'une partie aliquote de la somme de valeur produite, le surtravail est nécessairement toujours plus petit que la journée de travail, ou la plus-value toujours moindre que la valeur produite. Si le surtravail était à la journée de travail comme cent est à cent, il absorberait la journée entière (il s'agit ici de la journée moyenne de l'année), et le travail nécessaire s'évanouirait. Mais si le travail nécessaire disparaît, le surtravail disparaît également, puisque celui-ci n'est qu'une fonction de celui-là. La raison $\frac{\text{Surtravail}}{\text{Journée de travail}}$ ou $\frac{\text{Plus-value}}{\text{Valeur produite}}$ ne peut donc jamais atteindre la limite $\frac{100}{100}$ et encore moins s'élever à $\frac{100+x}{100}$. Mais il en est autrement du taux de la plus-value ou du degré réel d'exploitation du travail. Qu'on prenne par exemple l'estimation de M. Léonce de Lavergne, d'après laquelle l'ouvrier agricole anglais n'obtient que un quart, tandis que le capitaliste (fermier) au contraire obtient trois quarts du produit ou de sa valeur[3], de quelque manière que le butin se partage ensuite entre le capitaliste et le propriétaire foncier, etc. Le surtravail de l'ouvrier anglais est dans ce cas à son travail nécessaire comme trois est à un, c'est-à-dire que le degré d'exploitation est de trois cents pour cent.

La méthode de l'école classique, qui est de traiter la journée de travail comme une grandeur constante, a trouvé un appui dans l'application des formules II, parce que là on compare toujours le surtravail avec une journée de travail donnée. Il en est de même quand on considère exclusivement la distribution de la valeur produite. Du moment que la journée de travail s'est déjà réalisée dans une valeur, ses limites ont nécessairement été données.

L'habitude d'exposer la plus-value et la valeur de la force de travail comme des fractions de la somme de valeur produite dissimule le fait principal, l'échange du capital variable contre la force de travail, fait qui implique que le produit échoit au non-producteur. Le rapport entre le capital et le travail revêt alors la fausse apparence d'un rapport d'association dans lequel l'ouvrier et l'entrepreneur se partagent le produit suivant la proportion des divers éléments qu'ils apportent[4].

Les formules II peuvent d'ailleurs être toujours ramenées aux formules I. Si nous avons par exemple la proportion $\frac{\text{Surtravail de 6 heures}}{\text{Journée de travail de 12 heures,}}$ alors le temps de travail nécessaire est égal à la journée de douze heures moins six heures de surtravail, et l'on obtient :

$$\frac{\text{Surtravail de 6 heures}}{\text{Travail nécessaire de 6 heures}} = \frac{100}{100}.$$

Voici une troisième formule que nous avons déjà quelquefois anticipée :

$$\text{III. } \frac{\text{Plus-value}}{\text{Valeur de la force de travail}} = \frac{\text{Surtravail}}{\text{Travail nécessaire}} = \frac{\text{Travail non payé}}{\text{Travail payé}}.$$

La formule $\frac{\text{Travail non payé}}{\text{Travail payé}}$ n'est qu'une expression populaire de celle-ci : $\frac{\text{Surtravail}}{\text{Travail nécessaire}}$.

Après nos développements antérieurs, elle ne peut plus donner lieu à cette erreur populaire que ce que le capitaliste paye est le travail et non la force de travail. Ayant acheté cette force pour un jour, une semaine, etc., le capitaliste obtient en échange le droit de l'exploiter pendant un jour, une semaine, etc. Le temps d'exploitation se divise en deux périodes. Pendant l'une, le fonctionnement de la force ne produit qu'un équivalent de son prix; pendant l'autre, il est gratuit et rapporte, par conséquent, au capitaliste une valeur pour laquelle il n'a donné aucun équivalent, qui ne lui coûte rien[5]. En ce sens, le surtravail, dont il tire la plus-value, peut être nommé du travail non payé.

Le capital n'est donc pas seulement, comme dit Adam Smith, le pouvoir de disposer du travail d'autrui; mais il est essentiellement le pouvoir de disposer d'un *travail non payé*. Toute plus-value, qu'elle qu'en soit la forme particulière, — profit, intérêt, rente, etc., — est en substance la matérialisation d'un travail non payé. Tout le secret de la faculté prolifique du capital, est dans ce simple fait qu'il dispose d'une certaine somme de travail d'autrui qu'il ne paye pas.

SIXIÈME SECTION

LE SALAIRE

CHAPITRE XIX

TRANSFORMATION DE LA VALEUR OU DU PRIX DE LA FORCE DE TRAVAIL EN SALAIRE

A la surface de la société bourgeoise la rétribution du travailleur se représente comme le salaire du travail : tant d'argent payé pour tant de travail. Le travail lui-même est donc traité comme une marchandise dont les prix courants oscillent au-dessus ou au-dessous de sa *valeur*.

Mais qu'est-ce que la valeur ? La forme objective du travail social dépensé dans la production d'une marchandise. Et comment mesurer la grandeur de valeur d'une marchandise ? Par la quantité de travail qu'elle contient. Comment dès lors déterminer, par exemple, la valeur d'une journée de travail de douze heures ? Par les douze heures de travail contenues dans la journée de douze heures, ce qui est une tautologie absurde[1].

Pour être vendu sur le marché à titre de marchandise, le travail devrait en tout cas exister auparavant. Mais si le travailleur pouvait lui donner une existence matérielle, séparée et indépendante de sa personne, il vendrait de la marchandise et non du travail[2].

Abstraction faite de ces contradictions, un échange direct d'argent, c'est-à-dire de travail réalisé, contre du travail vivant, ou bien supprimerait la loi de la valeur qui se développe précisément sur la base de la production capitaliste, ou bien supprimerait la production capitaliste elle-même qui est fondée précisément sur le travail salarié. La journée de travail de douze heures se réalise par exemple dans une valeur monétaire de six francs. Si l'échange se fait entre équivalents, l'ouvrier obtiendra donc six francs pour un travail de douze heures, ou le prix de son travail sera égal au prix de son produit. Dans ce cas il ne produirait pas un brin de plus-value pour l'acheteur de son travail, les six francs ne se métamorphoseraient pas en capital et la base de la production capitaliste disparaîtrait. Or c'est précisément sur cette base qu'il vend son travail et que son travail est travail salarié. Ou bien il obtient pour douze heures de travail moins de six francs, c'est-à-dire moins de douze heures de travail. Douze heures de travail s'échangent dans ce cas contre dix, six, etc., heures de travail. Poser ainsi comme égales des quantités inégales, ce n'est pas seulement anéantir toute détermination de la valeur. Il est même impossible de formuler comme loi une contradiction de ce genre qui se détruit elle-même[3].

Il ne sert de rien de vouloir expliquer un tel échange de plus contre moins par la différence de forme entre les travaux échangés, l'acheteur payant en travail passé ou réalisé, et le vendeur en travail actuel ou vivant[4]. Mettons qu'un article représente six heures de travail. S'il survient une invention qui permette de le produire désormais en trois heures, l'article déjà produit, déjà circulant sur le marché, n'aura plus que la moitié de sa valeur primitive. Il ne représentera plus que trois heures de travail, quoiqu'il y en ait six de réalisées en lui. Cette forme de travail *réalisé* n'ajoute donc rien à la valeur, dont la grandeur reste au contraire toujours déterminée par le quantum de travail actuel et socialement nécessaire qu'exige la production d'une marchandise.

Ce qui sur le marché fait directement vis-à-vis au capitaliste, ce n'est pas le travail, mais le travailleur. Ce que celui-ci vend, c'est lui-même, sa force de travail. Dès qu'il commence à mettre cette force en mouvement, à travailler, or, dès que son travail existe, ce travail a déjà cessé de lui appartenir et ne peut plus désormais être vendu par lui. Le travail est la substance et la mesure inhérente des valeurs, mais il n'a lui-même aucune valeur[5].

Dans l'expression : *valeur du travail*, l'idée de valeur est complètement éteinte. C'est une expression irrationnelle telle que par exemple *valeur de la terre*. Ces expressions irrationnelles ont cependant leur source dans les rapports de production eux-mêmes dont elles réfléchissent les formes phénoménales. On sait d'ailleurs dans toutes les sciences, à l'économie politique près, qu'il faut distinguer entre les apparences des choses et leur réalité[6].

Ayant emprunté naïvement, sans aucune vérification préalable, à la vie ordinaire la catégorie « prix du travail », l'économie politique classique se demanda après coup comment ce prix était déterminé. Elle reconnut bientôt que pour le travail comme pour toute autre marchandise, le rapport entre l'offre et la demande n'explique rien que les oscillations du prix de marché au-dessus ou au-dessous d'une certaine grandeur. Dès que l'offre et la demande se font équilibre, les variations de prix qu'elles avaient provoquées cessent, mais là cesse aussi tout l'effet de l'offre et la demande. Dans leur état d'équilibre, le prix du travail ne dépend plus de leur action et doit donc être déterminé comme si elles n'existaient pas. Ce prix-là, ce centre de gravitation des prix de marché, se présenta ainsi comme le véritable objet de l'analyse scientifique.

On arriva encore au même résultat en considérant une période de plusieurs années et en comparant les moyennes auxquelles se réduisent, par des compensations continuelles, les mouvements alternants de hausse et de baisse. On trouva ainsi des prix moyens, des grandeurs plus ou moins constantes qui s'affirment dans les oscillations mêmes des prix de marché et en forment les régulateurs intimes. Ce prix moyen donc, « le prix nécessaire » des physiocrates, « le prix naturel » d'Adam Smith — ne peut être pour le travail, de même que pour toute autre marchandise, que sa *valeur*, exprimée en argent. « La marchandise, dit Adam Smith, est alors vendue *précisément ce qu'elle vaut*. »

L'économie classique croyait avoir de cette façon remonté des prix accidentels du travail à sa valeur réelle. Puis elle détermina cette valeur par la valeur des subsistances nécessaires pour l'entretien et la reproduction du travailleur. A son insu elle changeait ainsi de terrain, en substituant à la valeur du travail, jusque-là l'objet apparent de ses recherches, la valeur de la force de travail, force qui n'existe que dans la personnalité du travailleur et se distingue de sa fonction, le travail, tout comme une machine se distingue de ses opérations. La marche de l'analyse avait donc forcément conduit non seulement des prix de marché du travail à son prix nécessaire ou sa valeur, mais avait fait résoudre la soi-disant valeur du travail en valeur de la force de travail, de sorte que celle-là ne devait être traitée désormais que comme forme phénoménale de celle-ci. Le résultat auquel l'analyse aboutissait était donc, non de résoudre le problème tel qu'il se présenta au point de départ, mais d'en changer entièrement les termes.

L'économie classique ne parvint jamais à s'apercevoir de ce quiproquo, exclusivement préoccupée qu'elle était de la différence entre les prix courants du travail et sa valeur, du rapport de celle-ci avec les valeurs des marchandises, avec le taux du profit, etc. Plus elle approfondit l'analyse de la valeur en général, plus la soi-disant valeur du travail l'impliqua dans des contradictions inextricables.

Le salaire est le payement du travail à sa valeur ou à des prix qui en divergent. Il implique donc que valeur et prix accidentels de la force de travail aient déjà subi un changement de forme qui les fasse apparaître comme valeur et prix du travail lui-même. Examinons maintenant de plus près cette transformation.

Mettons que la force de travail ait une valeur journalière de trois francs[7], et que la journée de travail soit de douze heures[8]. En confondant maintenant la valeur de la force avec la valeur de sa fonction, le travail qu'elle fait, on obtient cette formule : *Le travail de douze heures a une valeur de trois francs*. Si le prix de la force était au-dessous ou au-dessus de sa valeur, soit de quatre francs ou de deux, le prix courant du travail de douze heures serait également de quatre francs ou de deux. Il n'y a rien de changé que la forme. La valeur du travail ne réfléchit que la valeur de la force dont il est la fonction, et les prix de marché du travail s'écartent de sa soi-disant valeur dans la même proportion que les prix de marché de la force du travail s'écartent de sa valeur.

N'étant qu'une expression irrationnelle pour la valeur de la force ouvrière, la valeur du travail doit évidemment être toujours moindre que celle de son produit, car le capitaliste prolonge toujours le fonctionnement de cette force au-delà du temps nécessaire pour en reproduire l'équivalent. Dans notre exemple, il faut six heures par jour pour produire une valeur de trois francs, c'est-à-dire la valeur journalière de la force de travail, mais comme celle-ci fonctionne pendant douze heures, elle rapporte quotidiennement une valeur de six francs. On arrive ainsi au résultat absurde qu'un travail qui crée une valeur de six francs n'en vaut que trois[9]. Mais cela n'est pas visible à l'horizon de la société capitaliste. Tout au contraire : là la valeur de trois francs, produite en six heures de travail, dans une moitié de la journée, se présente comme la valeur du travail de douze heures, de la journée tout entière. En recevant par jour un salaire de trois francs, l'ouvrier paraît donc avoir reçu toute la valeur due à son travail, et c'est précisément pourquoi l'excédent de la valeur de son produit sur celle de son salaire, prend la forme d'une plus-value de trois francs, créée par le capital et non par le travail.

La forme salaire, ou payement direct du travail, fait donc disparaître toute trace de la division de la journée en travail nécessaire et surtravail, en travail payé et non payé, de sorte que tout le travail de l'ouvrier libre est censé être payé. Dans le servage le travail du corvéable pour lui-même et son travail forcé pour le seigneur sont nettement séparés l'un de l'autre par le temps et l'espace. Dans le système esclavagiste, la partie même de la journée où l'esclave ne fait que remplacer la valeur de ses subsistances, où il travaille donc en fait pour lui-même, ne semble être que du travail pour son propriétaire. Tout son travail revêt l'apparence de travail non payé[10]. C'est l'inverse chez le travail salarié : même le surtravail ou travail non payé revêt l'apparence de travail payé. Là le rapport de propriété dissimule le travail de l'esclave pour lui-même, ici le rapport monétaire dissimule le travail gratuit du salarié pour son capitaliste.

On comprend maintenant l'immense importance que possède dans la pratique ce changement de forme qui fait apparaître la rétribution de la force de travail comme salaire du travail, le prix de la force comme prix de sa fonction. Cette forme, qui n'exprime que les fausses apparences du travail salarié, rend invisible le rapport réel entre capital et travail et en montre précisément le contraire; c'est d'elle que dérivent toutes les notions juridiques du salarié et du capitaliste, toutes les mystifications de la production capitaliste, toutes les illusions libérales et tous les faux-fuyants apologétiques de l'économie vulgaire.

S'il faut beaucoup de temps avant que l'histoire ne parvienne à déchiffrer le secret du salaire du travail, rien n'est au contraire plus facile à comprendre que la nécessité, que les raisons d'être de cette forme phénoménale.

Rien ne distingue au premier abord l'échange entre capital et travail de l'achat et de la vente de toute autre marchandise. L'acheteur donne une certaine somme d'argent, le vendeur un article qui diffère de l'argent. Au point de vue du droit, on ne reconnaît donc dans le contrat de travail d'autre différence d'avec tout autre genre de contrat que celle contenue dans les formules juridiquement équivalentes : *Do ut des, do ut facias, facio ut des* et *facio ut facias*. (Je donne pour que tu donnes, je donne pour que tu fasses, je fais pour que tu donnes, je fais pour que tu fasses.)

Valeur d'usage et valeur d'échange étant par leur nature des grandeurs incommensurables entre elles, les expressions « valeur du travail », « prix du travail » ne semblent pas plus irrationnelles que les expressions « valeur du coton », « prix du coton ». En outre le travailleur n'est payé qu'après avoir livré son travail. Or dans sa fonction de moyen de payement, l'argent ne fait que réaliser après coup la valeur ou le prix de l'article livré, c'est-à-dire dans notre cas la valeur ou le prix du travail exécuté. Enfin la *valeur d'usage* que l'ouvrier fournit au capitaliste, ce n'est pas en réalité sa force de travail, mais l'usage de cette force, sa fonction, le travail. D'après toutes les apparences ce que le capitaliste paye, c'est donc la valeur de l'utilité que l'ouvrier lui donne, la valeur du travail, — et non celle de la force de travail que l'ouvrier ne semble pas aliéner. La seule expérience de la vie pratique ne fait pas ressortir la double utilité du travail, la propriété de satisfaire un besoin, qu'il a de commun avec toutes les marchandises, et celle de créer de la valeur, qui le distingue de toutes les marchandises et l'exclut, comme élément formateur de la valeur, de la possibilité d'en avoir aucune.

Plaçons nous au point de vue de l'ouvrier à qui son travail de douze heures rapporte une valeur produite en six heures, soit trois francs. Son travail de douze heures est pour lui en réalité le moyen d'achat des trois francs. Il se peut que sa rétribution tantôt s'élève à quatre francs, tantôt tombe à deux, par suite ou des changements survenus dans la valeur de sa force ou des fluctuations dans le rapport de l'offre et de la demande, — l'ouvrier n'en donne pas moins toujours douze heures de travail. Toute variation de grandeur dans l'équivalent qu'il reçoit lui apparaît donc nécessairement comme une variation dans la valeur ou le prix de ses douze heures de travail. Adam Smith qui traite la journée de travail comme une grandeur constante[11], s'appuie au contraire sur ce fait pour soutenir que le travail ne varie jamais dans sa valeur propre. « Quelle que soit la quantité de denrées, dit-il, que l'ouvrier reçoive en récompense de son travail, le prix qu'il paye est toujours le même. Ce prix, à la vérité, peut acheter tantôt une plus grande, tantôt une plus petite quantité de ces denrées : mais c'est *la valeur de celles-ci qui varie, et non celle du travail* qui les achète... Des quantités égales de travail sont toujours d'une valeur égale[12]. »

Prenons maintenant le capitaliste. Que veut celui-ci ? Obtenir le plus de travail possible pour le moins d'argent possible. Ce qui l'intéresse pratiquement ce n'est donc que la différence entre le prix de la force de travail et la valeur qu'elle crée par sa fonction. Mais il cherche à acheter de même tout autre article au meilleur marché possible et s'explique partout le profit par ce simple truc : acheter des marchandises au-dessous de leur valeur et les vendre au-dessus. Aussi n'arrive-t-il jamais à s'apercevoir que s'il existait réellement une chose telle que la valeur du travail, et qu'il eût à payer cette valeur, il n'existerait plus de capital et que son argent perdrait la qualité occulte de faire des petits.

Le mouvement réel du salaire présente en outre des phénomènes qui semblent prouver que ce n'est pas la valeur de la force de travail, mais la valeur de sa fonction, du travail lui-même, qui est payée. Ces phénomènes peuvent se ramener à deux grandes classes. Premièrement : Variations du salaire suivant les variations de la durée du travail. On pourrait tout aussi bien conclure que ce n'est pas la valeur de la machine qui est payée mais celle de ses opérations, parce qu'il coûte plus cher de louer une machine pour une semaine que pour un jour. Secondement : La différence dans les salaires individuels de travailleurs qui s'acquittent de la même fonction. On retrouve cette différence, mais sans qu'elle puisse faire illusion, dans le système de l'esclavage où, franchement et sans détours, c'est la force de travail elle-même qui est vendue. Il est vrai que si la force de travail dépasse la moyenne, c'est un avantage, et si elle lui est inférieure, c'est un préjudice, dans le système de l'esclavage pour le propriétaire d'esclaves, dans le système du salariat pour le travailleur, parce que dans le dernier cas celui-ci vend lui-même sa force de travail et que, dans le premier, elle est vendue par un tiers.

Il en est d'ailleurs de la forme « valeur et prix du travail » ou « salaire » vis-à-vis du rapport essentiel qu'elle renferme, savoir : la valeur et le prix de la force de travail, comme de toutes les formes phénoménales vis-à-vis de leur substratum. Les premières se réfléchissent spontanément, immédiatement dans l'entendement, le second doit être découvert par la science. L'économie politique classique touche de près le véritable état des choses sans jamais le formuler consciemment. Et cela lui sera impossible tant qu'elle n'aura pas dépouillé sa vieille peau bourgeoise.

CHAPITRE XX

LE SALAIRE AU TEMPS

Le salaire revêt à son tour des formes très variées sur lesquelles les auteurs de traités d'économie, que le fait brutal seul intéresse, ne fournissent aucun éclaircissement. Une exposition de toutes ces formes ne peut évidemment trouver place dans cet ouvrage; c'est l'affaire des traités spéciaux sur le travail salarié. Mais il convient de développer ici les deux formes fondamentales.

La vente de la force de travail a toujours lieu, comme on s'en souvient, pour une période de temps déterminée. La forme apparente sous laquelle se présente la valeur soit journalière, hebdomadaire ou annuelle, de la force de travail, est donc en premier lieu celle du salaire au temps, c'est-à-dire du salaire à la journée, à la semaine, etc.

La somme d'argent[1] que l'ouvrier reçoit pour son travail du jour, de la semaine, etc., forme le montant de son salaire nominal ou estimé en valeur. Mais il est clair que suivant la longueur de sa journée ou suivant la quantité de travail livré par lui chaque jour, le même salaire quotidien, hebdomadaire, etc., peut représenter un prix du travail très différent, c'est-à-dire des sommes d'argent très différentes payées pour un même quantum de travail[2]. Quand il s'agit du salaire au temps, il faut donc distinguer de nouveau entre le montant total du salaire quotidien, hebdomadaire, etc., et le prix du travail. Comment trouver ce dernier ou la valeur monétaire d'un quantum de travail donné ? Le prix moyen du travail s'obtient en divisant la valeur journalière moyenne que possède la force de travail par le nombre d'heures que compte en moyenne la journée de travail.

La valeur journalière de la force de travail est-elle par exemple de trois francs, valeur produite en six heures, et la journée de travail de douze heures, le prix d'une heure est alors égal à $\frac{3}{12} = 25$ centimes. Le prix ainsi trouvé de l'heure de travail sert d'unité de mesure pour le prix du travail.

Il suit de là que le salaire journalier, le salaire hebdomadaire, etc., peuvent rester les mêmes, quoique le prix du travail tombe constamment. Si la journée de travail est de dix heures et la valeur journalière de la force de travail de trois francs, alors l'heure de travail est payée à trente centimes. Ce prix tombe à vingt-cinq centimes dès que la journée de travail s'élève à douze heures et à vingt centimes, dès qu'elle s'élève à quinze heures. Le salaire journalier ou hebdomadaire reste malgré cela invariable. Inversement ce salaire peut s'élever quoique le prix du travail reste constant ou même tombe.

Si la journée de travail est de dix heures et la valeur journalière de la force de travail de trois francs, le prix d'une heure de travail sera de trente centimes. L'ouvrier travaille-t-il douze heures par suite d'un surcroît d'occupation, le prix du travail restant le même, son salaire quotidien s'élève alors à trois francs soixante, sans que le prix du travail varie. Le même résultat pourrait se produire si, au lieu de la grandeur extensive, la grandeur intensive du travail augmentait[3].

Tandis que le salaire nominal à la journée ou à la semaine augmente, le prix du travail peut donc rester le même ou baisser. Il en est de même de la recette de la famille ouvrière dès que le quantum de travail fourni par son chef est augmenté de celui de ses autres membres. On voit que la diminution directe du salaire à la journée ou à la semaine n'est pas la seule méthode pour faire baisser le prix du travail[4]. En général on obtient cette loi : Donné la quantité du travail quotidien ou hebdomadaire, le salaire quotidien ou hebdomadaire dépend du prix du travail, lequel varie lui-même soit avec la valeur de la force ouvrière soit avec ses prix de marché.

Est-ce au contraire le prix du travail qui est donné, alors le salaire à la journée ou à la semaine dépend de la quantité du travail quotidien ou hebdomadaire.

L'unité de mesure du salaire au temps, le prix d'une heure de travail, est le quotient qu'on obtient en divisant la valeur journalière de la force de travail par le nombre d'heures de la journée ordinaire. Si celle-ci est de douze heures, et qu'il en faille six pour produire la valeur journalière de la force de travail, soit trois francs, l'heure de travail aura un prix de vingt-cinq centimes tout en rendant une valeur de cinquante centimes. Si maintenant l'ouvrier est occupé moins de douze heures (ou moins de six jours par semaine), soit huit ou six heures, il n'obtiendra avec ce prix du travail que deux francs ou un franc et demi pour salaire de sa journée. Puisqu'il doit travailler six heures par jour moyen simplement pour produire un salaire correspondant à la valeur de sa force de travail, ou, ce qui revient au même, à la valeur de ses subsistances nécessaires, et qu'il travaille dans chaque heure, une demi-heure pour lui-même et une demi-heure pour le capitaliste, il est clair qu'il lui est impossible d'empocher son salaire normal dont il produit la valeur en six heures, quand son occupation dure moins de douze heures.

De même qu'on a déjà constaté les suites funestes de l'excès de travail, de même on découvre ici la source des maux qui résultent pour l'ouvrier d'une occupation insuffisante[5].

Le salaire à l'heure est-il ainsi réglé que le capitaliste ne s'engage à payer que les heures de la journée où il donnera de la besogne, il peut dès lors occuper ses gens moins que le temps qui originairement sert de base au salaire à l'heure, l'unité de mesure pour le prix du travail. Comme cette mesure est déterminée par la proportion :

$$\frac{\text{Valeur journalière de la force de travail}}{\text{Journée de travail d'un nombre d'heures donné}},$$

elle perd naturellement tout sens, dès que la journée de travail cesse de compter un nombre d'heures déterminé. Il n'y a plus de rapport entre le temps de travail payé et celui qui ne l'est pas. Le capitaliste peut maintenant extorquer à l'ouvrier un certain quantum de surtravail, sans lui accorder le temps de travail nécessaire à son entretien. Il peut anéantir toute régularité d'occupation et faire alterner arbitrairement, suivant sa commodité et ses intérêts du moment, le plus énorme excès de travail avec un chômage partiel ou complet. Il peut sous le prétexte de payer le « prix normal du travail » prolonger démesurément la journée sans accorder au travailleur la moindre compensation. Telle fut en 1860 l'origine de la révolte parfaitement légitime des ouvriers en bâtiment de Londres contre la tentative des capitalistes pour imposer ce genre de salaire. La limitation légale de la journée de travail suffit pour mettre un terme à de semblables scandales; mais il n'en est pas de même naturellement du chômage causé par la concurrence des machines, par la substitution du travail inhabile au travail habile, des enfants et des femmes aux hommes, etc., enfin par des crises partielles ou générales.

Le prix du travail peut rester nominalement constant et néanmoins tomber au-dessous de son niveau normal, bien que le salaire à la journée ou à la semaine s'élève. Ceci a lieu toutes les fois que la journée est prolongée au-delà de sa durée ordinaire, en même temps que l'heure de travail ne change pas de prix. Si dans la fraction

$$\frac{\text{Valeur journalière de la force de travail}}{\text{Journée de travail}}$$

le dénominateur augmente, le numérateur augmente plus rapidement encore. La valeur de la force de travail, en raison de son usure, croît avec la durée de sa fonction et même en proportion plus rapide que l'incrément de cette durée.

Dans beaucoup de branches d'industrie où le salaire au temps prédomine, sans limitation légale de la journée, il est passé peu à peu en habitude de compter comme normale (« *normal working day* », « *the day's work* », « *the regular hours of work* »), une partie de la journée qui ne dure qu'un certain nombre d'heures, par exemple, dix. Au-delà, commence le temps de travail supplémentaire (*overtime*), lequel, en prenant l'heure pour unité de mesure, est mieux payé *(extra pay)*, quoique souvent dans une proportion ridiculement petite[6]. La journée normale existe ici comme fragment de la journée réelle, et celle-ci reste souvent pendant toute l'année plus longue que celle-là[7]. Dans différentes industries anglaises, l'accroissement du prix du travail à mesure que la journée se prolonge au-delà d'une limite fixée amène ce résultat que l'ouvrier qui veut obtenir un salaire suffisant est contraint, par l'infériorité du prix du travail pendant le temps soi-disant normal, de travailler pendant le temps supplémentaire et mieux payé[8]. La limitation légale de la journée met fin à cette jonglerie[9].

C'est un fait notoire que plus longue est la journée de travail dans une branche d'industrie, plus bas y est le salaire[10]. L'inspecteur de fabrique A. Redgrave en donne une démonstration par une revue comparative de différentes industries pendant la période de 1839 à 1859. On y voit que le salaire a monté dans les fabriques soumises à la loi des dix heures, tandis qu'il a baissé dans celles où le travail quotidien dure de quatorze à quinze heures[11].

Nous avons établi plus haut que la somme du salaire quotidien ou hebdomadaire dépend de la quantité de travail fournie, le prix du travail étant donné. Il en résulte que plus bas est ce prix, plus grande doit être la quantité de travail ou la journée de travail, pour que l'ouvrier puisse s'assurer même un salaire moyen insuffisant. Si le prix de travail est de douze centimes, c'est-à-dire si l'heure est payée à ce taux, l'ouvrier doit travailler treize heures et un tiers par jour pour obtenir un salaire quotidien de un franc soixante. Si le prix de travail est de vingt-cinq centimes une journée de douze heures lui suffit pour se procurer un salaire quotidien de trois francs. Le bas prix du travail agit donc comme stimulant pour la prolongation du temps de travail[12].

Mais si la prolongation de la journée est ainsi l'effet naturel du bas prix du travail, elle peut, de son côté, devenir la cause d'une baisse dans le prix du travail et par là dans le salaire quotidien ou hebdomadaire.

La détermination du prix du travail par la fraction

$$\frac{\text{Valeur journalière de la force de travail}}{\text{Journée de travail d'un nombre d'heures donné}}$$

démontre qu'une simple prolongation de la journée fait réellement baisser le prix du travail, même si son taux nominal n'est pas rabaissé. Mais les mêmes circonstances qui permettent au capitaliste de prolonger la journée lui permettent d'abord et le forcent ensuite de réduire même le prix nominal du travail jusqu'à ce que baisse le prix total du nombre d'heures augmenté et, par conséquent, le salaire à la journée ou à la semaine. Si, grâce à la prolongation de la journée, un homme exécute l'ouvrage de deux, l'offre du travail augmente, quoique l'offre de forces de travail, c'est-à-dire le nombre des ouvriers qui se trouvent sur le marché, reste constante. La concurrence ainsi créée entre les ouvriers permet au capitaliste de réduire le prix du travail, dont la baisse, à son tour, lui permet de reculer encore plus loin la limite de la journée[13]. Il profite donc doublement, et des retenues sur le prix ordinaire du travail et de sa durée extraordinaire. Cependant, dans les industries particulières où la plus-value s'élève ainsi au-dessus du taux moyen, ce pouvoir de disposer d'une quantité anormale de travail non payé, devient bientôt un moyen de concurrence entre les capitalistes eux-mêmes. Le prix des marchandises renferme le prix du travail. La partie non payée de celui-ci peut donc être éliminée par le capitaliste du prix de vente de ses marchandises; il peut en faire cadeau à l'acheteur. Tel est le premier pas auquel la concurrence l'entraîne. Le second pas qu'elle le contraint de faire consiste à éliminer également du prix de vente des marchandises au moins une partie de la plus-value anormale due à l'excès de travail. C'est de cette manière que pour les produits des industries où ce mouvement a lieu, s'établit peu à peu et se fixe enfin un prix de vente d'une vileté anormale, lequel devient à partir de ce moment la base constante d'un salaire misérable, dont la grandeur est en raison inverse à celle du travail. Cette simple indication suffit ici où il ne s'agit pas de faire l'analyse de la concurrence. Il convient cependant de donner un instant la parole au capitaliste lui-même.

« A Birmingham, la concurrence entre les patrons est telle que plus d'un parmi nous est forcé de faire comme entrepreneur ce qu'il rougirait de faire autrement; et néanmoins on n'en gagne pas plus d'argent *(and yet no more money is made)*, c'est le public seul qui en recueille tout l'avantage[14]. » On se souvient qu'il y a à Londres deux sortes de boulangers, les uns qui vendent le pain à son prix entier *(the « fullpriced » bakers)*, les autres qui le vendent au-dessous de son prix normal *(the « underpriced », the undersellers)*. Les premiers dénoncent leurs concurrents devant la commission parlementaire d'enquête :

« Ils ne peuvent exister, disent-ils, premièrement, qu'en trompant le public (en falsifiant le pain), et, secondement, qu'en arrachant aux pauvres diables qu'ils emploient dix-huit heures de travail pour un salaire de douze... Le travail non payé *(the unpaid labour)* des ouvriers, tel est le moyen qui leur permet d'entretenir la lutte... Cette concurrence entre les maîtres boulangers est la cause des difficultés que rencontre la suppression du travail de nuit. Un sous-vendeur vend le pain au-dessous du prix réel, qui varie avec celui de la farine, et se dédommage en extorquant de ses gens plus de travail. Si je ne tire de mes gens que douze heures de travail, tandis que mon voisin en tire dix-huit ou vingt des siens, je serai battu par lui sur le prix de la marchandise. Si les ouvriers pouvaient se faire payer le temps supplémentaire, on verrait bien vite la fin de cette manœuvre... Une grande partie des gens employés par les sous-vendeurs se compose d'étrangers, de jeunes garçons et autres individus qui sont forcés de se contenter de n'importe quel salaire[15]. »

Cette jérémiade est surtout intéressante en ce qu'elle fait voir que l'apparence seule des rapports de production se reflète dans le cerveau du capitaliste. Il ne sait pas que le soi-disant prix normal du travail contient aussi un certain quantum de travail non payé, et que c'est précisément ce travail non payé qui est la source de son gain normal. Le temps de surtravail n'existe pas pour lui, car il est compris dans la journée normale qu'il croit payer avec le salaire quotidien. Il admet cependant un temps supplémentaire qu'il calcule d'après la prolongation de la journée au-delà de la limite correspondant au prix ordinaire du travail. Vis-à-vis du sous-vendeur, son concurrent, il insiste même pour que ce temps soit payé plus cher *(extra pay)*. Mais ici encore, il ignore que ce surplus de prix renferme tout aussi bien du travail non payé que le prix ordinaire de l'heure de travail. Mettons, par exemple, que pour la journée ordinaire de douze heures, l'heure soit payée à vingt-cinq centimes, valeur produite en une demi-heure de travail, et que pour chaque heure au-delà de la journée ordinaire, la paye s'élève à trente-trois centimes un tiers. Dans le premier cas, le capitaliste s'approprie, sans payement, une moitié, et dans le second, un tiers de l'heure de travail.

CHAPITRE XXI

LE SALAIRE AUX PIÈCES

Le salaire aux pièces n'est qu'une transformation du salaire au temps, de même que celui-ci n'est qu'une transformation de la valeur ou du prix de la force de travail.

Le salaire aux pièces semble prouver à première vue que ce que l'on paye à l'ouvrier soit non pas la valeur de sa force, mais celle du travail déjà réalisé dans le produit, et que le prix de ce travail soit déterminé non pas comme dans le salaire au temps par la fraction $\frac{\text{Valeur journalière de la force de travail}}{\text{Journée de travail d'un nombre d'heures donné}}$, mais par la capacité d'exécution du producteur[1].

Ceux qui se laissent tromper par cette apparence devraient déjà se sentir ébranlés fortement dans leur foi par ce simple fait que les deux formes du salaire existent l'une à côté de l'autre, dans les mêmes branches d'industrie. « Les compositeurs de Londres, par exemple, travaillent ordinairement aux pièces, et ce n'est qu'exceptionnellement qu'ils sont payés à la journée. C'est le contraire pour les compositeurs de la province, où le salaire au temps est la règle et le salaire aux pièces l'exception. Les charpentiers de marine, dans le port de Londres, sont payés aux pièces; dans tous les autres ports anglais, à la journée, à la semaine, etc[2]. » Dans les mêmes ateliers de sellerie, à Londres, il arrive souvent que les Français sont payés aux pièces et les Anglais au temps. Dans les fabriques proprement dites, où le salaire aux pièces prédomine généralement, certaines fonctions se dérobent à ce genre de mesure et sont par conséquent payées suivant le temps employé[3]. Quoi qu'il en soit, il est évident que les différentes formes du payement ne modifient en rien la nature du salaire, bien que telle forme puisse être plus favorable que telle autre au développement de la production capitaliste.

Mettons que la journée de travail ordinaire soit de douze heures, dont six payées et six non payées, et que la valeur produite soit de six francs. Le produit d'une heure de travail sera par conséquent zéro franc cinquante centimes. Il est censé établi expérimentalement qu'un ouvrier qui travaille avec le degré moyen d'intensité et d'habileté, qui n'emploie par conséquent que le temps de travail socialement nécessaire à la production d'un article, livre en douze heures vingt-quatre pièces, soit autant de produits séparés, soit autant de parties mesurables d'un tout continu. Ces vingt-quatre pièces, déduction faite des moyens de production qu'elles contiennent, valent six francs, et chacune d'elles vaut vingt-cinq centimes. L'ouvrier obtient par pièce douze francs et un demi-centime et gagne ainsi en douze heures trois francs. De même que dans le cas du salaire à la journée on peut indifféremment dire que l'ouvrier travaille six heures pour lui-même et six pour le capitaliste, ou la moitié de chaque heure pour lui-même et l'autre moitié pour son patron, de même ici il importe peu que l'on dise que chaque pièce est à moitié payée et à moitié non payée, ou que le prix de douze pièces n'est qu'un équivalent de la force de travail, tandis que la plus-value s'incorpore dans les douze autres.

La forme du salaire aux pièces est aussi irrationnelle que celle du salaire au temps. Tandis que, par exemple, deux pièces de marchandise, déduction faite des moyens de production consommés, valent cinquante centimes comme produit d'une heure de travail, l'ouvrier reçoit pour elles un prix de vingt-cinq centimes. Le salaire aux pièces n'exprime en réalité aucun rapport de valeur immédiat. En effet, il ne mesure pas la valeur d'une pièce au temps de travail qui s'y trouve incorporé, mais au contraire le travail que l'ouvrier dépense au nombre de pièces qu'il a produites. Dans le salaire au temps le travail se mesure d'après sa durée immédiate, dans le salaire aux pièces d'après le *quantum* de produit où il se fixe quand il dure un certain temps[4]. Le prix du temps de travail reste toujours déterminé par l'équation : Valeur d'une journée de travail = Valeur journalière de la force de travail. Le salaire aux pièces n'est donc qu'une forme modifiée du salaire au temps.

Examinons maintenant de plus près les particularités caractéristiques du salaire aux pièces.

La qualité du travail est ici contrôlée par l'ouvrage même, qui doit être d'une bonté moyenne pour que la pièce soit payée au prix convenu. Sous ce rapport, le salaire aux pièces devient une source inépuisable de prétextes pour opérer des retenues sur les gages de l'ouvrier et pour le frustrer de ce qui lui revient.

Il fournit en même temps au capitaliste une mesure exacte de l'intensité du travail. Le seul temps de travail qui compte comme socialement nécessaire et soit par conséquent payé, c'est celui qui s'est incorporé dans une masse de produits déterminée d'avance et établie expérimentalement. Dans les grands ateliers de tailleurs de Londres, une certaine pièce, un gilet, par exemple, s'appelle donc une heure, une demi-heure, etc., l'heure étant payée six pence. On sait par la pratique quel est le produit d'une heure en moyenne. Lors des modes nouvelles, etc., il s'élève toujours une discussion entre le patron et l'ouvrier pour savoir si tel ou tel morceau équivaut à une heure, etc., jusqu'à ce que l'expérience ait décidé. Il en est de même dans les ateliers de menuiserie, d'ébénisterie, etc. Si l'ouvrier ne possède pas la capacité moyenne d'exécution, s'il ne peut pas livrer un certain minimum d'ouvrage dans sa journée, on le congédie[5].

La qualité et l'intensité du travail étant assurées ainsi par la forme même du salaire, une grande partie du travail de surveillance devient superflue. C'est là-dessus que se fonde non seulement le travail à domicile moderne, mais encore tout un système d'oppression et d'exploitation hiérarchiquement constitué. Ce dernier possède deux formes fondamentales. D'une part, le salaire aux pièces facilite l'intervention de parasites entre le capitaliste et le travailleur, le marchandage *(subletting of labour)*. Le gain des intermédiaires, des marchandeurs, provient exclusivement de la différence entre le prix du travail, tel que le paye le capitaliste, et la portion de ce prix qu'ils accordent à l'ouvrier[6]. Ce système porte en Angleterre, dans le langage populaire, le nom de « *Sweating system*[7] ». D'autre part, le salaire aux pièces permet au capitaliste de passer un contrat de tant par pièce avec l'ouvrier principal, dans la manufacture avec le chef de groupe, dans les mines avec le mineur proprement dit, etc., — cet ouvrier principal se chargeant pour le prix établi d'embaucher lui-même ses aides et de les payer. L'exploitation des travailleurs par le capital se réalise ici au moyen de l'exploitation du travailleur par le travailleur[8].

Le salaire aux pièces une fois donné, l'intérêt personnel pousse l'ouvrier naturellement à tendre sa force le plus possible, ce qui permet au capitaliste d'élever plus facilement le degré normal de l'intensité du travail[9]. L'ouvrier est également intéressé à prolonger la journée de travail, parce que c'est le moyen d'accroître son salaire quotidien ou hebdomadaire[10]. De là une réaction pareille à celle que nous avons décrite à propos du salaire au temps, sans compter que la prolongation de la journée, même lorsque le salaire aux pièces reste constant, implique par elle-même une baisse dans le prix du travail.

Le salaire au temps présuppose, à peu d'exceptions près, l'égalité de rémunération pour les ouvriers chargés de la même besogne. Le salaire aux pièces, où le prix du temps de travail est mesuré par un *quantum* déterminé de produit, varie naturellement suivant que le produit fourni dans un temps donné dépasse le minimum admis. Les degrés divers d'habileté, de force, d'énergie, de persévérance des travailleurs individuels causent donc ici de grandes différences dans leurs recettes[11]. Cela ne change naturellement rien au rapport général entre le capital et le salaire du travail. Premièrement ces différences individuelles se balancent pour l'ensemble de l'atelier, si bien que le produit moyen est à peu près toujours obtenu dans un temps de travail déterminé et que le salaire total ne dépasse guère en définitive le salaire moyen de la branche d'industrie à laquelle l'atelier appartient. Secondement la proportion entre le salaire et la plus-value ne change pas, puisqu'au salaire individuel de l'ouvrier correspond la masse de plus-value fournie par lui. Mais en donnant une plus grande latitude à l'individualité, le salaire aux pièces tend à développer d'une part avec l'individualité l'esprit de liberté, d'indépendance et d'autonomie des travailleurs, et d'autre part la concurrence qu'ils se font entre eux. Il s'ensuit une élévation de salaires individuels au-dessus du niveau général qui est accompagnée d'une dépression de ce niveau lui-même. Mais là où une vieille coutume avait établi un salaire aux pièces déterminé, dont la réduction présentait par conséquent des difficultés exceptionnelles, les patrons eurent recours à sa transformation violente en salaire à la journée. De là, par exemple, en 1860, une grève considérable parmi les rubaniers de Coventry[12]. Enfin le salaire aux pièces est un des principaux appuis du système déjà mentionné de payer le travail à l'heure sans que le patron s'engage à occuper l'ouvrier régulièrement pendant la journée ou la semaine[13].

L'exposition précédente démontre que le salaire aux pièces est la forme du salaire la plus convenable au mode de production capitaliste. Bien qu'il ne soit pas nouveau — il figure déjà officiellement à côté du salaire au temps dans les lois françaises et anglaises du XIVe siècle — ce n'est que pendant l'époque manufacturière proprement dite qu'il prit une assez grande extension. Dans la première période de l'industrie mécanique, surtout de 1797 à 1815, il sert de levier puissant pour prolonger la durée du travail et en réduire la rétribution. Les livres bleus : « *Report and Evidence from the select Committee on Petitions respecting the Corn Laws.* » (Session du Parlement 1813-1814) et : « *Reports from the Lords' Committee, on the state of the Growth, Commerce, and Consumption of Grain, and all Laws relating thereto.* » (Session, 1814-1815), fournissent des preuves incontestables que depuis le commencement de la guerre anti-jacobine, le prix du travail baissait de plus en plus. Chez les tisseurs par exemple, le salaire aux pièces était tellement tombé, que malgré la grande prolongation de la journée de travail le salaire journalier ou hebdomadaire était en 1814 moindre qu'à la fin du XVIIIe siècle.

« La recette réelle du tisseur est de beaucoup inférieure à ce qu'elle était; sa supériorité sur l'ouvrier ordinaire, auparavant fort grande, a presque disparu. En réalité il y a aujourd'hui bien moins de différence entre les salaires des ouvriers ordinaires et des ouvriers habiles qu'à n'importe quelle autre période antérieure[14]. » Tout en augmentant l'intensité et la durée du travail, le salaire aux pièces ne profita en rien au prolétariat agricole, comme l'on peut s'en convaincre par le passage suivant, emprunté à un plaidoyer en faveur des landlords et fermiers anglais :

« La plupart des opérations agricoles sont exécutées par des gens loués à la journée ou à la pièce. Leur salaire hebdomadaire s'élève environ à douze shillings et bien que l'on puisse supposer qu'au salaire à la pièce, avec un stimulant supérieur pour le travail, un homme gagne un ou peut-être deux shillings de plus qu'au salaire à la semaine, on trouve cependant, tout compte fait, que la perte causée par le chômage dans le cours de l'année balance ce surplus... On trouve en outre généralement que les salaires de ces gens ont un certain rapport avec le prix des moyens de subsistance nécessaires, en sorte qu'un homme avec deux enfants est capable d'entretenir sa famille sans avoir recours à l'assistance paroissiale[15]. » Si cet homme avait trois enfants, il était donc condamné à la pitance de la charité publique. L'ensemble des faits publiés par le Parlement frappa alors l'attention de Malthus : « J'avoue, s'écria-t-il, que je vois avec déplaisir la grande extension donnée à la pratique du salaire aux pièces. Un travail réellement pénible qui dure douze ou quatorze heures par jour pendant une période plus ou moins longue, c'en est trop pour une créature humaine[16]. »

Dans les établissements soumis aux lois de fabrique le salaire aux pièces devient règle générale, parce que là le capitaliste ne peut agrandir le travail quotidien que sous le rapport de l'intensité[17].

Si le travail augmente en productivité, la même quantité de produits représente une quantité diminuée de travail. Alors le salaire aux pièces, qui n'exprime que le prix d'une quantité déterminée de travail, doit varier de son côté.

Revenons à notre exemple et supposons que la productivité du travail vienne à doubler. La journée de douze heures produira alors quarante-huit pièces au lieu de vingt-quatre, chaque pièce ne représentera plus qu'un quart d'heure de travail au lieu d'une demi-heure, et, par conséquent, le salaire à la pièce tombera de douze centimes et demi à six un quart, mais la somme du salaire quotidien restera la même, car 24 × 12,5 centimes = 48 × 6,25 centimes = 3 francs. En d'autres termes : le salaire à la pièce baisse dans la même proportion que s'accroît le nombre des pièces produites dans le même temps[18], et que par conséquent le temps de travail consacré à la même pièce diminue. Cette variation du salaire, bien que purement nominale, provoque des luttes continuelles entre le capitaliste et l'ouvrier; soit parce que le capitaliste s'en fait un prétexte pour abaisser réellement le prix du travail; soit parce que l'augmentation de productivité du travail entraîne une augmentation de son intensité; soit parce que l'ouvrier prenant au sérieux cette apparence créée par le salaire aux pièces — que ce qu'on lui paye c'est son produit et non sa force de travail — se révolte contre une déduction de salaire à laquelle ne correspond pas une réduction proportionnelle dans le prix de vente de la marchandise. « Les ouvriers surveillent soigneusement le prix de la matière première ainsi que le prix des articles fabriqués et sont ainsi à même d'estimer exactement les profits de leurs patrons[19]. » Le capital repousse justement de pareilles prétentions comme entachées d'erreur grossière sur la nature du salaire[20]. Il les flétrit comme une usurpation tendant à lever des impôts sur le progrès de l'industrie et déclare carrément que la productivité du travail ne regarde en rien le travailleur[21].

CHAPITRE XXII

DIFFÉRENCE DANS LE TAUX DES SALAIRES NATIONAUX

En comparant le taux du salaire chez différentes nations, il faut tout d'abord tenir compte des circonstances dont dépend, chez chacune d'elles, la valeur, soit absolue, soit relative[1], de la force de travail, telles que l'étendue des besoins ordinaires, le prix des subsistances, la grandeur moyenne des familles ouvrières, les frais d'éducation du travailleur, le rôle que joue le travail des femmes et des enfants, enfin la productivité, la durée et l'intensité du travail.

Dans les mêmes branches d'industrie la durée quotidienne du travail varie d'un pays à l'autre, mais en divisant le salaire à la journée par le nombre d'heures de la journée, on trouve le prix payé en chaque pays pour un certain quantum de travail, l'heure. Ces deux facteurs, le prix et la durée du travail, étant ainsi donnés, on est à même de comparer les taux nationaux du salaire au temps.

Puis il faut convertir le salaire au temps en salaire aux pièces, puisque lui seul indique les différents degrés d'intensité et de productivité du travail.

En chaque pays il y a une certaine intensité moyenne, ordinaire, à défaut de laquelle le travail consomme dans la production d'une marchandise plus que le temps socialement nécessaire, et, par conséquent, ne compte pas comme travail de qualité normale. Ce n'est qu'un degré d'intensité supérieur à la moyenne nationale qui, dans un pays donné, modifie la mesure de la valeur par la seule durée du travail. Mais il n'en est pas ainsi sur le marché universel dont chaque pays ne forme qu'une partie intégrante. L'intensité moyenne ou ordinaire du travail national n'est pas la même en différents pays. Là elle est plus grande, ici plus petite. Ces moyennes nationales forment donc une échelle dont l'intensité ordinaire du travail universel est l'unité de mesure. Comparé au travail national moins intense, le travail national plus intense produit donc dans le même temps plus de valeur qui s'exprime en plus d'argent.

Dans son application internationale, la loi de la valeur est encore plus profondément modifiée, parce que sur le marché universel le travail national plus productif compte aussi comme travail plus intense, toutes les fois que la nation plus productive n'est pas forcée par la concurrence à rabaisser le prix de vente de ses marchandises au niveau de leur valeur.

Suivant que la production capitaliste est plus développée dans un pays, l'intensité moyenne et la productivité du travail (national) y dépassent d'autant le niveau international[2]. Les différentes quantités de marchandises de la même espèce, qu'on produit en différents pays dans le même temps de travail, possèdent donc des valeurs internationales différentes qui s'expriment en prix différents, c'est-à-dire en sommes d'argent dont la grandeur varie avec celle de la valeur internationale. La valeur relative de l'argent sera, par conséquent, plus petite chez la nation où la production capitaliste est plus développée que là où elle l'est moins. Il s'ensuit que le salaire nominal, l'équivalent du travail exprimé en argent, sera aussi en moyenne plus élevé chez la première nation que chez la seconde, ce qui n'implique pas du tout qu'il en soit de même du salaire réel, c'est-à-dire de la somme de subsistances mises à la disposition du travailleur.

Mais à part cette inégalité de la valeur relative de l'argent en différents pays, on trouvera fréquemment que le salaire journalier, hebdomadaire, etc., est plus élevé chez la nation A que chez la nation B, tandis que le prix proportionnel du travail, c'est-à-dire son prix comparé soit à la plus-value, soit à la valeur du produit, est plus élevé chez la nation B que chez la nation A.

Un économiste contemporain d'Adam Smith, James Anderson, dit déjà : « Il faut remarquer que bien que le prix apparent du travail soit généralement moins élevé dans les pays pauvres, où les produits du sol, et surtout les grains, sont à bon marché, il y est cependant en réalité supérieur à celui d'autres pays. Ce n'est pas, en effet, le salaire donné au travailleur qui constitue le prix réel du travail, bien qu'il en soit le prix apparent. Le prix réel, c'est ce que coûte au capitaliste une certaine quantité de travail accompli; considéré à ce point de vue le travail est, dans presque tous les cas, meilleur marché dans les pays riches que dans les pays pauvres, bien que le prix des grains et autres denrées alimentaires soit ordinairement beaucoup moins élevé dans ceux-ci que dans ceux-là... Le travail estimé à la journée est beaucoup moins cher en Ecosse qu'en Angleterre, le travail à la pièce est généralement meilleur marché dans ce dernier pays[3]. »

J. W. Cowell, membre de la Commission d'enquête sur les fabriques (1833), arriva, par une analyse soigneuse de la filature, à ce résultat : « en Angleterre, les salaires sont virtuellement inférieurs pour le capitaliste, quoique pour l'ouvrier ils soient peut-être plus élevés que sur le continent européen[4]. »

M. A. Redgrave, inspecteur de fabrique, démontre, au moyen d'une statistique comparée, que malgré des salaires plus bas et des journées de travail plus longues, le travail continental est, par rapport à la valeur produite, plus cher que le travail anglais. Il cite entre autres les données à lui communiquées par un directeur anglais d'une filature de coton en Oldenbourg, d'après lesquelles le temps de travail dure là quatorze heures et demie par jour (de 5 h 30 du matin jusqu'à 8 heures du soir), mais les ouvriers, quand ils sont placés sous des contremaîtres anglais, n'y font pas tout à fait autant d'ouvrage que des ouvriers anglais travaillant dix heures, et beaucoup moins encore, quand leurs contremaîtres sont des Allemands. Leur salaire est beaucoup plus bas, souvent de cinquante pour cent, que le salaire anglais, mais le nombre d'ouvriers employés par machine est plus grand, pour quelques départements de la fabrique dans la raison de cinq à trois[5].

M. Redgrave donne le tableau suivant de l'intensité comparative du travail dans les filatures anglaises et continentales :

Nombre moyen de broches par fabrique

Angleterre	12 600
Suisse	8 000
Autriche	7 000
Saxe	4 500
Belgique	4 000
France	1 500
Prusse	1 500

Nombre moyen de broches par tête

Angleterre	74
Suisse	55
Petits Etats allemands	55
Saxe	50
Belgique	50
Autriche	49
Bavière	46
Prusse	37
Russie	28
France	14

M. Redgrave remarque qu'il a recueilli ces chiffres quelques années avant 1866, date de son rapport, et que depuis ce temps-là la filature anglaise a fait de grands progrès, mais il suppose qu'un progrès pareil a eu lieu dans les filatures continentales, de sorte que les chiffres maintiendraient toujours leur valeur relative.

Mais ce qui, d'après lui, ne fait pas assez ressortir la supériorité du travail anglais, c'est qu'en Angleterre un très grand nombre de fabriques combinent le tissage mécanique avec la filature, et que, dans le tableau précédent, aucune tête n'est déduite pour les métiers à tisser. Les fabriques continentales, au contraire, ne sont en général que des filatures[6].

On sait que dans l'Europe occidentale aussi bien qu'en Asie, des compagnies anglaises ont entrepris la construction de chemins de fer où elles emploient en général, à côté des ouvriers du pays, un certain nombre d'ouvriers anglais. Ainsi obligées par des nécessités pratiques à tenir compte des différences nationales dans l'intensité du travail, elles n'y ont pas failli, et il résulte de leurs expériences que si l'élévation du salaire correspond plus ou moins à l'intensité moyenne du travail, le prix porportionnel du travail marche généralement en sens inverse.

Dans son *Essai sur le taux du salaire*[7], un de ses premiers écrits économiques, M. H. Carey cherche à démontrer que les différents salaires nationaux sont entre eux comme les degrés de productivité du travail national. La conclusion qu'il veut tirer de ce rapport international, c'est qu'en général la rétribution du travailleur suit la même proportion que la productivité de son travail. Notre analyse de la production de la plus-value prouverait la fausseté de cette conclusion, lors même que M. Carey en eût prouvé les prémisses, au lieu d'entasser, selon son habitude, sans rime ni raison, des matériaux statistiques qui n'ont pas passé au crible de la critique. Mais, après tout, il fait l'aveu que la pratique est rebelle à sa théorie. Selon lui, les rapports économiques naturels ont été faussés par l'intervention de l'Etat, de sorte qu'il faut calculer les salaires nationaux, comme si la partie qui en échoit à l'Etat, restait dans les mains de l'ouvrier. N'aurait-il pas dû se demander si ces faux-frais gouvernementaux ne sont pas eux-mêmes des fruits naturels du développement capitaliste ? Après avoir proclamé les rapports de la production capitaliste lois éternelles de la nature et de la raison, lois dont le jeu harmonique n'est troublé que par l'intervention de l'Etat, il s'est avisé après coup de découvrir — quoi ? que l'influence diabolique de l'Angleterre sur le marché des deux mondes, qui, paraît-il, n'a rien à faire avec les lois naturelles de la concurrence, que cette influence enfin a fait une nécessité de placer ces harmonies préétablies, ces lois éternelles de la nature, sous la sauvegarde de l'Etat, en d'autres termes, d'adopter le système protectionniste. Il a découvert encore que les théorèmes dans lesquels Ricardo formule des antagonismes sociaux qui existent ne sont point le produit idéal du mouvement économique réel, mais qu'au contraire ces antagonismes réels, inhérents à la production capitaliste, n'existent en Angleterre et ailleurs que grâce à la théorie de Ricardo! Il a découvert enfin que ce qui, en dernière instance, détruit les beautés et les harmonies innées de la production capitaliste, c'est le commerce! Un pas de plus, et il va peut-être découvrir que le véritable inconvénient de la production capitaliste, c'est le capital lui-même.

Il n'y avait qu'un homme si merveilleusement dépourvu de tout sens critique et chargé d'une érudition de si faux aloi, qui méritât de devenir, malgré ses hérésies protectionnistes, la source cachée de sagesse harmonique où ont puisé les Bastiat et autres prôneurs du libre-échange.

SEPTIÈME SECTION

ACCUMULATION DU CAPITAL

INTRODUCTION

La conversion d'une somme d'argent en moyens de production et force de travail, ce premier mouvement de la valeur destinée à fonctionner comme capital, a lieu sur le marché, dans la sphère de la circulation.

Le procès de production, la deuxième phase du mouvement, prend fin dès que les moyens de production sont transformés en marchandises dont la valeur excède celle de leurs éléments constitutifs ou renferme une plus-value en sus du capital avancé.

Les marchandises doivent alors être jetées dans la sphère de la circulation. Il faut les vendre, réaliser leur valeur en argent, puis transformer de nouveau cet argent en capital et ainsi de suite.

C'est ce mouvement circulaire à travers ces phases successives qui constitue la circulation du capital.

La première condition de l'accumulation, c'est que le capitaliste ait déjà réussi à vendre ses marchandises et à retransformer en capital la plus grande partie de l'argent ainsi obtenu. Dans l'exposé suivant il est sous-entendu que le capital accomplit d'une manière normale le cours de sa circulation, dont nous remettons l'analyse ultérieure au deuxième livre.

Le capitaliste qui produit la plus-value, c'est-à-dire qui extrait directement de l'ouvrier du travail non payé et fixé dans des marchandises, se l'approprie le premier, mais il n'en reste pas le dernier possesseur. Il doit au contraire la partager en sous-ordre avec d'autres capitalistes qui accomplissent d'autres fonctions dans l'ensemble de la production sociale, avec le propriétaire foncier, etc.

La plus-value se scinde donc en diverses parties, en fragments qui échoient à diverses catégories de personnes et revêtent des formes diverses, apparemment indépendantes les unes des autres, telles que profit industriel, intérêt, gain commercial, rente foncière, etc. Mais ce fractionnement ne change ni la nature de la plus-value, ni les conditions dans lesquelles elle devient la source de l'accumulation. Quelle qu'en soit la portion que le capitaliste entrepreneur retienne pour lui ou transmette à d'autres, c'est toujours lui qui en premier lieu se l'approprie tout entière et qui seul la convertit en capital. Sans nous arrêter à la répartition et aux transformations de la plus-value, dont nous ferons l'étude dans le troisième livre, nous pouvons donc traiter le capitaliste industriel, tel que fabricant, fermier, etc., comme le seul possesseur de la plus-value, ou si l'on veut comme le représentant de tous les partageants entre lesquels le butin se distribue.

Le mouvement intermédiaire de la circulation et le fractionnement de la plus-value en diverses parties, revêtant des formes diverses, compliquent et obscurcissent le procès fondamental de l'accumulation. Pour en simplifier l'analyse, il faut donc préalablement laisser de côté tous ces phénomènes qui dissimulent le jeu intime de son mécanisme et étudier l'accumulation au point de vue de la production.

CHAPITRE XXIII

REPRODUCTION SIMPLE

Quelle que soit la forme sociale que le procès de production revête, il doit être continu ou, ce qui revient au même, repasser périodiquement par les mêmes phases. Une société ne peut cesser de produire non plus que de consommer. Considéré, non sous son aspect isolé, mais dans le cours de sa rénovation incessante, tout procès de production social est donc en même temps procès de reproduction.

Les conditions de la production sont aussi celles de la reproduction. Une société ne peut reproduire, c'est-à-dire produire d'une manière continue, sans retransformer continuellement une partie de ses produits en moyens de production, en éléments de nouveaux produits. Toutes circonstances restant les mêmes, elle ne peut maintenir sa richesse sur le même pied qu'en remplaçant les moyens de travail, les matières premières, les matières auxiliaires, en un mot les moyens de production consommés dans le cours d'une année par exemple, par une quantité égale d'autres articles de la même espèce. Cette partie du produit annuel, qu'il faut en détacher régulièrement pour l'incorporer toujours de nouveau au procès de production, appartient donc à la production. Destinée dès son origine à la consommation productive, elle consiste pour la plupart en choses que leur mode d'existence même rend inaptes à servir de moyens de jouissance.

Si la production possède la forme capitaliste, il en sera de même de la reproduction. Là le procès de travail sert de moyen pour créer de la plus-value; ici il sert de moyen pour reproduire ou perpétuer comme capital, c'est-à-dire comme valeur rendant de la valeur, la valeur une fois avancée.

Le caractère économique de capitaliste ne s'attache donc à un homme qu'autant qu'il fait fonctionner son argent comme capital. Si cette année, par exemple, il avance cent livres sterling, les transforme en capital et en tire une plus-value de vingt livres sterling, il lui faut répéter l'année suivante la même opération.

Comme incrément périodique de la valeur avancée, la plus-value acquiert la forme d'un *revenu* provenant du capital[1].

Si le capitaliste emploie ce revenu seulement comme fonds de consommation, aussi périodiquement dépensé que gagné, il y aura, toutes circonstances restant les mêmes, simple reproduction, ou en d'autres termes, le capital continuera à fonctionner sans s'agrandir. Le procès de production, périodiquement recommencé, passera toujours par les mêmes phases dans un temps donné, mais il se répétera toujours sur la même échelle. Néanmoins cette répétition ou continuité lui imprime certains caractères nouveaux ou, pour mieux dire, fait disparaître les caractères apparents qu'il présentait sous son aspect d'acte isolé.

Considérons d'abord cette partie du capital qui est avancée en salaires, ou le capital variable.

Avant de commencer à produire, le capitaliste achète des forces de travail pour un temps déterminé, et renouvelle cette transaction à l'échéance du terme stipulé, après une certaine période de production, semaine, mois, etc. Mais il ne paie que lorsque l'ouvrier a déjà fonctionné et ajouté au produit et la valeur de sa propre force et une plus-value. Outre la plus-value, le fonds de consommation du capitaliste, l'ouvrier a donc produit le fonds de son propre payement, *le capital variable*, avant que celui-ci lui revienne sous forme de salaire, et il n'est employé qu'aussi longtemps qu'il continue à le reproduire. De là la formule des économistes (voy. ch. XVII) qui représente le salaire comme portion du produit achevé[2]. En effet, des marchandises que le travailleur reproduit constamment, une partie lui fait retour constamment sous forme de salaire. Cette quote-part, il est vrai, lui est payée en argent, mais l'argent n'est que la figure-valeur des marchandises.

Pendant que l'ouvrier est occupé à transformer en nouveau produit une partie des moyens de production, le produit de son travail passé circule sur le marché où il se transforme en argent. C'est ainsi qu'une partie du travail qu'il a exécuté la semaine précédente ou le dernier semestre paye son travail d'aujourd'hui ou du semestre prochain.

L'illusion produite par la circulation des marchandises disparaît dès que l'on substitue au capitaliste individuel et à ses ouvriers, la classe capitaliste et la classe ouvrière. La classe capitaliste donne régulièrement sous forme monnaie à la classe ouvrière des mandats sur une partie des produits que celle-ci a confectionnés et que celle-là s'est appropriés. La classe ouvrière rend aussi constamment ces mandats à la classe capitaliste pour en retirer la quote-part qui lui revient de son propre produit. Ce qui déguise cette transaction, c'est la forme marchandise du produit et la forme argent de la marchandise.

Le capital variable[3] n'est donc qu'une forme historique particulière du soi-disant *fonds d'entretien du travail*[4] que le travailleur doit toujours produire et reproduire lui-même dans tous les systèmes de production possibles. Si, dans le système capitaliste, ce fonds n'arrive à l'ouvrier que sous forme de salaire, de moyens de payement de son travail, c'est parce que là son propre produit s'éloigne toujours de lui sous forme de capital. Mais cela ne change rien au fait, que ce n'est qu'une partie de son propre travail passé et déjà réalisé, que l'ouvrier reçoit comme avance du capitaliste[5].

Prenons, par exemple, un paysan corvéable qui avec ses moyens de production travaille sur son propre champ trois jours de la semaine et les trois jours suivants fait la corvée sur la terre seigneuriale. Son fonds d'entretien, qu'il reproduit constamment pour lui-même et dont il reste le seul possesseur, ne prend jamais vis-à-vis de lui la forme de moyens de payement dont un tiers lui aurait fait l'avance, mais, en revanche, son travail forcé et gratuit ne prend jamais la forme de travail volontaire et payé. Supposons maintenant que son champ, son bétail, ses semences, en un mot ses moyens de production lui soient arrachés par son maître, auquel il est réduit désormais à vendre son travail. Toutes les autres circonstances restant les mêmes, il travaillera toujours six jours par semaine, trois jours pour son propre entretien et trois jours pour son ex-seigneur, dont il est devenu le salarié. Il continue à user les mêmes moyens de production et à transmettre leur valeur au produit. Une certaine partie de celui-ci rentre, comme autrefois, dans la reproduction. Mais à partir du moment où le servage s'est converti en salariat, le fonds d'entretien de l'ancien corvéable, que celui-ci ne cesse pas de reproduire lui-même, prend aussitôt la forme d'un capital dont le ci-devant seigneur fait l'avance en le payant.

L'économiste bourgeois, incapable de distinguer la forme du fond, ferme les yeux à ce fait que même chez les cultivateurs de l'Europe continentale et de l'Amérique du Nord, le fonds d'entretien du travail ne revêt qu'exceptionnellement la forme de capital[6], d'une avance faite au producteur immédiat par le capitaliste entrepreneur.

Le capital variable ne perd cependant son caractère d'*avance*[7] provenant du propre fonds du capitaliste que grâce au renouvellement périodique du procès de production. Mais avant de se renouveler, ce procès doit avoir commencé et duré un certain laps de temps, pendant lequel l'ouvrier ne pouvait encore être payé en son propre produit ni non plus vivre de l'air du temps. Ne fallait-il donc pas, la première fois qu'elle se présenta au marché du travail, que la classe capitaliste eût déjà accumulé par ses propres labeurs et ses propres épargnes des trésors qui la mettaient en état d'avancer les subsistances de l'ouvrier sous forme de monnaie ? Provisoirement nous voulons bien accepter cette solution du problème, en nous réservant d'y regarder de plus près dans le chapitre sur la soi-disant accumulation primitive.

Toutefois, en ne faisant que perpétuer le fonctionnement du même capital, ou répéter sans cesse le procès de production sur une échelle permanente, la reproduction continue opère un autre changement, qui altère le caractère primitif et de la partie variable et de la partie constante du capital avancé.

Si un capital de mille livres sterling rapporte périodiquement, soit tous les ans, une plus-value de deux cents livres sterling que le capitaliste consomme chaque année, il est clair que le procès de production annuel ayant été répété cinq fois, la somme de la plus-value sera égale à 5 × 200 ou mille livres sterling, c'est-à-dire à la valeur totale du capital avancé. Si la plus-value annuelle n'était consommée qu'en partie, qu'à moitié par exemple, le même résultat se produirait au bout de dix ans, car 10 × 100 = 1000. Généralement parlant : *En divisant le capital avancé par la plus-value annuellement consommée, on obtient le nombre d'années ou de périodes de production après l'écoulement desquelles le capital primitif a été consommé par le capitaliste, et a, par conséquent, disparu.*

Le capitaliste se figure sans doute qu'il a consommé la plus-value et conservé la valeur-capital, mais sa manière de voir ne change rien au fait, qu'après une certaine période la valeur-capital qui lui appartenait égale la somme de plus-value qu'il a acquise gratuitement pendant la même période, et que la somme de valeur qu'il a consommée égale celle qu'il a avancée. De l'ancien capital qu'il a avancé de son propre fonds, il n'existe donc plus un seul atome de valeur.

Il est vrai qu'il tient toujours en main un capital dont la grandeur n'a pas changé et dont une partie, bâtiments, machines, etc., était déjà là lorsqu'il mit son entreprise en train. Mais il s'agit ici de la valeur du capital et non de ses éléments matériels. Quand un homme mange tout son bien en contractant des dettes, la valeur de son bien ne représente plus que la somme de ses dettes. De même, quand le capitaliste a mangé l'équivalent de son capital avancé, la valeur de ce capital ne représente plus que la somme de plus-value qu'il a accaparée.

Abstraction faite de toute accumulation proprement dite, la reproduction simple suffit donc pour transformer tôt ou tard tout capital avancé en capital accumulé ou en plus-value capitalisée. Ce capital, fût-il même, à son entrée dans le procès de production, acquis par le travail personnel de l'entrepreneur, devient, après une période plus ou moins longue, valeur acquise sans équivalent, matérialisation du travail d'autrui non payé.

Au début de notre analyse (deuxième section), nous avons vu qu'il ne suffit pas de la production et de la circulation des marchandises pour faire naître le capital. Il fallait encore que l'homme aux écus trouvât sur le marché d'autres hommes, libres, mais forcés à vendre volontairement leur force de travail, parce que d'autre chose à vendre ils n'avaient miette. La séparation entre produit et producteur, entre une catégorie de personnes nanties de toutes les choses qu'il faut au travail pour se réaliser, et une autre catégorie de personnes dont tout l'avoir se bornait à leur propre force de travail, tel était le point de départ de la production capitaliste.

Mais ce qui fut d'abord point de départ devient ensuite, grâce à la simple reproduction, résultat constamment renouvelé. D'un côté le procès de production ne cesse pas de transformer la richesse matérielle en capital et moyens de jouissance pour le capitaliste; de l'autre, l'ouvrier en sort comme il y est entré — source personnelle de richesse, dénuée de ses propres moyens de réalisation. Son travail, déjà aliéné, fait propriété du capitaliste et incorporé au capital, même avant que le procès commence, ne peut évidemment durant le procès se réaliser qu'en produits qui fuient de sa main. La production capitaliste, étant en même temps consommation de la force de travail par le capitaliste, transforme sans cesse le produit du salarié non seulement en marchandise, mais encore en capital, en valeur qui pompe la force créatrice de la valeur, en moyens de production qui dominent le producteur, en moyens de subsistance qui achètent l'ouvrier lui-même. La seule continuité ou répétition périodique du procès de production capitaliste en reproduit et perpétue donc la base, le travailleur dans la qualité de salarié[8].

La consommation du travailleur est double. Dans l'acte de production *il consomme par son travail* des moyens de production afin de les convertir en produits d'une valeur supérieure à celle du capital avancé. Voilà sa *consommation productive* qui est en même temps consommation de sa force par le capitaliste auquel elle appartient[9]. Mais l'argent donné pour l'achat de cette force est dépensé par le travailleur en moyens de subsistance, et c'est ce qui forme sa *consommation individuelle*.

La consommation productive et la consommation individuelle du travailleur sont donc parfaitement distinctes. Dans la première il agit comme force motrice du capital et appartient au capitaliste : dans la seconde il s'appartient à lui-même et accomplit des fonctions vitales en dehors du procès de production. Le résultat de l'une, c'est la vie du capital; le résultat de l'autre, c'est la vie de l'ouvrier lui-même.

Dans les chapitres sur « la journée de travail » et « la grande industrie » des exemples nombreux, il est vrai, nous ont montré l'ouvrier obligé à faire de sa consommation individuelle un simple incident du procès de production. Alors les vivres qui entretiennent sa force jouent le même rôle que l'eau et le charbon donnés en pâture à la machine à vapeur. Ils ne lui servent qu'à produire, ou bien sa consommation individuelle se confond avec sa consommation productive. Mais cela apparaissait comme un abus dont la production capitaliste saurait se passer à la rigueur[10].

Néanmoins, les faits changent d'aspect si l'on envisage non le capitaliste et l'ouvrier individuels, mais la classe capitaliste et la classe ouvrière, non des actes de production isolés, mais la production capitaliste dans l'ensemble de sa rénovation continuelle et dans sa portée sociale.

En convertissant en force de travail une partie de son capital, le capitaliste pourvoit au maintien et à la mise en valeur de son capital entier. Mais ce n'est pas tout. Il fait d'une pierre deux coups. Il profite non seulement de ce qu'il reçoit de l'ouvrier, mais encore de ce qu'il lui donne.

Le capital aliéné contre la force de travail est échangé par la classe ouvrière contre des subsistances dont la consommation sert à reproduire les muscles, nerfs, os, cerveaux, etc., des travailleurs existants et à en former de nouveaux. Dans les limites du strict nécessaire la consommation individuelle de la classe ouvrière est donc la transformation des subsistances qu'elle achète par la vente de sa force de travail, en nouvelle force de travail, en nouvelle matière à exploiter par le capital. C'est la production et la reproduction de l'instrument le plus indispensable au capitaliste, le travailleur lui-même. La consommation individuelle de l'ouvrier, qu'elle ait lieu au-dedans ou au-dehors de l'atelier, forme donc un élément de la reproduction du capital, de même que le nettoyage des machines, qu'il ait lieu pendant le procès de travail ou dans les intervalles d'interruption.

Il est vrai que le travailleur fait sa consommation individuelle pour sa propre satisfaction et non pour celle du capitaliste. Mais les bêtes de somme aussi aiment à manger, et qui a jamais prétendu que leur alimentation en soit moins l'affaire du fermier ? Le capitaliste n'a pas besoin d'y veiller; il peut s'en fier hardiment aux instincts de conservation et de propagation du travailleur libre.

Aussi est-il à mille lieues d'imiter ces brutaux exploiteurs de mines de l'Amérique méridionale qui forcent leurs esclaves à prendre une nourriture plus substantielle à la place de celle qui le serait moins[11]; son unique souci est de limiter la consommation individuelle des ouvriers au strict nécessaire.

C'est pourquoi l'idéologue du capital, l'économiste politique, ne considère comme productive que la partie de la consommation individuelle qu'il faut à la classe ouvrière pour se perpétuer et s'accroître, et sans laquelle le capital ne trouverait pas de force de travail à consommer ou n'en trouverait pas assez. Tout ce que le travailleur peut dépenser par-dessus le marché pour sa jouissance, soit matérielle, soit intellectuelle, est consommation improductive[12]. Si l'accumulation du capital occasionne une hausse de salaire qui augmente les dépenses de l'ouvrier sans mettre le capitaliste à même de faire une plus large consommation de forces de travail, le capital additionnel est consommé improductivement[13]. En effet, la consommation du travailleur est improductive pour lui-même; car elle ne reproduit que l'individu nécessiteux; elle est productive pour le capitaliste et l'Etat, car elle produit la force créatrice de leur richesse[14].

Au point de vue social, la classe ouvrière est donc, comme tout autre instrument de travail, une appartenance du capital, dont le procès de reproduction implique dans certaines limites même la consommation individuelle des travailleurs. En retirant sans cesse au travail son produit et le portant au pôle opposé, le capital, ce procès empêche ses instruments conscients de lui échapper. La consommation individuelle, qui les soutient et les reproduit, détruit en même temps leurs subsistances, et les force ainsi à reparaître constamment sur le marché. Une chaîne retenait l'esclave romain; ce sont des fils invisibles qui rivent le salarié à son propriétaire. Seulement ce propriétaire, ce n'est pas le capitaliste individuel, mais la classe capitaliste.

Il n'y a pas longtemps que cette classe employait encore la

contrainte légale pour faire valoir son droit de propriété sur le travailleur libre. C'est ainsi que jusqu'en 1815 il était défendu, sous de fortes peines, aux ouvriers à la machine d'émigrer de l'Angleterre.

La reproduction de la classe ouvrière implique l'accumulation de son habileté, transmise d'une génération à l'autre[15]. Que cette habileté figure dans l'inventaire du capitaliste, qu'il ne voie dans l'existence des ouvriers qu'une manière d'être de son capital variable, c'est chose certaine et qu'il ne se gêne pas d'avouer publiquement dès qu'une crise le menace de la perte de cette propriété précieuse.

Par suite de la guerre civile américaine et de la crise cotonnière qui en résulta, la plupart des ouvriers du Lancashire et d'autres comtés anglais furent jetés sur le pavé. Ils demandaient ou l'assistance de l'Etat ou une souscription nationale volontaire pour faciliter leur émigration. Ce cri de détresse retentissait de toutes les parties de l'Angleterre. Alors M. Edmond Potter, ancien président de la Chambre de commerce de Manchester, publia, dans le *Times* du 29 mars 1863, une lettre qui fut à juste titre qualifiée dans la Chambre des communes de « manifeste des fabricants[16] ». Nous en citerons quelques passages caractéristiques où le droit de propriété du capital sur la force de travail est insolemment revendiqué.

« On dit aux ouvriers cotonniers qu'il y en a beaucoup trop sur le marché... qu'en réduisant leur nombre d'un tiers, une demande convenable serait assurée aux deux autres tiers... L'opinion publique persiste à réclamer l'émigration... Le maître (c'est-à-dire le fabricant filateur, etc.) ne peut pas voir de bon gré qu'on diminue son approvisionnement de travail; à son avis c'est un procédé aussi injuste que peu convenable... Si l'émigration reçoit l'aide du trésor public, le maître a certainement le droit de demander à être entendu et peut-être de protester. »

Le même Potter insiste ensuite sur l'utilité hors ligne de l'industrie cotonnière; il raconte qu'elle a « indubitablement opéré le drainage de la surpopulation de l'Irlande et des districts agricoles anglais », qu'elle a fourni en 1866 cinq treizièmes de tout le commerce d'exportation britannique, qu'elle va s'accroître de nouveau en peu d'années, dès que le marché, surtout celui de l'Inde, sera agrandi, et dès qu'elle obtiendra « une quantité de coton suffisante à six pence la livre... Le temps, ajoute-t-il, un an, deux ans, trois ans peut-être, produira la quantité nécessaire... Je voudrais bien alors poser cette question : Cette industrie vaut-elle qu'on la maintienne; est-ce la peine d'en tenir en ordre le machinisme (c'est-à-dire les machines de travail vivantes), ou plutôt n'est-ce pas la folie la plus extravagante que de penser à le laisser échapper ? Pour moi, je le crois. *Je veux bien accorder que les ouvriers ne sont pas une propriété* (« I allow that the workers are not a property »), qu'ils ne sont pas la propriété du Lancashire et des patrons; mais ils sont la force de tous deux; ils sont la force intellectuelle, instruite et disciplinée qu'on ne peut pas remplacer en une génération; au contraire les machines qu'ils font travailler (« the mere machinery which they work ») pourraient en partie être remplacées avantageusement et perfectionnées dans l'espace d'un an[17]... Encouragez ou *permettez l'émigration de la force de travail, et après? que deviendra le capitaliste?* » (« Encourage or allow the working power to emigrate and what of the capitalist ? ») Ce cri du cœur rappelle le cri plaintif de 1792 : S'il n'y a plus de courtisans, que deviendra le perruquier ? « Enlevez la crème des travailleurs, et le capital fixe sera largement déprécié, et le capital circulant ne s'exposera pas à la lutte avec un maigre approvisionnement de travail d'espèce inférieure... On nous dit que les ouvriers eux-mêmes désirent l'émigration. Cela est très naturel de leur part... Réduisez, comprimez l'industrie du coton en lui enlevant sa force de travail (by taking away its working power), diminuez la dépense en salaires d'un tiers ou de cinq millions de livres sterling, et que deviendra alors la classe immédiatement supérieure, celle des petits boutiquiers ? Et la rente foncière, et la location des cottages ? Que deviendront le petit fermier, le propriétaire de maisons, le propriétaire foncier ? Et dites-moi s'il peut y avoir un plan plus meurtrier pour toutes les classes du pays, que celui qui consiste à affaiblir la nation en exportant ses meilleurs ouvriers de fabrique, et en dépréciant une partie de son capital le plus productif et de sa richesse ?... Je propose un emprunt de cinq à six millions, réparti sur deux ou trois années, administré par des commissaires spéciaux, qu'on adjoindrait aux administrations des pauvres dans les districts cotonniers, réglementé par une loi spéciale et accompagné d'un certain travail forcé, dans le but de maintenir la valeur morale des receveurs d'aumônes... Peut-il y avoir rien de pis pour les propriétaires fonciers ou maîtres fabricants (can anything be worse for landowners or masters) que de laisser partir leurs meilleurs ouvriers et de démoraliser et indisposer ceux qui restent par une vaste émigration[18] qui fait le vide dans une province entière, vide de valeur et vide de capital. »

Potter, l'avocat choisi des fabricants, distingue donc deux espèces de machines, qui toutes deux appartiennent au capital, et dont l'une reste fixée à la fabrique, tandis que l'autre la quitte après avoir fait sa besogne quotidienne. L'une est morte, l'autre vivante. Non seulement la première se détériore et se déprécie chaque jour, mais elle devient en grande partie si surannée, grâce au progrès constant de la *technologie*, qu'on pourrait la remplacer avantageusement au bout de quelques mois. Les machines vivantes au contraire s'améliorent à mesure qu'elles durent et que l'habileté transmise de génération en génération s'y est accumulée davantage. Aussi le *Times* répond-il au magnat de fabrique :

« M. E. Potter est si pénétré de l'importance extraordinaire et absolue des maîtres du coton (cotton masters), que pour maintenir cette classe et en éterniser le métier, il veut enfermer malgré eux un demi-million de travailleurs dans un grand *work house* moral. L'industrie cotonnière mérite-t-elle qu'on la soutienne ?

demande M. Potter. Assurément, répondons-nous, par tous les moyens honorables! Est-ce la peine de tenir le machinisme en ordre ? demande de nouveau M. Potter. Ici nous hésitons, car M. Potter entend par machinisme le machinisme humain, puisqu'il proteste qu'il n'a pas l'intention de le traiter comme une propriété absolue. Il nous faut avouer que nous ne croyons pas qu'il « vaille la peine » ou qu'il soit même possible de tenir en ordre le machinisme humain, c'est-à-dire de l'enfermer et d'y mettre de l'huile, jusqu'à ce qu'on ait besoin de s'en servir. Ce machinisme a la propriété de se rouiller s'il reste inactif, qu'on l'huile ou qu'on le frotte tant qu'on voudra. Il est même capable, à voir ce qui se passe, de lâcher de lui-même la vapeur et d'éclater, ou de faire pas mal de tapage dans nos grandes villes. Il se peut bien, comme le dit M. Potter, que la reproduction des travailleurs exige beaucoup de temps, mais avec des mécaniciens et de l'argent on trouvera toujours des hommes durs, entreprenants et industrieux, de quoi fabriquer plus de maîtres de fabrique qu'il n'en sera jamais consommé... M. Potter nous annonce que l'industrie ressuscitera de plus belle dans un, deux ou trois ans, et réclame que nous n'allions pas encourager ou permettre l'émigration de la force de travail! Il est naturel, dit-il, que les ouvriers désirent émigrer, mais il pense que la nation doit enfermer malgré eux dans les districts cotonniers ce demi-million de travailleurs, avec les sept cent mille qui leur sont attachés, et qu'elle doit en outre, par une conséquence nécessaire, refouler par la force leur mécontentement et les entretenir au moyen d'aumônes, et tout cela pour que les maîtres fabricants les trouvent tout prêts au moment où ils en auront besoin... Le temps est venu, où la grande opinion publique de cette île doit enfin faire quelque chose pour protéger *cette force de travail* contre ceux qui veulent la traiter comme ils traitent le charbon, le coton et le fer. » (« To save *this working power* from those who would deal with it as they deal with iron, coal and cotton[18]. »)

L'article du *Times* n'était qu'un jeu d'esprit. La « grande opinion publique » fut en réalité de l'avis du sieur Potter, que les ouvriers de fabrique font partie du mobilier des fabricants. On mit obstacle à leur émigration[20]; on les enferma dans le « *workhouse* moral » des districts cotonniers, où ils ont toujours l'honneur de former « la force (the strength) des fabricants cotonniers du Lancashire ».

Le procès de production capitaliste reproduit donc de lui-même la séparation entre travailleur et conditions du travail. Il reproduit et éternise par cela même les conditions qui forcent l'ouvrier à se vendre pour vivre, et mettent le capitaliste en état de l'acheter pour s'enrichir[21]. Ce n'est plus le hasard qui les place en face l'un de l'autre sur le marché comme vendeur et acheteur. C'est le double moulinet du procès lui-même qui rejette toujours le premier sur le marché comme vendeur de sa force de travail et transforme son produit toujours en moyen d'achat pour le second. Le travailleur appartient en fait à la classe capitaliste, avant de se vendre à un capitaliste individuel. Sa servitude économique[22] est moyennée et en même temps dissimulée par le renouvellement périodique de cet acte de vente, par la fiction du libre contrat, par le changement des maîtres individuels et par les oscillations des prix de marché du travail[23].

Le procès de production capitaliste considéré dans sa continuité, ou comme reproduction, ne produit donc pas seulement marchandise, ni seulement plus-value; il produit et éternise le rapport social entre capitaliste et salarié[24].

CHAPITRE XXIV

TRANSFORMATION DE LA PLUS-VALUE EN CAPITAL

I. — REPRODUCTION SUR UNE ÉCHELLE PROGRESSIVE. — COMMENT LE DROIT DE PROPRIÉTÉ DE LA PRODUCTION MARCHANDE DEVIENT LE DROIT D'APPROPRIATION CAPITALISTE

Dans les sections précédentes nous avons vu comment la plus-value naît du capital; nous allons maintenant voir comment le capital sort de la plus-value.

Si, au lieu d'être dépensée, la plus-value est avancée et employée comme capital, un nouveau capital se forme et va se joindre à l'ancien. On accumule donc en capitalisant la plus-value[1].

Considérons cette opération d'abord au point de vue du capitaliste individuel.

Un filateur, par exemple, a avancé deux cent cinquante mille francs dont quatre cinquièmes en coton, machines, etc., un cinquième en salaires, et produit annuellement deux cent quarante mille livres de filés d'une valeur de trois cent mille francs. La plus-value de cinquante mille francs existe dans le *produit net* de quarante mille livres — un sixième du *produit brut* — que la vente convertira en une somme d'argent de cinquante mille francs. Cinquante mille francs sont cinquante mille francs. Leur caractère de plus-value nous indique la voie par laquelle ils sont arrivés entre les mains du capitaliste, mais n'affecte en rien leur caractère de valeur ou d'argent.

Pour capitaliser la somme additionnelle de cinquante mille francs, le filateur n'aura donc, toutes autres circonstances restant les mêmes, qu'à en avancer quatre cinquièmes dans l'achat de coton, etc., et un cinquième dans l'achat de fileurs additionnels qui trouveront sur le marché les subsistances dont il leur a avancé la valeur. Puis le nouveau capital de cinquante mille francs fonctionne dans le filage et rend à son tour une plus-value de cent mille francs, etc.

La valeur-capital a été originairement avancée sous forme-argent; la plus-value, au contraire, existe de prime abord comme valeur d'une quote-part du produit brut. La vente de celui-ci, son échange contre de l'argent, opère donc le retour de la valeur-capital à sa forme primitive, mais transforme le mode d'être primitif de la plus-value. A partir de ce moment, cependant, valeur-capital et plus-value sont également des sommes d'argent et la conversion ultérieure en capital s'opère de la même manière pour les deux sommes. Le filateur avance l'une comme l'autre dans l'achat des marchandises qui le mettent à même de recommencer, et cette fois sur une plus grande échelle, la fabrication de son article. Mais pour en acheter les éléments constitutifs, il faut qu'il les trouve là sur le marché.

Ses propres filés ne circulent que parce qu'il apporte son produit annuel sur le marché, et il en est de même des marchandises de tous les autres capitalistes. Avant de se trouver sur le marché, elles devaient se trouver dans le fonds de la production annuelle qui n'est que la somme des articles de toute sorte dans lesquels la somme des capitaux individuels où le capital social s'est converti pendant le cours de l'année, et dont chaque capitaliste individuel ne tient entre les mains qu'une aliquote. Les opérations du marché ne font que déplacer ou changer de mains les parties intégrantes de la production annuelle sans agrandir celle-ci ni altérer la nature des choses produites. L'usage auquel le produit annuel tout entier peut se prêter, dépend donc de sa propre composition et non de la circulation.

La production annuelle doit en premier lieu fournir tous les articles propres à remplacer en nature les éléments matériels du capital usés pendant le cours de l'année. Cette déduction faite, reste le produit net dans lequel réside la plus-value.

En quoi consiste donc ce produit net ?

Assurément en objets destinés à satisfaire les besoins et les désirs de la classe capitaliste, ou à passer à son fonds de consommation. Si c'est tout, la plus-value sera dissipée en entier et il n'y aura que simple reproduction.

Pour accumuler, il faut convertir une partie du produit net en capital. Mais, à moins de miracles, on ne saurait convertir en capital que des choses propres à fonctionner dans le procès de travail, c'est-à-dire des moyens de production, et d'autres choses propres à soutenir le travailleur, c'est-à-dire des subsistances. Il faut donc qu'une partie du surtravail annuel ait été employée à produire des moyens de production et de subsistance additionnels, en sus de ceux nécessaires au remplacement du capital avancé. En définitive, la plus-value n'est donc convertible en capital que parce que le produit net, dont elle est la valeur, contient déjà les éléments matériels d'un nouveau capital[2].

Pour faire actuellement fonctionner ces éléments comme capital, la classe capitaliste a besoin d'un surplus de travail qu'elle ne saura obtenir, à part l'exploitation plus extensive ou intensive des ouvriers déjà occupés, qu'en enrôlant des forces de travail supplémentaires. Le mécanisme de la production capitaliste y a déjà pourvu en reproduisant la classe ouvrière comme classe salariée dont le salaire ordinaire assure non seulement le maintient, mais encore la multiplication.

Il ne reste donc plus qu'à incorporer les forces de travail additionnelles, fournies chaque année à divers degrés d'âge par la classe ouvrière, aux moyens de production additionnels que la production annuelle renferme déjà.

Considérée d'une manière concrète, l'accumulation se résout, par conséquent, en reproduction du capital sur une échelle progressive. Le cercle de la reproduction simple s'étend et se change, d'après l'expression de Sismondi[3], en spirale.

Revenons maintenant à notre exemple. C'est la vieille histoire : Abraham engendra Isaac, Isaac engendra Jacob, etc. Le capital primitif de deux cent cinquante mille francs rend une plus-value de cinquante mille francs qui va être capitalisée. Le nouveau capital de cinquante mille francs rend une plus-value de dix mille francs, laquelle, après avoir été à son tour capitalisée ou convertie en un deuxième capital additionnel, rend une plus-value de deux mille francs, et ainsi de suite.

Nous faisons ici abstraction de l'aliquote de plus-value mangée par le capitaliste. Peu nous importe aussi pour le moment que les capitaux additionnels s'ajoutent comme incréments au capital primitif ou s'en séparent et fonctionnent indépendamment, qu'ils soient exploités par le même individu qui les a accumulés, ou transférés par lui à d'autres mains. Seulement il ne faut pas oublier que côte à côte des capitaux de nouvelle formation, le capital primitif continue à se reproduire et à produire de la plus-value et que cela s'applique de même à chaque capital accumulé par rapport au capital additionnel qu'il a engendré à son tour.

Le capital primitif s'est formé par l'avance de deux cent cinquante mille francs. D'où l'homme aux écus a-t-il tiré cette richesse ? De son propre travail ou de celui de ses aïeux, nous répondent tout d'une voix les porte-parole de l'économie politique[4], et leur hypothèse semble en effet la seule conforme aux lois de la production marchande.

Il en est tout autrement du capital additionnel de cinquante mille francs. Sa généalogie nous est parfaitement connue. C'est de la plus-value capitalisée. Dès son origine il ne contient pas un seul atome de valeur qui ne provienne du travail d'autrui non payé. Les moyens de production auxquels la force ouvrière additionnelle est incorporée, de même que les subsistances qui la soutiennent, ne sont que des parties intégrantes du produit net, du tribut arraché annuellement à la classe ouvrière par la classe capitaliste. Que celle-ci, avec une quote-part de ce tribut, achète de celle-là un surplus de force, et même à son juste prix, en échangeant équivalent contre équivalent, cela revient à l'opération du conquérant tout prêt à payer de bonne grâce les marchandises des vaincus avec l'argent qu'il leur a extorqué.

Si le capital additionnel occupe son propre producteur, ce dernier, tout en continuant à mettre en valeur le capital primitif, doit racheter les fruits de son travail gratuit antérieur par plus de travail additionnel qu'ils n'en ont coûté. Considéré comme transaction entre la classe capitaliste et la classe ouvrière, le procédé reste le même quand, moyennant le travail gratuit des ouvriers occupés, on embauche des ouvriers supplémentaires. Le nouveau capital peut aussi servir à acheter une machine, destinée à jeter sur le pavé et à remplacer par une couple d'enfants les mêmes hommes auxquels il a dû sa naissance. Dans tous les cas, par son surtravail de cette année, la classe ouvrière a créé le capital additionnel qui occupera l'année prochaine du travail additionnel[5], et c'est ce qu'on appelle créer du capital par le capital.

L'accumulation du premier capital de cinquante mille francs présuppose que la somme de deux cent cinquante mille francs, avancée comme capital primitif, provient du propre fonds de son possesseur, de son « travail primitif ». Mais le deuxième capital additionnel de dix mille francs ne présuppose que l'accumulation antérieure du capital de cinquante mille francs, celui-là n'étant que la plus-value capitalisée de celui-ci. Il s'ensuit que plus le capitaliste a accumulé, plus il peut accumuler. En d'autres termes : plus il s'est déjà approprié dans le passé de travail d'autrui non payé, plus il en peut accaparer dans le présent. L'échange d'équivalents, fruits du travail des échangistes, n'y figure pas même comme trompe-l'œil.

Ce mode de s'enrichir qui contraste si étrangement avec les lois primordiales de la production marchande, résulte cependant, il faut bien le saisir, non de leur violation, mais au contraire de leur application. Pour s'en convaincre, il suffit de jeter un coup d'œil rétrospectif sur les phases successives du mouvement qui aboutit à l'accumulation.

En premier lieu nous avons vu que la transformation primitive d'une somme de valeurs en capital se fait conformément aux lois de l'échange. L'un des échangistes vend sa force de travail que l'autre achète. Le premier reçoit la valeur de sa marchandise dont conséquemment l'usage, le travail, est aliéné au second. Celui-ci convertit alors des moyens de production qui lui appartiennent à l'aide d'un travail qui lui appartient en un nouveau produit qui de plein droit va lui appartenir.

La valeur de ce produit renferme d'abord celle des moyens de production consommés, mais le travail utile ne saurait user ces moyens sans que leur valeur passe d'elle-même au produit, et, pour se vendre, la force ouvrière doit être apte à fournir du travail utile dans la branche d'industrie où elle sera employée.

La valeur du nouveau produit renferme en outre l'équivalent de la force du travail et une plus-value. Ce résultat est dû à ce que la force ouvrière, vendue pour un temps déterminé, un jour, une semaine, etc., possède moins de valeur que son usage n'en produit dans le même temps. Mais en obtenant la valeur d'échange de sa force, le travailleur en a aliéné la valeur d'usage, comme cela a lieu dans tout achat et vente de marchandise.

Que l'usage de cet article particulier, la force de travail, soit de fournir du travail et par là de produire de la valeur, cela ne change en rien cette loi générale de la production marchande. Si donc la somme de valeurs avancée en salaires se retrouve dans le produit avec un surplus, cela ne provient point d'une lésion du vendeur, car il reçoit l'équivalent de sa marchandise, mais de la consommation de celle-ci par l'acheteur.

La loi des échanges ne stipule l'égalité que par rapport à la valeur échangeable des articles aliénés l'un contre l'autre, mais elle présuppose une différence entre leurs valeurs usuelles, leurs utilités, et n'a rien à faire avec leur consommation qui commence seulement quand le marché est déjà conclu.

La conversion primitive de l'argent en capital s'opère donc conformément aux lois économiques de la production marchande et au droit de propriété qui en dérive.

Néanmoins elle amène ce résultat :

1° Que le produit appartient au capitaliste et non au producteur;

2° Que la valeur de ce produit renferme et la valeur du capital avancé et une plus-value qui coûte du travail à l'ouvrier, mais rien au capitaliste, dont elle devient la propriété légitime;

3° Que l'ouvrier a maintenu sa force de travail et peut la vendre de nouveau si elle trouve acheteur.

La reproduction simple ne fait que répéter périodiquement la première opération; à chaque reprise elle devient donc à son tour conversion primitive de l'argent en capital. La continuité d'action d'une loi est certainement le contraire de son infraction. « Plusieurs échanges successifs n'ont fait du dernier que le représentant du premier[6]. »

Néanmoins nous avons vu que la simple reproduction change radicalement le caractère du premier acte, pris sous son aspect isolé. « Parmi ceux qui se partagent le revenu national, les uns (les ouvriers) *y acquièrent chaque année un droit nouveau par un nouveau travail*, les autres (les capitalistes) *y ont acquis antérieurement un droit permanent par un travail primitif*[7]. » Du reste, ce n'est pas seulement en matière de travail que la primogéniture fait merveille.

Qu'y a-t-il de changé quand la reproduction simple vient à être remplacée par la reproduction sur une échelle progressive, par l'accumulation ?

Dans le premier cas, le capitaliste mange la plus value tout entière, tandis que dans le deuxième, il fait preuve de civisme en n'en mangeant qu'une partie pour faire argent de l'autre.

La plus-value est sa propriété et n'a jamais appartenu à autrui. Quand il l'avance il fait donc, comme au premier jour où il apparut sur le marché, des avances tirées de son propre fonds quoique celui-ci provienne cette fois du travail gratuit de ses ouvriers. Si l'ouvrier B est embauché avec la plus-value produite par l'ouvrier A, il faut bien considérer, d'un côté, que la plus-value a été rendue par A sans qu'il fût lésé d'un centime du juste prix de sa marchandise et que, de l'autre côté, B n'a été pour rien dans cette opération. Tout ce que celui-ci demande et qu'il a le droit de demander, c'est que le capitaliste lui paye la valeur de sa force ouvrière. « Tous deux gagnaient encore; l'ouvrier parce qu'on lui avançait les fruits du travail (lisez : du travail gratuit d'autres ouvriers) avant qu'il fût fait (lisez : avant que le sien eût porté de fruit); le maître, parce que le travail de cet ouvrier valait plus que le salaire (lisez : produit plus de valeur que celle de son salaire[8]). »

Il est bien vrai que les choses se présentent sous un tout autre jour, si l'on considère la production capitaliste dans le mouvement continu de sa rénovation et qu'on substitue au capitaliste et aux ouvriers individuels la caisse capitaliste et la classe ouvrière. Mais c'est appliquer une mesure tout à fait étrangère à la production marchande.

Elle ne place vis-à-vis que des vendeurs et des acheteurs, indépendants les uns des autres et entre qui tout rapport cesse à l'échéance du terme stipulé par leur contrat. Si la transaction se répète, c'est grâce à un nouveau contrat, si peu lié avec l'ancien que c'est pur accident que le même vendeur le fasse avec le même acheteur plutôt qu'avec tout autre.

Pour juger la production marchande d'après ses propres lois économiques, il faut donc prendre chaque transaction isolément, et non dans son enchaînement, ni avec celle qui la précède, ni avec celle qui la suit. De plus, comme ventes et achats se font toujours d'individu à individu, il n'y faut pas chercher des rapports de classe à classe.

Si longue donc que soit la filière de reproductions périodiques et d'accumulations antérieures par laquelle le capital actuellement en fonction ait passé, il conserve toujours sa virginité primitive. Supposé qu'à chaque transaction prise à part les lois de l'échange s'observent, le mode d'appropriation peut même changer de fond en comble sans que le droit de propriété, conforme à la production marchande, s'en ressente. Aussi est-il toujours en vigueur, aussi bien au début, où le produit appartient au producteur et où celui-ci, en donnant équivalent contre équivalent, ne saurait s'enrichir que par son propre travail, que dans la période capitaliste, où la richesse est accaparée sur une échelle progressive grâce à l'appropriation successive du travail d'autrui non payé[9].

Ce résultat devient inévitable dès que la force de travail est vendue librement comme marchandise par le travailleur lui-même. Mais ce n'est aussi qu'à partir de ce moment que la production marchande se généralise et devient le mode typique de la production, que de plus en plus tout produit se fait pour la vente et que toute richesse passe par la circulation. Ce n'est que là où le travail salarié forme la base de la production marchande que celle-ci non seulement s'impose à la société, mais fait, pour la première fois, jouer tous ses ressorts. Prétendre que l'intervention du travail salarié la fausse revient à dire que pour rester pure la production marchande doit s'abstenir de se développer. A mesure qu'elle se métamorphose en production capitaliste, ses lois de propriété se changent nécessairement en lois de l'appropriation capitaliste. Quelle illusion donc que celle de certaines écoles socialistes qui s'imaginent pouvoir briser le régime du capital en lui appliquant les lois éternelles de la production marchande!

On sait que le capital primitivement avancé, même quand il

est dû exclusivement aux travaux de son possesseur, se transforme tôt ou tard, grâce à la reproduction simple, en capital accumulé ou plus-value capitalisée. Mais, à part cela, tout capital avancé se perd comme une goutte dans le fleuve toujours grossissant de l'accumulation. C'est là un fait si bien reconnu par les économistes qu'ils aiment à définir le capital : « une richesse accumulée qui est employée de nouveau à la production d'une plus-value [10] », et le capitaliste : « le possesseur du produit net[11] ». La même manière de voir s'exprime sous cette autre forme que tout le capital actuel est de l'intérêt accumulé ou capitalisé, car l'intérêt n'est qu'un fragment de la plus-value. « Le capital, dit l'*Economiste* de Londres, avec l'intérêt composé de chaque partie de capital épargnée, va tellement en grossissant que toute la richesse dont provient le revenu dans le monde entier n'est plus depuis longtemps que l'intérêt du capital[12]. » L'*Economiste* est réellement trop modéré. Marchant sur les traces du docteur Price, il pouvait prouver par des calculs exacts qu'il faudrait annexer d'autres planètes à ce monde terrestre pour le mettre à même de rendre au capital ce qui est dû au capital.

II. — FAUSSE INTERPRÉTATION DE LA PRODUCTION SUR UNE ÉCHELLE PROGRESSIVE

Les marchandises que le capitaliste achète, avec une partie de la plus-value, comme moyens de jouissance, ne lui servent pas évidemment de moyens de production et de *valorisation*[13]; le travail qu'il paie dans le même but n'est pas non plus du travail productif. L'achat de ces marchandises et de ce travail, au lieu de l'enrichir, l'appauvrit d'autant. Il dissipe ainsi la plus-value comme revenu, au lieu de la faire fructifier comme capital.

En opposition à la noblesse féodale, impatiente de dévorer plus que son avoir, faisant parade de son luxe, de sa domesticité nombreuse et fainéante, l'économie politique bourgeoise devait donc prêcher l'accumulation comme le premier des devoirs civiques et ne pas se lasser d'enseigner que, pour accumuler, il faut être sage, ne pas manger tout son revenu, mais bien en consacrer une bonne partie à l'embauchage de travailleurs productifs, rendant plus qu'ils ne reçoivent.

Elle avait encore à combattre le préjugé populaire qui confond la production capitaliste avec la thésaurisation et se figure qu'accumuler veut dire ou dérober à la consommation les objets qui constituent la richesse, ou sauver l'argent des risques de la circulation. Or, mettre l'argent sous clé est la méthode la plus sûre pour ne pas le capitaliser, et amasser des marchandises en vue de thésauriser ne saurait être que le fait d'un avare en délire[14]. L'accumulation des marchandises, quand elle n'est pas un incident passager de leur circulation même, est le résultat d'un encombrement du marché ou d'un excès de production[15].

Le langage de la vie ordinaire confond encore l'accumulation capitaliste, qui est un procès de production, avec deux autres phénomènes économiques, savoir : l'accroissement des biens qui se trouvent dans le fonds de consommation des riches et ne s'usent que lentement[16], et la formation de réserves ou d'approvisionnements, fait commun à tous les modes de production.

L'économie politique classique a donc parfaitement raison de soutenir que le trait le plus caractéristique de l'accumulation, c'est que les gens entretenus par le produit net doivent être des travailleurs productifs et non des improductifs[17]. Mais ici commence aussi son erreur. Aucune doctrine d'Adam Smith n'a autant passé à l'état d'axiome indiscutable que celle-ci : que l'accumulation n'est autre chose que la consommation du produit net par des travailleurs productifs ou, ce qui revient au même, que la capitalisation de la plus-value n'implique rien de plus que sa conversion en force ouvrière.

Ecoutons, par exemple, Ricardo :

« On doit comprendre que tous les produits d'un pays sont consommés, mais cela fait la plus grande différence qu'on puisse imaginer, qu'ils soient consommés par des gens qui produisent une nouvelle valeur ou par d'autres qui ne la reproduisent pas. Quand nous disons que du revenu a été épargné et joint au capital, nous entendons par là que la portion du revenu qui s'ajoute au capital est consommée par des travailleurs productifs au lieu de l'être par des improductifs. Il n'y a pas de plus grande erreur que de se figurer que le capital soit augmenté par la non-consommation[18]. »

Il n'y a pas de plus grande erreur que de se figurer que « la portion du revenu qui s'ajoute au capital soit consommée par des travailleurs productifs ». D'après cette manière de voir, toute la plus-value transformée en capital deviendrait capital variable, ne serait avancée qu'en salaires. Au contraire, elle se divise, de même que la valeur-capital dont elle sort, en capital constant et capital variable, en moyens de production et force de travail. Pour se convertir en force de travail additionnelle, le produit net doit renfermer un surplus de subsistances de première nécessité, mais, pour que cette force devienne exploitable, il doit en outre renfermer des moyens de production additionnels, lesquels n'entrent pas plus dans la consommation personnelle des travailleurs que dans celle des capitalistes.

Comme la somme de valeurs supplémentaire, née de l'accumulation, se convertit en capital de la même manière que tout autre somme de valeurs, il est évident que la doctrine erronée d'Adam Smith sur l'accumulation ne peut provenir que d'une erreur fondamentale dans son analyse de la production capitaliste. En effet, il affirme que, bien que tout capital individuel se divise en partie constante et partie variable, en salaires et valeur des moyens de production, il n'en est pas de même de la somme des capitaux individuels, du *capital social*. La valeur de celui-ci égale, au contraire, la somme des salaires qu'il paie, autrement dit, le capital social n'est que du capital variable.

Un fabricant de drap, par exemple, transforme en capital une somme de deux cent mille francs. Il en dépense une partie à embaucher des ouvriers tisseurs, l'autre à acheter de la laine filée, des machines, etc. L'argent, ainsi transféré aux fabricants des filés, des machines, etc., paie d'abord la plus-value contenue dans leurs marchandises, mais, cette déduction faite, il sert à son tour à solder leurs ouvriers et à acheter des moyens de production fabriqués par d'autres fabricants, *et ainsi de suite*. Les deux cent mille francs avancés par le fabricant de draps sont donc peu à peu dépensés en salaires, une partie par lui-même, une deuxième partie par les fabricants chez lesquels il achète ses moyens de production, *et ainsi de suite*, jusqu'à ce que toute la somme, à part la plus-value successivement prélevée, soit entièrement avancée en salaires, ou que le produit représenté par elle soit tout entier consommé par des travailleurs productifs.

Toute la force de cet argument gît dans les mots : « *et ainsi de suite* », qui nous renvoient de Caïphe à Pilate sans nous laisser entrevoir le capitaliste entre les mains duquel le capital constant, c'est-à-dire la valeur des moyens de production, s'évanouirait finalement. Adam Smith arrête ses recherches précisément au point où la difficulté commence[19].

La reproduction annuelle est un procès très facile à saisir tant que l'on ne considère que le fonds de la production annuelle, mais tous les éléments de celle-ci doivent passer par le marché. Là les mouvements des capitaux et des revenus personnels se croisent, s'entremêlent et se perdent dans un mouvement général de déplacement — la circulation de la richessse sociale — qui trouble la vue de l'observateur et offre à l'analyse des problèmes très compliqués[20]. C'est le grand mérite des physiocrates d'avoir les premiers essayé de donner, dans leur *tableau économique*, une image de la reproduction annuelle telle qu'elle sort de la circulation. Leur exposition est à beaucoup d'égards plus près de la vérité que celle de leurs successeurs.

Après avoir résolu toute la partie de la richesse sociale, qui fonctionne comme capital, en capital variable ou fonds de salaires, Adam Smith aboutit nécessairement à son dogme vraiment fabuleux, aujourd'hui encore la pierre angulaire de l'économie politique, savoir : que le prix nécessaire des marchandises se compose de salaire, de profit (l'intérêt y est inclus), et de rente foncière, en d'autres termes, de salaire et de plus-value. Partant de là, Storch a au moins la naïveté d'avouer que : « Il est impossible de résoudre le prix nécessaire dans ses éléments simples[21]. »

Enfin, cela va sans dire, l'économie politique n'a pas manqué d'exploiter, au service de la classe capitaliste, cette doctrine d'Adam Smith : que toute la partie du produit net qui se convertit en capital est consommée par la classe ouvrière.

III. — DIVISION DE LA PLUS-VALUE EN CAPITAL ET EN REVENU. — THÉORIE DE L'ABSTINENCE

Jusqu'ici nous avons envisagé la plus-value, tantôt comme fonds de consommation, tantôt comme fonds d'accumulation du capitaliste. Elle est l'un et l'autre à la fois. Une partie en est dépensée comme revenu[22], et l'autre accumulée comme capital.

Donné la masse de la plus-value, l'une des parties sera d'autant plus grande que l'autre sera plus petite. Toutes autres circonstances restant les mêmes, la proportion suivant laquelle ce partage se fait déterminera *la grandeur de l'accumulation*. C'est le propriétaire de la plus-value, le capitaliste, qui en fait le partage. Il y a donc là acte de sa volonté. De l'aliquote du tribut, prélevé par lui, qu'il accumule, on dit qu'il *l'épargne*, parce qu'il ne la mange pas, c'est-à-dire parce qu'il remplit sa fonction de capitaliste, qui est de s'enrichir.

Le capitaliste n'a aucune valeur historique, aucun droit historique à la vie, aucune raison d'être sociale, qu'autant qu'il fonctionne comme capital personnifié. Ce n'est qu'à ce titre que la nécessité transitoire de sa propre existence est impliquée dans la nécessité transitoire du mode de production capitaliste. Le but déterminant de son activité n'est donc ni la valeur d'usage, ni la jouissance, mais bien la valeur d'échange et son accroissement continu. Agent fanatique de l'accumulation, il force les hommes, sans merci ni trêve, à produire pour produire, et les pousse ainsi instinctivement à développer les puissances productrices et les conditions matérielles qui seules peuvent former la base d'une société nouvelle et supérieure.

Le capitaliste n'est respectable qu'autant qu'il est le capital fait homme. Dans ce rôle il est, lui aussi, comme le thésauriseur, dominé par sa passion aveugle pour la richesse abstraite, la valeur. Mais ce qui chez l'un paraît être une manie individuelle est chez l'autre l'effet du mécanisme social dont il n'est qu'un rouage.

Le développement de la production capitaliste nécessite un agrandissement continu du capital placé dans une entreprise, et la concurrence impose les lois immanentes de la production capitaliste comme lois coercitives externes à chaque capitaliste individuel. Elle ne lui permet pas de conserver son capital sans l'accroître, et il ne peut continuer de l'accroître à moins d'une accumulation progressive.

Sa volonté et sa conscience ne réfléchissant que les besoins du capital qu'il représente, dans sa consommation personnelle il ne saurait guère voir qu'une sorte de vol, d'emprunt au moins, fait à l'accumulation; et, en effet, la tenue des livres en parties doubles met les dépenses privées au passif, comme sommes dues par le capitaliste au capital.

Enfin, accumuler, c'est conquérir le monde de la richesse sociale, étendre sa domination personnelle[23], augmenter le nombre de ses sujets, c'est sacrifier à une ambition insatiable.

Mais le péché originel opère partout et gâte tout. A mesure que se développe le mode de production capitaliste, et avec lui l'accumulation et la richesse, le capitaliste cesse d'être simple incarnation du capital. Il ressent « une émotion humaine » pour son propre Adam, sa chair, et devient si civilisé, si sceptique, qu'il ose railler l'austérité ascétique comme un préjugé de thésauriseur passé de mode. Tandis que le capitaliste de vieille roche flétrit toute dépense individuelle qui n'est pas de rigueur, n'y voyant qu'un empiétement sur l'accumulation, le capitaliste modernisé est capable de voir dans la capitalisation de la plus-value un obstacle à ses convoitises. Consommer, dit le premier, c'est « s'abstenir » d'accumuler; accumuler, dit le second, c'est « renoncer » à la jouissance. « Deux âmes, hélas! habitent mon cœur, et l'une veut faire divorce d'avec l'autre[24]. »

A l'origine de la production capitaliste — et cette phase historique se renouvelle dans la vie privée de tout industriel parvenu — l'avarice et l'envie de s'enrichir l'emportent exclusivement. Mais le progrès de la production ne crée pas seulement un nouveau monde de jouissances : il ouvre, avec la spéculation et le crédit, mille sources d'enrichissement soudain. A un certain degré de développement, il impose même au malheureux capitaliste une prodigalité toute de convention, à la fois étalage de richesse et moyen de crédit. Le luxe devient une nécessité de métier et entre dans les frais de représentation du capital. Ce n'est pas tout : le capitaliste ne s'enrichit pas, comme le paysan et l'artisan indépendants, proportionnellement à son travail et à sa frugalité personnels, mais en raison du travail gratuit d'autrui qu'il absorbe, et du renoncement à toutes les jouissances de la vie imposé à ses ouvriers. Bien que sa prodigalité ne revête donc jamais les franches allures de celle du seigneur féodal, bien qu'elle ait peine à dissimuler l'avarice la plus sordide et l'esprit de calcul le plus mesquin, elle grandit néanmoins à mesure qu'il accumule, sans que son accumulation soit nécessairement restreinte par sa dépense, ni celle-ci par celle-là. Toutefois il s'élève dès lors en lui un conflit à la Faust entre le penchant à l'accumulation et le penchant à la jouissance.

« L'industrie de Manchester », est-il dit dans un écrit publié en 1795 par le docteur *Aikin*, « peut se diviser en quatre périodes. Dans la première les fabricants étaient forcés de travailler dur pour leur entretien. Leur principal moyen de s'enrichir consistait à voler les parents qui plaçaient chez eux des jeunes gens comme apprentis, et payaient pour cela bon prix, tandis que les susdits apprentis étaient loin de manger leur soûl. D'un autre côté la moyenne des profits était peu élevée et l'accumulation exigeait une grande économie. Ils vivaient comme des thésauriseurs, se gardant bien de dépenser même de loin les intérêts de leur capital ».

« Dans la seconde période, ils avaient commencé à acquérir une petite fortune, mais ils travaillaient autant qu'auparavant ». — car l'exploitation directe du travail, comme le sait tout inspecteur d'esclaves, coûte du travail, — « et leur genre de vie était aussi frugal que par le passé... »

« Dans la troisième période le luxe commença, et, pour donner à l'industrie plus d'extension, on envoya des commis voyageurs à cheval chercher des ordres dans toutes les villes du royaume où se tenaient des marchés. D'après toute vraisemblance, il n'y avait encore en 1690 que peu ou point de capitaux gagnés dans l'industrie qui dépassassent trois mille livres sterling. Vers cette époque cependant, ou un peu plus tard, les industriels avaient déjà gagné de l'argent, et ils commencèrent à remplacer les maisons de bois et de mortier par des maisons en pierre... »

« Dans les trente premières années du XVIIIe siècle, un fabricant de Manchester qui eût offert à ses convives une pinte de vin étranger se serait exposé au caquet et aux hochements de tête de tous ses voisins... Avant l'apparition des machines la consommation des fabricants, le soir dans les tavernes où ils se rassemblaient, ne s'élevait jamais à plus de six deniers (62 centimes ½) pour un verre de punch et un denier pour un rouleau de tabac. »

« C'est en 1758, et ceci fait époque, que l'on vit pour la première fois un homme engagé dans les affaires avec un équipage à lui!... »

« La quatrième période » — le dernier tiers du XVIIIe siècle, — « est la période de grand luxe et de grandes dépenses, provoquée et soutenue par l'extension donnée à l'industrie[25]. » Que dirait le bon docteur Alkin, s'il ressuscitait à Manchester aujourd'hui!

Accumulez, accumulez! C'est la loi et les prophètes! « La parcimonie, et non l'industrie, est la cause immédiate de l'augmentation du capital. A vrai dire, l'industrie fournit la matière que l'épargne accumule[26]. »

Epargnez, épargnez toujours, c'est-à-dire retransformez sans cesse en capital la plus grande partie possible de la plus-value ou du produit net! Accumuler pour accumuler, produire pour produire, tel est le mot d'ordre de l'économie politiquc proclamant la mission historique de la période bourgeoise. Et elle ne s'est pas fait un instant illusion sur les douleurs d'enfantement de la richesse[27]; mais à quoi bon des jérémiades qui ne changent rien aux fatalités historiques ?

A ce point de vue, si le prolétaire n'est qu'une machine à produire de la plus-value, le capitaliste n'est qu'une machine à capitaliser cette plus-value.

L'économie politique classique prit donc bigrement au sérieux le capitaliste et son rôle. Pour le garantir du conflit désastreux entre le penchant à la jouissance et l'envie de s'enrichir, Malthus, quelques années après le congrès de Vienne, vint doctoralement défendre un système de division du travail où le capitaliste engagé dans la production a pour tâche d'accumuler, tandis que la dépense est du département de ses co-associés dans le partage de la plus-value, les aristocrates fonciers, les hauts dignitaires de l'Etat et de l'Eglise, les rentiers fainéants, etc. « Il est de la plus haute importance, dit-il, de tenir séparées la passion pour la dépense et la passion pour l'accumulation (the passion for expenditure and the passion for accumulation[28]). » Messieurs les capitalistes, déjà plus ou moins transformés en viveurs et hommes du monde, poussèrent naturellement les hauts cris. Eh quoi! objectait un de leurs interprètes, un Ricardien, M. Malthus prêche en faveur des fortes rentes foncières, des impôts élevés, des grasses sinécures, dans le but de stimuler constamment les industriels au moyen des consommateurs improductifs! Assurément produire, produire toujours de plus en plus, tel est notre mot d'ordre, notre panacée, mais « la production serait bien plutôt enrayée qu'activée par de semblables procédés. Et puis il n'est pas tout à fait juste (nor is it quite fair) d'entretenir dans l'oisiveté un certain nombre de personnes, tout simplement pour en émoustiller d'autres, dont le caractère donne lieu de croire (who are likely, from their characters) qu'ils fonctionneront avec succès, quand on pourra les contraindre à fonctionner[29] ». Mais, si ce Ricardien trouve injuste que, pour exciter le capitaliste industriel à accumuler, on lui enlève la crème de son lait, par contre il déclare conforme aux règles que l'on réduise le plus possible le salaire de l'ouvrier « pour le maintenir laborieux ». Il ne cherche pas même à dissimuler un instant que tout le secret de la plus-value consiste à s'approprier du travail sans le payer. « De la part des ouvriers demande de travail accrue signifie tout simplement qu'ils consentent à prendre moins de leur propre produit pour eux-mêmes et à en laisser davantage à leurs patrons; et si l'on dit qu'en diminuant la consommation des ouvriers, cela amène un soi-disant *glut* (encombrement du marché, surproduction), je n'ai qu'une chose à répondre, c'est que *glut* est synonyme de gros profits[30]. »

Cette savante dispute sur le moyen de répartir, de la manière la plus favorable à l'accumulation, entre le capitaliste industriel et le riche oisif, le butin pris sur la classe ouvrière, fut interrompue par la Révolution de Juillet. Peu de temps après, le prolétariat urbain sonna à Lyon le tocsin d'alarme, et en Angleterre le prolétariat des campagnes promena le coq rouge. D'un côté du détroit la vogue était au Fouriérisme et au Saint-Simonisme, de l'autre à l'Owenisme. Alors l'économie politique vulgaire saisit l'occasion aux cheveux et proposa une doctrine destinée à sauver la société.

Elle fut révélée au monde par N.-W. Senior, juste un an avant qu'il découvrît, à Manchester, que d'une journée de travail de douze heures c'est la douzième et dernière heure seule qui fait naître le profit, y compris l'intérêt. « Pour moi, déclarait-il solennellement, pour moi, je substitue au mot *capital*, en tant qu'il se rapporte à la production, le mot *abstinence*[31]. » Rien qui vous donne comme cela une idée des « découvertes » de l'économie politique vulgaire! Elle remplace les catégories économiques par des phrases de Tartufe, voilà tout.

« Quand le sauvage, nous apprend Senior, fabrique des arcs, il exerce une industrie, mais il ne pratique pas l'abstinence. » Ceci nous explique parfaitement pourquoi et comment, dans un temps moins avancé que le nôtre, tout en se passant de l'abstinence du capitaliste, on ne s'est pas passé d'instruments de travail. « Plus la société marche en avant, plus elle exige d'abstinence[32] », notamment de la part de ceux qui exercent l'industrie de s'approprier les fruits de l'industrie d'autrui.

Les conditions du procès de travail se transforment tout à coup en autant de pratiques d'abstinence du capitaliste, supposé toujours que son ouvrier ne s'abstienne point de travailler pour lui. Si le blé non seulement se mange, mais aussi se sème, abstinence du capitaliste! Si l'on donne au vin le temps de fermenter, abstinence du capitaliste[33]! Le capitaliste se dépouille lui-même, quand il « prête (!) ses instruments de production au travailleur »; en d'autres termes, quand il les fait valoir comme capital en leur incorporant la force ouvrière, au lieu de manger tout crus engrais, chevaux de trait, coton, machines à vapeur, chemins de fer, etc., ou, d'après l'expression naïve des théoriciens de l'abstinence, au lieu d'en dissiper « la valeur » en articles de luxe, etc.[34].

Comment la classe capitaliste doit-elle s'y prendre pour remplir ce programme? c'est un secret qu'on s'obstine à garder. Bref, le monde ne vit plus que grâce aux mortifications de ce moderne pénitent de Wichnou, le capitaliste. Ce n'est pas seulement l'accumulation, non! « la simple conservation d'un capital exige un effort constant pour résister à la tentation de le consommer[35] ». Il faut donc avoir renoncé à toute humanité pour ne pas délivrer le capitaliste de ses tentations et de son martyre, de la même façon qu'on en a usé récemment pour délivrer le planteur de la Géorgie de ce pénible dilemme : Faut-il joyeusement dépenser en champagne et articles de Paris tout le produit net obtenu à coups de fouet de l'esclave nègre, ou bien en convertir une partie en terres et nègres additionnels ?

Dans les sociétés les plus différentes au point de vue économique on trouve non seulement la reproduction simple, mais encore, à des degrés très divers, il est vrai, la reproduction sur une échelle progressive. A mesure que l'on produit et consomme davantage, on est forcé de reconvertir plus de produits en nouveaux moyens de production. Mais ce procès ne se présente ni comme accumulation de capital ni comme fonction du capitaliste, tant que les moyens de production du travailleur, et par conséquent son produit et ses subsistances, ne portent pas encore l'empreinte sociale qui les transforme en capital[36]. C'est ce que *Richard Jones*, successeur de Malthus à la chaire d'économie politique de l'East Indian College de Hailebury, a bien fait ressortir par l'exemple des Indes orientales.

Comme la partie la plus nombreuse du peuple indien se compose de paysans cultivant leurs terres eux-mêmes, ni leur produit, ni leurs moyens de travail et de subsistance, « n'existent jamais sous la forme (in the shape) d'un fonds épargné sur un revenu étranger (saved from revenue) et qui eût parcouru préalablement un procès d'accumulation (a previous process of accumulation)[37] ». D'un autre côté, dans les territoires où la domination anglaise a le moins altéré l'ancien système, les grands reçoivent, à titre de tribut ou de rente foncière, une aliquote du produit net de l'agriculture qu'ils divisent en trois parties. La première est consommée par eux en nature, tandis que la deuxième est convertie, à leur propre usage, en articles de luxe et d'utilité par des travailleurs non agricoles qu'ils rémunèrent moyennant la troisième partie. Ces travailleurs sont des artisans possesseurs de leurs instruments de travail. La production et la reproduction, simples ou progressives, vont ainsi leur chemin sans intervention aucune de la part du saint moderne, de ce chevalier de la triste figure, le capitaliste pratiquant la bonne œuvre de l'abstinence.

IV. — CIRCONSTANCES QUI, INDÉPENDAMMENT DE LA DIVISION PROPORTIONNELLE DE LA PLUS-VALUE EN CAPITAL ET EN REVENU, DÉTERMINENT L'ÉTENDUE DE L'ACCUMULATION. — DEGRÉ D'EXPLOITATION DE LA FORCE OUVRIÈRE. — PRODUCTIVITÉ DU TRAVAIL. — DIFFÉRENCE CROISSANTE ENTRE LE CAPITAL EMPLOYÉ ET LE CAPITAL CONSOMMÉ. — GRANDEUR DU CAPITAL AVANCÉ

Etant donné la proportion suivant laquelle la plus-value se partage en capital et en revenu, la grandeur du capital accumulé dépend évidemment de la grandeur absolue de la plus-value. Mettons, par exemple, qu'il y ait quatre-vingts pour cent de capitalisé et vingt pour cent de dépensé, alors le capital accumulé s'élève à deux mille quatre cents francs ou à mille deux cents, selon qu'il y a une plus-value de trois mille francs ou une de mille cinq cents. Ainsi toutes les circonstances qui déterminent la masse de la plus-value concourent à déterminer l'étendue de l'accumulation. Il nous faut donc les récapituler, mais, cette fois, seulement au point de vue de l'accumulation.

On sait que le taux de la plus-value dépend en premier lieu du *degré d'exploitation de la force ouvrière*[38]. En traitant de la production de la plus-value, nous avons toujours supposé que l'ouvrier reçoit un salaire normal, c'est-à-dire que la juste valeur de sa force est payée. Le prélèvement sur le salaire joue cependant dans la pratique un rôle trop important pour que nous ne nous y arrêtions pas un moment. Ce procédé convertit en effet, dans une certaine mesure, le fonds de consommation nécessaire à l'entretien du travailleur en fonds d'accumulation du capital.

« Les salaires, dit J. St. Mill, n'ont aucune force productive; ils sont le prix d'une force productive. Ils ne contribuent pas plus à la production des marchandises en sus du travail que n'y contribue le prix d'une machine en sus de la machine elle-même. Si l'on pouvait avoir le travail sans l'acheter, les salaires seraient superflus[39]. »

Mais, si le travail ne coûtait rien, on ne saurait l'avoir à aucun prix. Le salaire ne peut donc jamais descendre à ce zéro nihiliste, bien que le capital ait une tendance constante à s'en rapprocher.

Un écrivain du XVIIIe siècle que j'ai souvent cité, l'auteur de l'*Essai sur l'industrie et le commerce*[40], ne fait que trahir le secret intime du capitaliste anglais quand il déclare que la grande tâche historique de l'Angleterre, c'est de ramener chez elle le salaire au niveau français ou hollandais. « Si nos pauvres, dit-il, s'obstinent à vouloir faire continuelle bombance, leur travail doit naturellement revenir à un prix excessif... Que l'on jette seulement un coup d'œil sur l'entassement de superfluités *(heap of superfluities)* consommées par nos ouvriers de manufacture, telles qu'eau-de-vie, gin, thé, sucre, fruits étrangers, bière forte, toile imprimée, tabac à fumer et à priser, etc., n'est-ce pas à faire dresser les cheveux[41] ? » Il cite une brochure d'un fabricant du Northamptonshire, où celui-ci pousse, en louchant vers le ciel, ce gémissement : « Le travail est en France d'un bon tiers meilleur marché qu'en Angleterre : car là les pauvres travaillent rudement et sont piètrement nourris et vêtus; leur principale consommation est le pain, les fruits, les légumes, les racines, le poisson salé; ils mangent rarement de la viande, et, quand le froment est cher, très peu de pain[42]. » Et ce n'est pas tout, ajoute l'auteur de l'*Essai*, « leur boisson se compose d'eau pure ou de pareilles (sic!) *liqueurs faibles*, en sorte qu'ils dépensent étonnamment peu d'argent... Il est sans doute fort difficile d'introduire chez nous un tel état de choses, mais évidemment ce n'est pas impossible, puisqu'il existe en France et aussi en Hollande[43] ».

De nos jours ces aspirations ont été de beaucoup dépassées, grâce à la concurrence cosmopolite dans laquelle le développement de la production capitaliste a jeté tous les travailleurs du globe. Il ne s'agit plus seulement de réduire les salaires anglais au niveau de ceux de l'Europe continentale, mais de faire descendre, dans un avenir plus ou moins prochain, le niveau européen au niveau chinois. Voilà la perspective que M. Stapleton, membre du Parlement anglais, est venu dévoiler à ses électeurs dans une adresse sur *le prix du travail dans l'avenir*. « Si la Chine, dit-il, devient un grand pays manufacturier, je ne vois pas comment la population industrielle de l'Europe saurait soutenir la lutte sans descendre au niveau de ses concurrents[44]. »

Vingt ans plus tard un Yankee baronnisé, Benjamin Thompson (dit le comte Rumford), suivit la même ligne philanthropique à la grande satisfaction de Dieu et des hommes. Ses *Essays*[45] sont un vrai livre de cuisine; il donne des recettes de toute espèce pour remplacer par des succédanés les aliments ordinaires et trop chers du travailleur. En voici une des plus réussies :

« Cinq livres d'orge, dit ce philosophe, cinq livres de maïs, trois pence (en chiffres ronds : 34 centimes) de harengs, un penny de vinaigre, deux pence de poivre et d'herbes, un penny de sel — le tout pour la somme de vingt pence trois quarts — donnent une soupe pour soixante-quatre personnes, et, au prix moyen du blé, les frais peuvent être réduits à un quart de penny (moins de 3 centimes) par tête. » La falsification des marchandises, marchant de front avec le développement de la production capitaliste, nous a fait dépasser l'idéal de ce brave Thompson[46].

A la fin du XVIIIe siècle et pendant les vingt premières années du XIXe, les fermiers et les landlords anglais rivalisèrent d'efforts pour faire descendre le salaire à son minimum absolu. A cet effet on payait moins que le minimum sous forme de salaire et on compensait le déficit par l'assistance paroissiale. Dans ce bon temps, ces ruraux anglais avaient encore le privilège d'octroyer un tarif légal au travail agricole, et voici un exemple de l'*humour* bouffonne dont ils s'y prenaient : « Quand les squires fixèrent, en 1795, le taux des salaires pour le Speenhamland, ils avaient fort bien dîné et pensaient évidemment que les travailleurs n'avaient pas besoin de faire de même... Ils décidèrent donc que le salaire hebdomadaire serait de trois shillings par homme, tant que la miche de pain de huit livres onze onces coûterait un shilling, et qu'il s'élèverait régulièrement jusqu'à ce que le pain coûtât un shilling cinq pence. Ce prix une fois dépassé, le salaire devait diminuer progressivement jusqu'à ce que le pain coûtât deux shillings, et alors la nourriture de chaque homme serait d'un cinquième moindre qu'auparavant[47]. »

En 1814, un comité d'enquête de la Chambre des lords posa la question suivante à un certain A. Bennet grand fermier, magistrat, administrateur d'un *workhouse* (maison de pauvres) et régulateur officiel des salaires agricoles : « Est-ce qu'on observe une proportion quelconque entre la valeur du travail journalier et l'assistance paroissiale ? — Mais oui, répondit l'illustre Bennet; la recette hebdomadaire de chaque famille est complétée au-delà de son salaire nominal jusqu'à concurrence d'une miche de pain de huit livres onze onces et de trois pence par tête... Nous supposons qu'une telle miche suffit pour l'entretien hebdomadaire de chaque membre de la famille, et les trois pence sont pour les vêtements. S'il plaît à la paroisse de les fournir en nature, elle déduit les trois pence. Cette pratique règne non seulement dans tout l'ouest du Wiltshire, mais encore, je pense, dans tout le pays[48]. »

C'est ainsi, s'écrie un écrivain bourgeois de cette époque, « que pendant nombre d'années les fermiers ont dégradé une classe respectable de leurs compatriotes, en les forçant à chercher un refuge dans le workhouse... Le fermier a augmenté ses propres bénéfices en empêchant ses ouvriers d'accumuler le fonds de consommation le plus indispensable[49] ». L'exemple du travail dit à domicile nous a déjà montré quel rôle ce vol, commis sur la consommation nécessaire du travailleur, joue aujourd'hui dans la formation de la plus-value et, par conséquent, dans l'accumulation du capital. On trouvera de plus amples détails à ce sujet dans le chapitre suivant.

Bien que, dans toutes les branches d'industrie, la partie du capital constant qui consiste en *outillage*[50] doive suffire pour un certain nombre d'ouvriers, — nombre déterminé par l'échelle de l'entreprise, — elle ne s'accroît pas toutefois suivant la même proportion que la quantité du travail mis en œuvre. Qu'un établissement emploie, par exemple, cent hommes travaillant huit heures par jour, et ils fourniront quotidiennement huit cents heures de travail. Pour augmenter cette somme de moitié, le capitaliste aura ou à embaucher un nouveau contingent de cinquante ouvriers ou à faire travailler ses anciens ouvriers douze heures par jour au lieu de huit. Dans le premier cas, il lui faut un surplus d'avances non seulement en salaires, mais aussi en outillage, tandis que, dans l'autre, l'ancien outillage reste suffisant. Il va désormais fonctionner davantage, son service sera activé, il s'en usera plus vite, et son terme de renouvellement arrivera plus tôt, mais voilà tout. De cette manière un excédent de travail, obtenu par une tension supérieure de la force ouvrière, augmente la plus-value et le produit net, la substance de l'accumulation, sans nécessiter un accroissement préalable et proportionnel de la partie constante du capital avancé.

Dans l'industrie extractive, celle des mines, par exemple, les matières premières n'entrent pas comme élément des avances, puisque là l'objet du travail est non le fruit d'un travail antérieur, mais bien le don gratuit de la nature, tel que le métal, le minéral, le charbon, la pierre, etc. Le capital constant se borne donc presque exclusivement à l'avance en outillage, qu'une augmentation de travail n'affecte pas. Mais, les autres circonstances restant les mêmes, la valeur et la masse du produit multiplieront en raison directe du travail appliqué aux mines. De même qu'au premier jour de la vie industrielle, l'homme et la nature y agissent de concert comme sources primitives de la richesse. Voilà donc, grâce à l'élasticité de la force ouvrière, le terrain de l'accumulation élargi sans agrandissement préalable du capital avancé.

Dans l'agriculture on ne peut étendre le champ de cultivation sans avancer un surplus de semailles et d'engrais. Mais, cette avance une fois faite, la seule action mécanique du travail sur le sol en augmente merveilleusement la fertilité. Un excédent de travail, tiré du même nombre d'ouvriers, ajoute à cet effet sans ajouter à l'avance en instruments aratoires. C'est donc de nouveau l'action directe de l'homme sur la nature qui fournit ainsi un fonds additionnel à accumuler sans intervention d'un capital additionnel.

Enfin, dans les manufactures, les fabriques, les usines, toute dépense additionnelle en travail présuppose une dépense proportionnelle en matières premières, mais non en outillage. De plus, puisque l'industrie extractive et l'agriculture fournissent à l'industrie manufacturière ses matières brutes et instrumentales, le surcroît de produits obtenu dans celles-là sans surplus d'avances revient aussi à l'avantage de celle-ci.

Nous arrivons donc à ce résultat général, qu'en s'incorporant la force ouvrière et la terre, ces deux sources primitives de la richesse, le capital acquiert une puissance d'expansion qui lui permet d'augmenter ses éléments d'accumulation au-delà des limites apparemment fixées par sa propre grandeur, c'est-à-dire par la valeur et la masse des moyens de production déjà produits dans lesquels il existe.

Un autre facteur important de l'accumulation, c'est le degré de productivité du travail social.

Etant donné la plus-value, l'abondance du produit net, dont elle est la valeur, correspond à la productivité du travail mis en œuvre. A mesure donc que le travail développe ses pouvoirs productifs, le produit net comprend plus de moyens de jouissance et d'accumulation. Alors la partie de la plus-value qui se capitalise peut même augmenter aux dépens de l'autre qui constitue le revenu, sans que la consommation du capitaliste en soit resserrée, car désormais une moindre valeur se réalise en une somme supérieure d'utilités.

Le revenu déduit, le reste de la plus-value fonctionne comme capital additionnel. En mettant les subsistances à meilleur marché, le développement des pouvoirs productifs du travail fait que les travailleurs aussi baissent de prix. Il réagit de même sur l'efficacité, l'abondance et le prix des moyens de production. Or l'accumulation ultérieure que le nouveau capital amène à son tour, se règle non sur la valeur absolue de ce capital, mais sur la quantité de forces ouvrières, d'outillage, de matières premières et auxiliaires dont il dispose.

Il arrive en général que les combinaisons, les procédés et les instruments perfectionnés s'appliquent en premier lieu à l'aide du nouveau capital additionnel.

Quant à l'ancien capital, il consiste en partie en moyens de travail qui s'usent peu à peu et n'ont besoin d'être reproduits qu'après des laps de temps assez grands. Toutefois, chaque année, un nombre considérable d'entre eux arrive à son terme de vitalité, comme on voit tous les ans s'éteindre nombre de vieillards en décrépitude. Alors, le progrès scientifique et technique, accompli durant la période de leur service actif, permet de remplacer ces instruments usés par d'autres plus efficaces et comparativement moins coûteux. En dehors donc des modifications de détail que subit de temps à autre l'ancien outillage, une large portion en est chaque année entièrement renouvelée et devient ainsi plus productive.

Quant à l'autre élément constant du capital ancien, les matières premières et auxiliaires, elles sont reproduites pour la plupart au moins annuellement, si elles proviennent de l'agriculture, et dans des espaces de temps beaucoup plus courts, si elles proviennent des mines, etc. Là, tout procédé perfectionné qui n'entraîne pas un changement d'outillage, réagit donc presque du même coup et sur le capital additionnel et sur l'ancien capital.

En découvrant de nouvelles matières utiles ou de nouvelles qualités utiles de matières déjà en usage, la chimie multiplie les sphères de placement pour le capital accumulé. En enseignant les méthodes propres à rejeter dans le cours circulaire de la reproduction les résidus de la production et de la consommation sociales, leurs excréments, elle convertit, sans aucun concours du capital, ces non-valeurs en autant d'éléments additionnels de l'accumulation.

De même que l'élasticité de la force ouvrière, le progrès incessant de la science et de la technique doue donc le capital d'une puissance d'expansion, indépendante, dans de certaines limites, de la grandeur des richesses acquises dont il se compose.

Sans doute, les progrès de la puissance productive du travail qui s'accomplissent sans le concours du capital déjà en fonction, mais dont il profite dès qu'il fait peau neuve, le déprécient aussi plus ou moins durant l'intervalle où il continue de fonctionner sous son ancienne forme. Le capital placé dans une machine, par exemple, perd de sa valeur quand surviennent de meilleures machines de la même espèce. Du moment, cependant, où la concurrence rend cette dépréciation sensible au capitaliste, il cherche à s'en indemniser par une réduction du salaire.

Le travail transmet au produit la valeur des moyens de production consommés. D'un autre côté, la valeur et la masse des moyens de production, mis en œuvre par un quantum donné de travail, augmentent à mesure que le travail devient plus productif. Donc, bien qu'un même quantum de travail n'ajoute jamais aux produits que la même somme de valeur nouvelle, l'ancienne valeur-capital qu'il leur transmet va s'accroissant avec le développement de l'industrie.

Que le fileur anglais et le fileur chinois travaillent le même nombre d'heures avec le même degré d'intensité, et ils vont créer chaque semaine des valeurs égales. Pourtant, en dépit de cette égalité, il y aura entre le produit hebdomadaire de l'un, qui se sert d'un vaste automate, et celui de l'autre, qui se sert d'un rouet primitif, une merveilleuse différence de valeur. Dans le même temps que le Chinois file à peine une livre de coton, l'Anglais en filera plusieurs centaines, grâce à la productivité supérieure du travail mécanique; de là l'énorme surplus d'anciennes valeurs qui font enfler la valeur de son produit, où elles reparaissent sous une nouvelle forme d'utilité et deviennent ainsi propres à fonctionner de nouveau comme capital.

« En Angleterre les récoltes de laine des trois années 1780-82 restaient, faute d'ouvriers, à l'état brut, et y seraient restées forcément longtemps encore, si l'invention de machines n'était bientôt venue fournir fort à propos les moyens de les filer[51]. » Les nouvelles machines ne firent pas sortir de terre un seul homme, mais elles mettaient un nombre d'ouvriers relativement peu considérable à même de filer en peu de temps cette énorme masse de laine successivement accumulée pendant trois années, et, tout en y ajoutant de nouvelle valeur, d'en conserver, sous forme de filés, l'ancienne valeur-capital. Elles provoquèrent en outre la reproduction de la laine sur une échelle progressive.

C'est la propriété naturelle du travail qu'en créant de nouvelles valeurs, il conserve les anciennes. A mesure donc que ses moyens de production augmentent d'efficacité, de masse et de valeur, c'est-à-dire, à mesure que le mouvement ascendant de sa puissance productive accélère l'accumulation, le travail conserve et éternise, sous des formes toujours nouvelles, une ancienne valeur-capital toujours grossissante[52]. Mais, dans le système du salariat, cette faculté naturelle du travail prend la fausse apparence d'une propriété qui est inhérente au capital et l'éternise; de même les forces collectives du travail combiné se déguisent en autant de qualités occultes du capital, et l'appropriation continue de surtravail par le capital tourne au miracle, toujours renaissant, de ses vertus prolifiques.

Cette partie du capital constant qui s'avance sous forme d'outillage et qu'Adam Smith a nommée « capital fixe », fonctionne toujours en entier dans les procès de production périodiques, tandis qu'au contraire, ne s'usant que peu à peu, elle ne transmet sa valeur que par fractions aux marchandises qu'elle aide à confectionner successivement. Véritable gradimètre du progrès des forces productives, son accroissement amène une différence de grandeur de plus en plus considérable entre la totalité du capital actuellement employé et la fraction qui s'en consomme d'un seul coup. Qu'on compare, par exemple, la valeur des chemins de fer européens quotidiennement exploités à la somme de valeur qu'ils perdent par leur usage quotidien! Or, ces moyens, créés par l'homme, rendent des services gratuits tout comme les forces naturelles, l'eau, la vapeur, l'électricité, etc., et ils les rendent en proportion des effets utiles qu'ils contribuent à produire sans augmentation de frais. Ces services gratuits du travail d'autrefois, saisi et vivifié par le travail d'aujourd'hui, s'accumulent donc avec le développement des forces productives et l'accumulation de capital qui l'accompagne.

Parce que le travail passé des travailleurs A, B, C, etc., figure dans le système capitaliste comme l'actif du non-travailleur X, etc., bourgeois et économistes de verser à tout propos des torrents de larmes et d'éloges sur les opérations de la grâce de ce travail défunt, auquel Mac Culloch, le génie écossais, décerne même des droits à un salaire à part, vulgairement nommé profit, intérêt, etc.[53]. Ainsi le concours de plus en plus puissant que, sous forme d'outillage, le travail passé apporte au travail vivant, est attribué par ces sages non à l'ouvrier qui a fait l'œuvre, mais au capitaliste qui se l'est appropriée. A leur point de vue, l'instrument de travail et son caractère de capital — qui lui est imprimé par le milieu social actuel — ne peuvent pas plus se séparer que le travailleur lui-même, dans la pensée du planteur de la Géorgie, ne pouvait se séparer de son caractère d'esclave.

Parmi les circonstances qui, indépendamment du partage proportionnel de la plus-value en revenu et en capital, influent fortement sur l'étendue de l'accumulation, il faut enfin signaler *la grandeur du capital avancé*.

Etant donné le degré d'exploitation de la force ouvrière, la masse de la plus-value se détermine par le nombre des ouvriers simultanément exploités, et celui-ci correspond, quoique dans des proportions changeantes, à la grandeur du capital. Plus le capital grossit donc, au moyen d'accumulations successives, plus grossit aussi la valeur à diviser en fonds de consommation et en fonds d'accumulation ultérieure. En outre, tous les ressorts de la production jouent d'autant plus énergiquement que son échelle s'élargit avec la masse du capital avancé.

V. — LE PRÉTENDU FONDS DU TRAVAIL (LABOUR-FUND)

Les capitalistes, leurs co-propriétaires, leurs hommes-liges et leurs gouvernements gaspillent chaque année une partie considérable du produit net annuel. De plus, ils retiennent dans leurs fonds de consommation une foule d'objets d'user lent, propres à un emploi reproductif, et ils stérilisent à leur service personnel une foule de forces ouvrières. La quote-part de la richesse qui se capitalise n'est donc jamais aussi large qu'elle pourrait l'être. Son rapport de grandeur vis-à-vis du total de la richesse sociale change avec tout changement survenu dans le partage de la plus-value en revenu personnel et en capital additionnel, et la proportion suivant laquelle se fait ce partage varie sans cesse sous l'influence de conjonctures auxquelles nous ne nous arrêterons pas ici. Il nous suffit d'avoir constaté qu'au lieu d'être une aliquote prédéterminée et fixe de la richesse sociale, le capital n'en est qu'une fraction variable et flottante.

Quant au capital déjà accumulé et mis en œuvre, bien que sa valeur soit déterminée de même que la masse des marchandises dont il se compose, il ne représente point une force productrice constante, opérant d'une manière uniforme. Nous avons vu au contraire qu'il admet une grande latitude par rapport à l'intensité, l'efficacité et l'étendue de son action. En examinant les causes de ce phénomène nous nous étions placés au point de vue de la production, mais il ne faut pas oublier que les divers degrés de vitesse de la circulation concourent à leur tour à modifier considérablement l'action d'un capital donné. En dépit de ces faits, les économistes ont toujours été trop disposés à ne voir dans le capital qu'une portion prédéterminée de la richesse sociale, qu'une somme donnée de marchandises et de forces ouvrières opérant d'une manière à peu près uniforme. Mais Bentham, l'oracle philistin du XIXe siècle, a élevé ce préjugé au rang d'un dogme[54]. Bentham est parmi les philosophes ce que son compatriote Martin Tupper, est parmi les poètes. Le lieu commun raisonneur, voilà la philosophie de l'un et la poésie de l'autre[55].

Le dogme de la quantité fixe du capital social à chaque moment donné, non seulement vient se heurter contre les phénomènes les plus ordinaires de la production, tels que ses mouvements d'expansion et de contraction, mais il rend l'accumulation même à peu près incompréhensible[56]. Aussi n'a-t-il été mis en avant par Bentham et ses acolytes, les Mac Culloch, les Mill et *tutti quanti*, qu'avec une arrière-pensée « utilitaire ». Ils l'appliquent de préférence à cette partie du capital qui s'échange entre la force ouvrière et qu'ils appellent indifféremment « *fonds de salaires* », « *fonds du travail* ». D'après eux, c'est là une fraction particulière de la richesse sociale, la valeur d'une certaine quantité de subsistances dont *la nature* pose à chaque moment les bornes fatales, que la classe travailleuse s'escrime vainement à franchir. La somme à distribuer parmi les salariés étant ainsi donnée, il s'ensuit que si la quote-part dévolue à chacun des partageants est trop petite, c'est parce que leur nombre est trop grand, et qu'en dernière analyse leur misère est un fait non de l'ordre social, mais de l'ordre naturel.

En premier lieu, les limites que le système capitaliste prescrit à la consommation du producteur ne sont « naturelles » que dans le milieu propre à ce système, de même que le fouet ne fonctionne comme aiguillon « naturel » du travail que dans le milieu esclavagiste. C'est en effet la nature de la production capitaliste que de limiter la part du producteur à ce qui est nécessaire pour l'entretien de sa force ouvrière, et d'octroyer le surplus de son produit au capitaliste. Il est encore de la nature de ce système que le produit net, qui échoit au capitaliste, soit aussi divisé par lui en revenu et en capital additionnel, tandis qu'il n'y a que des cas exceptionnels où le travailleur puisse augmenter son fonds de consommation en empiétant sur celui du non-travailleur. « Le riche », dit *Sismondi*, « fait la loi au pauvre... car faisant lui-même le partage de la production annuelle, tout ce qu'il nomme *revenu*, il le garde pour le consommer lui-même; tout ce qu'il nomme *capital* il le cède au pauvre pour que celui-ci en fasse *son revenu*[57]. » (Lisez : pour que celui-ci *lui* en fasse un revenu additionnel.) « Le produit du travail », dit *J. St. Mill*, « est aujourd'hui distribué en raison inverse du travail; la plus grande part est pour ceux qui ne travaillent jamais; puis les mieux partagés sont ceux dont le travail n'est presque que nominal, de sorte que de degré en degré la rétribution se rétrécit à mesure que le travail devient plus désagréable et plus pénible, si bien qu'enfin le labeur le plus fatigant, le plus exténuant, ne peut pas même compter avec certitude sur l'acquisition des choses les plus nécessaires à la vie[58]. »

Ce qu'il aurait donc fallu prouver avant tout, c'était que, malgré son origine toute récente, le mode capitaliste de la production sociale en est néanmoins le mode immuable et « naturel ». Mais, même dans les données du système capitaliste, il est faux que le « fonds de salaire » soit prédéterminé ou par la grandeur de la richesse sociale ou par celle du capital social.

Le capital social n'étant qu'une fraction variable et flottante de la richesse sociale, le fonds de salaire, qui n'est qu'une quote-part de ce capital, ne saurait être une quote-part fixe et prédéterminée de la richesse sociale : de l'autre côté, la grandeur relative du fonds de salaire dépend de la proportion suivant laquelle le capital social se divise en capital constant et en capital variable, et cette proportion, comme nous l'avons déjà vu et comme nous l'exposerons encore plus en détail dans les chapitres suivants, ne reste pas la même durant le cours de l'accumulation.

Un exemple de la tautologie absurde à laquelle aboutit la doctrine de la quantité fixe du fonds de salaire nous est fourni par le professeur *Fawcett*.

« Le capital circulant d'un pays », dit-il « est son fonds d'entretien du travail. Pour calculer le salaire moyen qu'obtient l'ouvrier, il suffit donc de diviser tout simplement ce capital par le chiffre de la population ouvrière[59] », c'est-à-dire que l'on commence par additionner les salaires individuels actuellement payés pour affirmer ensuite que cette addition donne la valeur « du fonds de salaire ». Puis on divise cette somme, non par le nombre des ouvriers employés, mais par celui de toute la population ouvrière, et l'on découvre ainsi combien il en peut tomber sur chaque tête! La belle finesse!

Cependant, sans reprendre haleine, M. Fawcett continue : « La richesse totale, annuellement accumulée en Angleterre, se divise en deux parties : L'une est employée chez nous à l'entretien de notre propre industrie; l'autre est exportée dans d'autres pays... La partie employée dans notre industrie ne forme pas une portion importante de la richesse annuellement accumulée dans ce pays[60]. »

Aussi la plus grande partie du produit net, annuellement croissant, se capitalisera non en Angleterre, mais à l'étranger. Elle échappe donc à l'ouvrier anglais sans compensation aucune. Mais, en même temps que ce capital surnuméraire, n'exporterait-on pas aussi par hasard une bonne partie du fonds assigné au travail anglais par la Providence et par Bentham[61] ?

CHAPITRE XXV

LOI GÉNÉRALE DE L'ACCUMULATION CAPITALISTE

I. — LA COMPOSITION DU CAPITAL RESTANT LA MÊME, LE PROGRÈS DE L'ACCUMULATION TEND A FAIRE MONTER LE TAUX DES SALAIRES

Nous avons maintenant à traiter de l'influence que l'accroissement du capital exerce sur le sort de la classe ouvrière. La donnée la plus importante pour la solution de ce problème, c'est *la composition du capital* et les changements qu'elle subit dans le progrès de l'accumulation.

La composition du capital se présente à un double point de vue. Sous le rapport de la valeur, elle est déterminée par la proportion suivant laquelle le capital se décompose en partie constante (la valeur des moyens de production) et partie variable (la valeur de la force ouvrière, la somme des salaires). Sous le rapport de sa matière, telle qu'elle fonctionne dans le procès de production, tout capital consiste en moyens de production et en force ouvrière agissante, et sa composition est déterminée par la proportion qu'il y a entre la masse des moyens de production employés et la quantité de travail nécessaire pour les mettre en œuvre. La première composition du capital est la *composition-valeur*, la deuxième la *composition technique*. Enfin, pour exprimer le lien intime qu'il y a entre l'une et l'autre, nous appellerons *composition organique* du capital sa composition-valeur, en tant qu'elle dépend de sa composition technique, et que, par conséquent, les changements survenus dans celle-ci se réfléchissent dans celle-là. Quand nous parlons en général de la composition du capital, il s'agit toujours de sa composition organique.

Les capitaux nombreux placés dans une même branche de production et fonctionnant entre les mains d'une multitude de capitalistes, indépendants les uns des autres, diffèrent plus ou moins de composition, mais la moyenne de leurs compositions particulières constitue la composition du capital total consacré à cette branche de production. D'une branche de production à l'autre, la composition moyenne du capital varie grandement, mais la moyenne de toutes ces compositions moyennes constitue la composition du capital social employé dans un pays, et c'est de celle-là qu'il s'agit en dernier lieu dans les recherches suivantes.

Après ces remarques préliminaires, revenons à l'accumulation capitaliste.

L'accroissement du capital renferme l'accroissement de sa partie variable. En d'autres termes : une quote-part de la plus-value capitalisée doit s'avancer en salaires. Supposé donc que la composition du capital reste la même, la demande de travail marchera de front avec l'accumulation, et la partie variable du capital augmentera au moins dans la même proportion que sa masse totale.

Dans ces données, le progrès constant de l'accumulation doit même, tôt ou tard, amener une hausse graduelle des salaires. En effet, une partie de la plus-value, ce fruit annuel, vient annuellement s'adjoindre au capital acquis; puis cet incrément annuel grossit lui-même à mesure que le capital fonctionnant s'enfle davantage; enfin, si des circonstances exceptionnellement favorables — l'ouverture de nouveaux marchés au-dehors, de nouvelles sphères de placement à l'intérieur, etc. — viennent à l'aiguillonner, la passion du gain jettera brusquement de plus fortes portions du produit net dans le fonds de la reproduction pour en dilater encore l'échelle.

De tout cela il résulte que chaque année fournira de l'emploi pour un nombre de salariés supérieur à celui de l'année précédente, et qu'à un moment donné les besoins de l'accumulation commenceront à dépasser l'offre ordinaire de travail. Dès lors le taux des salaires doit suivre un mouvement ascendant. Ce fut en Angleterre, pendant presque tout le XVe siècle et dans la première moitié du XVIIIe, un sujet de lamentations continuelles.

Cependant les circonstances plus ou moins favorables au milieu desquelles la classe ouvrière se reproduit et se multiplie ne changent rien au caractère fondamental de la reproduction capitaliste. De même que la reproduction simple ramène constamment le même rapport social — capitalisme et salariat — ainsi l'accumulation ne fait que reproduire ce rapport sur une échelle également progressive, avec plus de capitalistes (ou de plus gros capitalistes) d'un côté, plus de salariés de l'autre. La reproduction du capital renferme celle de son grand instrument de mise en valeur, la force de travail. Accumulation du capital est donc en même temps accroissement du prolétariat[1].

Cette identité — de deux termes opposés en apparence — Adam Smith, Ricardo et autres l'ont si bien saisie, que pour eux l'accumulation du capital n'est même autre chose que la consommation par des travailleurs productifs de toute la partie capitalisée du produit net, ou ce qui revient au même, sa conversion en un supplément de prolétaires.

Déjà en 1696, *John Bellers* s'écrie :

« Si quelqu'un avait cent mille arpents de terre, et autant de livres d'argent, et autant de bétail, que serait cet homme riche sans le travailleur, sinon un simple travailleur ? Et puisque ce sont les travailleurs qui font les riches, plus il y a des premiers, plus il y aura des autres... le travail du pauvre étant la mine du riche[2]. »

De même *Bertrand de Mandeville* enseigne, au commencement du XVIIIe siècle :

« Là où la propriété est suffisamment protégée, il serait plus facile de vivre sans argent que sans pauvres, car qui ferait le travail ?... s'il ne faut donc pas affamer les travailleurs, il ne faut pas non plus leur donner tant qu'il vaille la peine de thésauriser. Si çà et là, en se serrant le ventre et à force d'une application extraordinaire, quelque individu de la classe infime s'élève au-dessus de sa condition, personne ne doit l'en empêcher. Au contraire, on ne saurait nier que mener une vie frugale soit la conduite la plus sage pour chaque particulier, pour chaque famille prise à part, mais ce n'en est pas moins l'intérêt de toutes les nations riches que la plus grande partie des pauvres ne reste jamais inactive et dépense néanmoins toujours sa recette... Ceux qui gagnent leur vie par un labeur quotidien n'ont d'autre aiguillon à se rendre serviables que leurs besoins qu'il est prudent de soulager, mais que ce serait folie de vouloir guérir. La seule chose qui puisse rendre l'homme de peine laborieux, c'est un salaire modéré. Suivant son tempérament un salaire trop bas le décourage ou le désespère, un salaire trop élevé le rend insolent ou paresseux... Il résulte de ce qui précède que, dans une nation libre où l'esclavage est interdit, *la richesse la plus sûre consiste dans la multitude des pauvres laborieux*. Outre qu'ils sont une source intarissable de recrutement pour la flotte et l'armée, sans eux il n'y aurait pas de jouissance possible et aucun pays ne saurait tirer profit de ses produits naturels. Pour que *la société* (qui évidemment se compose des non-travailleurs) soit heureuse et le peuple content même de son sort pénible, il faut que la grande majorité reste aussi ignorante que pauvre. Les connaissances développent et multiplient nos désirs, et moins un homme désire plus ses besoins sont faciles à satisfaire[3]. »

Ce que Mandeville, écrivain courageux et forte tête, ne pouvait pas encore apercevoir, c'est que le mécanisme de l'accumulation augmente, avec le capital, la masse des « pauvres laborieux », c'est-à-dire des salariés convertissant leurs forces ouvrières en force vitale du capital et restant ainsi, bon gré, mal gré, serfs de leur propre produit incarné dans la personne du capitaliste.

Sur cet état de dépendance, comme une des nécessités reconnues du système capitaliste, *Sir F. M. Eden* remarque, dans son ouvrage sur la *Situation des pauvres ou histoire de la classe laborieuse en Angleterre :*

« Notre zone exige du travail pour la satisfaction des besoins, et c'est pourquoi il faut qu'au moins *une partie de la société travaille sans relâche*... Il en est qui ne travaillent pas et qui néanmoins disposent à leur gré des produits de l'industrie. Mais ces propriétaires ne doivent cette faveur qu'à la civilisation et à l'ordre établi; ils sont créés par les institutions civiles. » Eden aurait dû se demander : Qu'est-ce qui crée les *institutions civiles ?*

Mais de son point de vue, celui de l'illusion juridique, il ne considère pas la loi comme un produit des rapports matériels de la production, mais au contraire ces rapports comme un produit de la loi. Linguet a renversé d'un seul mot l'échafaudage illusoire de « l'esprit des lois » de Montesquieu : « L'esprit des lois, a-t-il dit, c'est la propriété. » Mais laissons continuer Eden :

« Celles-ci (les institutions civiles) ont reconnu, en effet, que l'on peut s'approprier les fruits du travail autrement que par le travail. Les gens de fortune indépendante doivent cette fortune presque entièrement au travail d'autrui et non à leur propre capacité, qui ne diffère en rien de celle des autres. Ce n'est pas la possession de tant de terre ou de tant d'argent, c'est le pouvoir de disposer du travail *(« the command of labour »)* qui distingue les riches des pauvres... Ce qui convient aux pauvres, ce n'est pas une condition servile et abjecte, mais un *état de dépendance aisée et libérale (« a state of easy and liberal dependence »);* et ce qu'il faut aux gens nantis, c'est une influence, une autorité suffisante sur ceux qui travaillent pour eux... Un pareil état de dépendance, comme l'avouera tout connaisseur de la nature humaine, est indispensable au confort des travailleurs eux-mêmes[4]. » Sir F. M. Eden, soit dit en passant, est le seul disciple d'Adam Smith qui, au XVIIIe siècle, ait produit une œuvre remarquable[5].

Dans l'état de l'accumulation, tel que nous venons de le supposer, et c'est son état le plus propice aux ouvriers, leur dépendance revêt des formes tolérables, ou, comme dit Eden, des formes « aisées et libérales ». Au lieu de gagner en intensité, l'exploitation et la domination capitalistes gagnent simplement en extension à mesure que s'accroît le capital, et avec lui le nombre de ses sujets. Alors il revient à ceux-ci, sous forme de payement, une plus forte portion de leur propre produit net, toujours grossissant et progressivement capitalisé, en sorte qu'ils se trouvent à même d'élargir le cercle de leurs jouissances, de se mieux nourrir, vêtir, meubler, etc., et de former de petites réserves d'argent. Mais si un meilleur traitement, une nourriture plus abondante, des vêtements plus propres et un surcroît de pécule ne font pas tomber les chaînes de l'esclavage, il en est de même de celles du salariat. Le mouvement ascendant imprimé aux prix du travail par l'accumulation du capital prouve, au contraire, que la chaîne d'or, à laquelle le capitaliste tient le salarié rivé et que celui-ci ne cesse de forger, s'est déjà assez allongée pour permettre un relâchement de tension.

Dans les controverses économiques sur ce sujet, on a oublié le point principal : le caractère spécifique de la production capitaliste. Là, en effet, la force ouvrière ne s'achète pas dans le but de satisfaire directement, par son service ou son produit, les besoins personnels de l'acheteur. Ce que celui-ci se propose, c'est de s'enrichir en faisant valoir son capital, en produisant des marchandises où il fixe plus de travail qu'il n'en paye et dont la vente réalise donc une portion de valeur qui ne lui a rien coûté. Fabriquer de la plus-value, telle est la loi absolue de ce mode de production. La force ouvrière ne reste donc vendable qu'autant qu'elle conserve les moyens de production comme capital, qu'elle reproduit son propre équivalent comme capital et qu'elle crée au capitaliste, par-dessus le marché, et un fonds de consommation et un surplus de capital. Qu'elles soient peu ou prou favorables, les conditions de la vente de la force ouvrière impliquent la nécessité de sa revente continue et la reproduction progressive de la richesse capitaliste. Il est de la nature du salaire de mettre toujours en mouvement un certain quantum de travail gratuit. L'augmentation du salaire n'indique donc au mieux qu'une diminution relative du travail gratuit que doit fournir l'ouvrier; mais cette diminution ne peut jamais aller loin pour porter préjudice au système capitaliste.

Dans nos données, le taux des salaires s'est élevé grâce à un accroissement du capital supérieur à celui du travail offert. Il n'y a qu'une alternative :

Ou les salaires continuent à monter, puisque leur hausse n'empiète point sur le progrès de l'accumulation, ce qui n'a rien de merveilleux, « car, dit Adam Smith, après que les profits ont baissé, les capitaux n'en augmentent pas moins; ils continuent même à augmenter bien plus vite qu'auparavant... Un gros capital, quoique avec de petits profits, augmente, en général, plus promptement qu'un petit capital avec des gros profits[6] ». Alors il est évident que la diminution du travail gratuit des ouvriers n'empêche en rien le capital d'étendre sa sphère de domination. Ce mouvement, au contraire, accoutume le travailleur à voir sa seule chance de salut dans l'enrichissement de son maître.

Ou bien, émoussant l'aiguillon du gain, la hausse progressive des salaires commence à retarder la marche de l'accumulation qui va en diminuant, mais cette diminution même en fait disparaître la cause première, à savoir l'excès en capital comparé à l'offre de travail. Dès lors le taux du salaire retombe à un niveau conforme aux besoins de la mise en valeur du capital, niveau qui peut être supérieur, égal ou inférieur à ce qu'il était au moment où la hausse des salaires eut lieu. De cette manière, le mécanisme de la production capitaliste écarte spontanément les obstacles qu'il lui arrive parfois de créer.

Il faut bien saisir le lien entre les mouvements du capital en voie d'accumulation et les vicissitudes corrélatives qui surviennent dans le taux des salaires.

Tantôt c'est un excès en capital, provenant de l'accumulation accélérée, qui rend le travail offert relativement insuffisant et tend par conséquent à en élever le prix. Tantôt c'est un ralentissement de l'accumulation qui rend le travail offert relativement surabondant et en déprime le prix.

Le mouvement d'expansion et de contradiction du capital en voie d'accumulation produit donc alternativement l'insuffisance ou la surabondance relatives du travail offert, mais ce n'est ni un décroissement absolu ou proportionnel du chiffre de la population ouvrière qui rend le capital surabondant dans le premier cas, ni un accroissement absolu ou proportionnel du chiffre de la population ouvrière qui rend le capital insuffisant dans l'autre.

Nous rencontrons un phénomène tout à fait analogue dans les péripéties du cycle industriel. Quand vient la crise, les prix des marchandises subissent une baisse générale, et cette baisse se réfléchit dans une hausse de la valeur relative de l'argent. Par contre, quand la confiance renaît, les prix des marchandises subissent une hausse générale, et cette hausse se réfléchit dans une baisse de la valeur relative de l'argent, bien que dans les deux cas la valeur réelle de l'argent n'éprouve pas le moindre changement. Mais de même que l'école anglaise connue sous le nom de *Currency School*[7] dénature ces faits en attribuant l'exagération des prix à une surabondance et leur dépression à un manque d'argent, de même les économistes, prenant l'effet pour la cause, prétendent expliquer les vicissitudes de l'accumulation par le mouvement de la population ouvrière qui fournirait tantôt trop de bras et tantôt trop peu.

La loi de la production capitaliste ainsi métamorphosée en prétendue loi naturelle de la population, revient simplement à ceci :

Le rapport entre l'accumulation du capital et le taux de salaire n'est que le rapport entre le travail gratuit, converti en capital, et le supplément de travail payé qu'exige ce capital additionnel pour être mis en œuvre. Ce n'est donc point du tout un rapport entre deux termes indépendants l'un de l'autre, à savoir, d'un côté, la grandeur du capital, et, de l'autre, le chiffre de la population ouvrière, mais ce n'est en dernière analyse qu'*un rapport entre le travail gratuit et le travail payé de la même population ouvrière*. Si le quantum de travail gratuit que la classe ouvrière rend, et que la classe capitaliste accumule, s'accroît assez rapidement pour que sa conversion en capital additionnel nécessite un supplément extraordinaire de travail payé, le salaire monte et, toutes autres circonstances restant les mêmes, le travail gratuit diminue proportionnellement. Mais, dès que cette diminution touche au point où le surtravail, qui nourrit le capital, ne paraît plus offert en quantité normale, une réaction survient, une moindre partie du revenu se capitalise, l'accumulation se ralentit et le mouvement ascendant du salaire subit un contrecoup. Le prix du travail ne peut donc jamais s'élever qu'entre des limites qui laissent intactes les bases du système capitaliste et en assurent la reproduction sur une échelle progressive[8].

Et comment en pourrait-il être autrement là où le travailleur n'existe que pour augmenter la richesse d'autrui, créée par lui ? Ainsi que, dans le monde religieux, l'homme est dominé par l'œuvre de son cerveau, il l'est, dans le monde capitaliste, par l'œuvre de sa main[9].

II. — CHANGEMENTS SUCCESSIFS DE LA COMPOSITION DU CAPITAL DANS LE PROGRÈS DE L'ACCUMULATION ET DIMINUTION RELATIVE DE CETTE PARTIE DU CAPITAL QUI S'ÉCHANGE CONTRE LA FORCE OUVRIÈRE

D'après les économistes eux-mêmes, ce n'est ni l'étendue actuelle de la richesse sociale, ni la grandeur absolue du capital acquis, qui amènent une hausse des salaires, ce n'est que le progrès continu de l'accumulation et son degré de vitesse[10]. Il faut donc avant tout éclaircir les conditions dans lesquelles s'accomplit ce progrès, dont nous n'avons considéré jusqu'ici que la phase particulière où l'accroissement du capital se combine avec un état stationnaire de sa composition technique.

Etant donné les bases générales du système capitaliste, le développement des pouvoirs productifs du travail social survient toujours à un certain point de l'accumulation pour en devenir désormais le levier le plus puissant. « La même cause, dit Adam Smith, qui fait hausser les salaires du travail, l'accroissement du capital, tend à augmenter les facultés productives du travail et à mettre une plus petite quantité de travail en état de produire une plus grande quantité d'ouvrage[11]. »

Mais par quelle voie s'obtient ce résultat ? Par une série de changements dans le mode de produire qui mettent une somme donnée de force ouvrière à même de mouvoir une masse toujours croissante de moyens de production. Dans cet accroissement, par rapport à la force ouvrière employée, les moyens de production jouent un double rôle. Les uns, tels que machines, édifices, fourneaux, appareils de drainage, engrais minéraux, etc., sont augmentés en nombre, étendue, masse et efficacité, pour rendre le travail plus productif, tandis que les autres, matières premières et auxiliaires, s'augmentent parce que le travail devenu plus productif en consomme davantage dans un temps donné.

A la naissance de la grande industrie, l'on découvrit en Angleterre une méthode pour convertir en fer forgeable le fer fondu avec du coke. Ce procédé, qu'on appelle *puddlage* et qui consiste à affiner la fonte dans des fourneaux d'une construction spéciale, donna lieu à un agrandissement immense des hauts fourneaux, à l'emploi d'appareils à soufflets chauds, etc., enfin, à une telle augmentation de l'outillage et des matériaux mis en œuvre par une même quantité de travail, que le fer fut bientôt livré assez abondamment et à assez bon marché pour pouvoir chasser la pierre et le bois d'une foule d'emplois. Comme le fer et le charbon sont les grands leviers de l'industrie moderne, on ne saurait exagérer l'importance de cette innovation.

Pourtant, le puddleur, l'ouvrier occupé à l'affinage de la fonte, exécute une opération manuelle, de sorte que la grandeur des fournées qu'il est à même de manier reste limitée par ses facultés personnelles, et c'est cette limite qui arrête à présent l'essor merveilleux que l'industrie métallurgique a pris depuis 1780, date de l'invention du puddlage.

« Le fait est », s'écrie l'*Engineering*, un des organes des ingénieurs anglais, « le fait est que le procédé suranné du puddlage manuel n'est guère qu'un reste de barbarie (the fact is that the old process of hand-puddling is little better than a barbarism)... La tendance actuelle de notre industrie est à opérer aux différents degrés de la fabrication sur des matériaux de plus en plus larges. C'est ainsi que presque chaque année voit naître des hauts fourneaux plus vastes, des marteaux à vapeur plus lourds, des laminoirs plus puissants, et des instruments plus gigantesques appliqués aux nombreuses branches de la manufacture de métaux. Au milieu de cet accroissement général — accroissement des moyens de production par rapport au travail employé — le procédé du puddlage est resté presque stationnaire et met aujourd'hui des entraves insupportables au mouvement industriel... Aussi est-on en voie d'y suppléer dans toutes les grandes usines par des fourneaux à révolutions automatiques et capables de fournées colossales tout à fait hors de la portée du travail manuel[12]. »

Donc, après avoir révolutionné l'industrie du fer et provoqué une grande extension de l'outillage et de la masse des matériaux mis en œuvre par une certaine quantité de travail, le puddlage est devenu, dans le cours de l'accumulation, un obstacle économique dont on est en train de se débarrasser par de nouveaux procédés propres à reculer les bornes qu'il pose encore à l'accroissement ultérieur des moyens matériels de la production par rapport au travail employé. C'est là l'histoire de toutes les découvertes et inventions qui surviennent à la suite de l'accumulation, comme nous l'avons prouvé du reste en retraçant la marche de la production moderne depuis son origine jusqu'à notre époque[13].

Dans le progrès de l'accumulation il n'y a donc pas seulement accroissement quantitatif et simultané des divers éléments réels du capital : le développement des puissances productives du travail social que ce progrès amène se manifeste encore par des changements qualitatifs, par des changements graduels dans la composition technique du capital, dont le facteur objectif gagne progressivement en grandeur proportionnelle par rapport au facteur subjectif, c'est-à-dire que la masse de l'outillage et des matériaux augmente de plus en plus en comparaison de la somme de force ouvrière nécessaire pour les mettre en œuvre. A mesure donc que l'accroissement du capital rend le travail plus productif, il en diminue la demande proportionnellement à sa propre grandeur.

Ces changements dans la composition technique du capital se réfléchissent dans sa composition-valeur, dans l'accroissement progressif de sa partie constante aux dépens de sa partie variable, de manière que si, par exemple, à une époque arriérée de l'accumulation, il se convertit cinquante pour cent de la valeur-capital en moyens de production, et cinquante pour cent en travail, à une époque plus avancée il se dépensera quatre-vingts pour cent de la valeur-capital en moyens de production et vingt pour cent seulement en travail. Ce n'est pas, bien entendu, le capital tout entier, mais seulement sa partie variable, qui s'échange contre la force ouvrière et forme le fonds à répartir entre les salariés.

Cette loi de l'accroissement progressif de la partie constante du capital par rapport à sa partie variable se trouve, comme nous l'avons vu ailleurs, à chaque pas confirmée par l'analyse comparée des prix des marchandises, soit qu'on compare différentes époques économiques chez une même nation, soit qu'on compare différentes nations dans la même époque, La grandeur relative de cet élément du prix qui ne représente que la valeur des moyens de production consommés, c'est-à-dire la partie constante du capital avancé, sera généralement en raison directe, et la grandeur relative de l'autre élément du prix qui paye le travail et ne représente que la partie variable du capital avancé sera généralement en raison inverse du progrès de l'accumulation.

Cependant le décroissement de la partie variable du capital par rapport à sa partie constante, ce changement dans la composition-valeur du capital, n'indique que de loin le changement dans sa composition technique. Si, par exemple, la valeur-capital engagée aujourd'hui dans la filature est pour sept huitièmes constante et pour un huitième variable, tandis qu'au commencement du XVIIIe siècle elle était moitié l'un, moitié l'autre, par contre la masse du coton, des broches, etc., qu'un fileur use dans un temps donné, est de nos jours des centaines de fois plus considérable qu'au commencement du XVIIIe siècle. La raison en est que ce même progrès des puissances du travail, qui se manifeste par l'accroissement de l'outillage et des matériaux mis en œuvre par une plus petite somme de travail, fait aussi diminuer de valeur la plupart des produits qui fonctionnent comme moyens de production. Leur valeur ne s'élève donc pas dans la même proportion que leur masse. L'accroissement de la partie constante du capital par rapport à sa partie variable est par conséquent de beaucoup inférieur à l'accroissement de la masse des moyens de production par rapport à la masse du travail employé. Le premier mouvement suit le dernier à un moindre degré de vitesse.

Enfin, pour éviter des erreurs, il faut bien remarquer que le progrès de l'accumulation, en faisant décroître la grandeur relative du capital variable, n'en exclut point l'accroissement absolu. Qu'une valeur-capital se divise d'abord moitié en partie constante, moitié en partie variable, et que plus tard la partie variable n'en forme plus qu'un cinquième : quand, au moment où ce changement a lieu, la valeur-capital primitive, soit six mille francs, a atteint le chiffre de dix-huit mille francs, la partie variable s'est accrue d'un cinquième. Elle s'est élevée de trois mille francs à trois mille six cents, mais auparavant un surcroît d'accumulation de vingt pour cent aurait suffi pour augmenter la demande de travail d'un cinquième, tandis que maintenant, pour produire le même effet, l'accumulation doit tripler.

La coopération, la division manufacturière, le machinisme, etc., en un mot, les méthodes propres à donner l'essor aux puissances du travail collectif, ne peuvent s'introduire que là où la production s'exécute déjà sur une assez grande échelle, et, à mesure que celle-ci s'étend, celles-là se développent. Sur la base du salariat, l'échelle des opérations dépend en premier lieu de la grandeur des capitaux accumulés entre les mains d'entrepreneurs privés. C'est ainsi qu'une certaine accumulation préalable[14], dont nous examinerons plus tard la genèse, devient le point de départ de l'industrie moderne, cet ensemble de combinaisons sociales et de procédés techniques que nous avons nommé le mode spécifique de la production capitaliste ou la production capitaliste proprement dite. Mais toutes les méthodes que celle-ci emploie pour fertiliser le travail sont autant de méthodes pour augmenter la plus-value ou le produit net, pour alimenter la source de l'accumulation, pour produire le capital au moyen du capital. Si donc l'accumulation doit avoir atteint un certain degré de grandeur pour que le mode spécifique de la production capitaliste puisse s'établir, celui-ci accélère par contrecoup l'accumulation dont le progrès ultérieur, en permettant de dilater encore l'échelle des entreprises, réagit de nouveau sur le développement de la production capitaliste, etc. Ces deux facteurs économiques, en raison composée de l'impulsion réciproque qu'ils se donnent ainsi, provoquent dans la composition technique du capital les changements qui en amoindrissent progressivement la partie variable par rapport à la partie constante.

Chacun d'entre les capitaux individuels dont le capital social se compose représente de prime abord une certaine *concentration*, entre les mains d'un capitaliste, de moyens de production et de moyens d'entretien du travail, et, à mesure qu'il s'accumule, cette concentration s'étend. En augmentant les éléments reproductifs de la richesse, l'accumulation opère donc en même temps leur concentration croissante entre les mains d'entrepreneurs privés. Toutefois ce genre de concentration qui est le corollaire obligé de l'accumulation se meut entre des limites plus ou moins étroites.

Le capital social, réparti entre les différentes sphères de production, y revêt la forme d'une multitude de capitaux individuels qui, les uns à côté des autres, parcourent leur mouvement d'accumulation, c'est-à-dire de reproduction, sur une échelle progressive. Ce mouvement produit d'abord le surplus d'éléments constituants de la richesse qu'il agrège ensuite à leurs groupes déjà combinés et faisant office de capital. Proportionnellement à sa grandeur déjà acquise et au degré de sa force reproductrice, chacun de ces groupes, chaque capital, s'enrichit de ces éléments supplémentaires, fait ainsi acte de vitalité propre, maintient, en l'agrandissant, son existence distincte, et limite la sphère d'action des autres. Le mouvement de concentration se disperse donc non seulement sur autant de points que l'accumulation, mais le fractionnement du capital social en une multitude de capitaux indépendants les uns des autres se consolide précisément parce que tout capital individuel fonctionne comme *foyer de concentration relatif*.

Comme la somme d'incréments dont l'accumulation augmente

les capitaux individuels va grossir d'autant le capital social, la concentration relative que tous ces capitaux représentent *en moyenne* ne peut croître sans un accroissement simultané du capital social — de la richesse sociale vouée à la reproduction. C'est là une première limite de la concentration qui n'est que le corollaire de l'accumulation.

Ce n'est pas tout. L'accumulation du capital social résulte non seulement de l'agrandissement graduel des capitaux individuels, mais encore de l'accroissement de leur nombre, soit que des valeurs dormantes se convertissent en capitaux, soit que des boutures d'anciens capitaux s'en détachent pour prendre racine indépendamment de leur souche. Enfin de gros capitaux lentement accumulés se fractionnent à un moment donné en plusieurs capitaux distincts, par exemple, à l'occasion d'un partage de succession chez des familles capitalistes. La concentration est ainsi traversée et par la formation de nouveaux capitaux et par la division d'anciens.

Le mouvement de l'accumulation sociale présente donc d'un côté une concentration croissante, entre les mains d'entrepreneurs privés, des éléments reproductifs de la richesse, et de l'autre la dispersion et la multiplication des foyers d'accumulation et de concentration relatifs, qui se repoussent mutuellement de leurs orbites particulières.

A un certain point du progrès économique, ce morcellement du capital social en une multitude de capitaux individuels, ou le mouvement de répulsion de ses parties intégrantes, vient à être contrarié par le mouvement opposé de leur attraction mutuelle. Ce n'est plus la concentration qui se confond avec l'accumulation, mais bien un procès foncièrement distinct, c'est l'attraction qui réunit différents foyers d'accumulation et de concentration, la concentration de capitaux déjà formés, la fusion d'un nombre supérieur de capitaux en un nombre moindre, en un mot, la *centralisation* proprement dite.

Nous n'avons pas ici à approfondir les lois de cette centralisation, l'attraction du capital par le capital, mais seulement à en donner quelques aperçus rapides.

La guerre de la concurrence se fait à coups de bas prix. Le bon marché des produits dépend, *cæteris paribus*, de la productivité du travail, et celle-ci de l'échelle des entreprises. Les gros capitaux battent donc les petits.

Nous avons vu ailleurs que, plus le mode de production capitaliste se développe, et plus augmente le minimum des avances nécessaires pour exploiter une industrie dans ses conditions normales. Les petits capitaux affluent donc aux sphères de production dont la grande industrie ne s'est pas encore emparée, où dont elle ne s'est emparée que d'une manière imparfaite. La concurrence y fait rage en raison directe du chiffre et en raison inverse de la grandeur des capitaux engagés. Elle se termine toujours par la ruine d'un bon nombre de petits capitalistes dont les capitaux périssent en partie et passent en partie entre les mains du vainqueur.

Le développement de la production capitaliste enfante une puissance tout à fait nouvelle, le crédit, qui à ses origines s'introduit sournoisement comme une aide modeste de l'accumulation, puis devient bientôt une arme additionnelle et terrible de la guerre de la concurrence, et se transforme enfin en un immense machinisme social destiné à centraliser les capitaux.

A mesure que l'accumulation et la production capitalistes s'épanouissent, la concurrence et le crédit, les agents les plus puissants de la centralisation, prennent leur essor. De même, le progrès de l'accumulation augmente la matière à centraliser — les capitaux individuels — et le développement du mode de production capitaliste crée, avec le besoin social, aussi les facilités techniques de ces vastes entreprises dont la mise en œuvre exige une centralisation préalable du capital. De notre temps la force d'attraction entre les capitaux individuels et la tendance à la centralisation l'emportent donc plus qu'à aucune période antérieure. Mais, bien que la portée et l'énergie relatives du mouvement centralisateur soient dans une certaine mesure déterminées par la grandeur acquise de la richesse capitaliste et la supériorité de son mécanisme économique, le progrès de la centralisation ne dépend pas d'un accroissement positif du capital social. C'est ce qui la distingue avant tout de la concentration qui n'est que le corollaire de la reproduction sur une échelle progressive. La centralisation n'exige qu'un changement de distribution des capitaux présents, qu'une modification dans l'arrangement quantitatif des parties intégrantes du capital social.

Le capital pourra grossir ici par grandes masses, en une seule main, parce que là il s'échappera d'un grand nombre. Dans une branche de production particulière, la centralisation n'aurait atteint sa dernière limite qu'au moment où tous les capitaux qui s'y trouvent engagés ne formeraient plus qu'un seul capital individuel. Dans une société donnée elle n'aurait atteint sa dernière limite qu'au moment où le capital national tout entier ne formerait plus qu'un seul capital entre les mains d'un seul capitaliste ou d'une seule compagnie de capitalistes.

La centralisation ne fait que suppléer à l'œuvre de l'accumulation en mettant les industriels à même d'étendre l'échelle de leurs opérations. Que ce résultat soit dû à l'accumulation ou à la centralisation, que celle-ci se fasse par le procédé violent de l'annexion — certains capitaux devenant des centres de gravitation si puissants à l'égard d'autres capitaux, qu'ils en détruisent la cohésion individuelle et s'enrichissent de leurs éléments désagrégés — ou que la fusion d'une foule de capitaux soit déjà formée, soit en voie de formation, s'accomplisse par le procédé plus doucereux des sociétés par actions, etc., — l'effet économique n'en restera pas moins le même. L'échelle étendue des entreprises sera toujours le point de départ d'une organisation plus vaste du travail collectif, d'un développement plus large de ses ressorts matériels, en un mot, de la transformation progressive de procès de production parcellaires et routiniers en procès de production socialement combinés et scientifiquement ordonnés.

Mais il est évident que l'accumulation, l'accroissement graduel du capital au moyen de la reproduction en ligne-spirale, n'est qu'un procédé lent comparé à celui de la centralisation qui en premier lieu ne fait que changer le groupement quantitatif des parties intégrantes du capital social. Le monde se passerait encore du système des voies ferrées, par exemple, s'il eût dû attendre le moment où les capitaux individuels se fussent assez arrondis par l'accumulation pour être en état de se charger d'une telle besogne. La centralisation du capital, au moyen des sociétés par actions, y a pourvu, pour ainsi dire, en un tour de main. En grossissant, en accélérant ainsi les effets de l'accumulation, la centralisation étend et précipite les changements dans la composition technique du capital, changements qui augmentent sa partie constante aux dépens de sa partie variable ou occasionnent un décroissement dans la demande relative du travail.

Les gros capitaux, improvisés par la centralisation, se reproduisent comme les autres, mais plus vite que les autres, et deviennent ainsi à leur tour de puissants agents de l'accumulation sociale. C'est dans ce sens qu'en parlant du progrès de celle-ci l'on est fondé à sous-entendre les effets produits par la centralisation.

Les capitaux supplémentaires[15], fournis par l'accumulation, se prêtent de préférence comme véhicules pour les nouvelles inventions, découvertes, etc., en un mot, les perfectionnements industriels, mais l'ancien capital, dès qu'il a atteint sa période de renouvellement intégral, fait peau neuve et se reproduit aussi dans la forme technique perfectionnée, où une moindre quantité de force ouvrière suffit pour mettre en œuvre une masse supérieure d'outillage et de matières. La diminution absolue dans la demande de travail, qu'amène cette métamorphose technique, doit devenir d'autant plus sensible que les capitaux qui y passent ont déjà été grossis par le mouvement centralisateur.

D'une part donc, le capital additionnel qui se forme dans le cours de l'accumulation renforcée par la centralisation attire proportionnellement à sa grandeur un nombre de travailleurs toujours décroissant. D'autre part, les métamorphoses techniques et les changements correspondants dans la composition-valeur que l'ancien capital subit périodiquement font qu'il repousse un nombre de plus en plus grand de travailleurs jadis attirés par lui.

III. — PRODUCTION CROISSANTE D'UNE SURPOPULATION RELATIVE OU D'UNE ARMÉE INDUSTRIELLE DE RÉSERVE

La demande de travail absolue qu'occasionne un capital est en raison non de sa grandeur absolue, mais de celle de sa partie variable, qui seule s'échange contre la force ouvrière. La demande de travail relative qu'occasionne un capital, c'est-à-dire la proportion entre sa propre grandeur et la quantité de travail qu'il absorbe, est déterminée par la grandeur proportionnelle de sa fraction variable. Nous venons de démontrer que l'accumulation qui fait grossir le capital social réduit simultanément la grandeur proportionnelle de sa partie variable et diminue ainsi la demande de travail relative. Maintenant, quel est l'effet de ce mouvement sur le sort de la classe salariée ?

Pour résoudre ce problème, il est clair qu'il faut d'abord examiner de quelle manière l'amoindrissement subi par la partie variable d'un capital en voie d'accumulation affecte la grandeur absolue de cette partie, et par conséquent de quelle manière une diminution survenue dans la demande de travail relative réagit sur la demande de travail absolue ou effective.

Tant qu'un capital ne change pas de grandeur, tout décroissement proportionnel de sa partie variable en est du même coup un décroissement absolu. Pour qu'il en soit autrement, il faut que le décroissement proportionnel soit contrebalancé par une augmentation survenue dans la somme totale de la valeur-capital avancée. La partie variable qui fonctionne comme fonds de salaire diminue donc en raison directe du décroissement de sa grandeur proportionnelle et en raison inverse de l'accroissement simultané du capital tout entier. Partant de cette prémisse, nous obtenons les combinaisons suivantes :

Premièrement : Si la grandeur proportionnelle du capital variable décroît en raison inverse de l'accroissement du capital tout entier, le fonds de salaire ne change pas de grandeur absolue. Il s'élèvera, par exemple, toujours à quatre cents francs, qu'il forme deux cinquièmes d'un capital de mille francs ou un cinquième d'un capital de deux mille francs.

Deuxièmement : Si la grandeur proportionnelle du capital variable décroît en raison supérieure à celle de l'accroissement du capital tout entier, le fonds de salaire subit une diminution absolue, malgré l'augmentation absolue de la valeur-capital avancée.

Troisièmement : Si la grandeur proportionnelle du capital variable décroît en raison inférieure à celle de l'accroissement du capital tout entier, le fonds de salaire subit une augmentation absolue, malgré la diminution survenue dans sa grandeur proportionnelle.

Au point de vue de l'accumulation sociale, ces différentes combinaisons affectent la forme et d'autant de phases successives que les masses du capital social réparties entre les différentes sphères de production parcourent l'une après l'autre, souvent en sens divers, et d'autant de conditions diverses simultanément présentées par différentes sphères de production. Dans le chapitre sur la grande industrie nous avons considéré ces deux aspects du mouvement.

On se souvient, par exemple, de fabriques où un même nombre d'ouvriers suffit à mettre en œuvre une somme croissante de matières et d'outillage. Là l'accroissement du capital ne provenant que de l'extension de sa partie constante fait diminuer d'autant la grandeur proportionnelle de sa partie variable ou la masse proportionnelle de la force ouvrière exploitée, mais n'en altère pas la grandeur absolue.

Comme exemples d'une diminution absolue du nombre des

ouvriers occupés dans certaines grandes branches d'industrie et de son augmentation simultanée dans d'autres, bien que toutes se soient également signalées par l'accroissement du capital y engagé et le progrès de leur productivité, nous mentionnerons ici qu'en Angleterre, de 1851 à 1861, le personnel engagé dans l'agriculture s'est abaissé de deux millions onze mille quatre cent quarante-sept individus à un million neuf cent vingt-quatre mille cent dix; celui engagé dans la manufacture de laine longue de cent deux mille sept cent quatorze à soixante-dix-neuf mille deux cent quarante-neuf; celui engagé dans la fabrique de soie de cent onze mille neuf cent quarante à cent un mille six cent soixante-dix-huit, tandis que dans la même période le personnel engagé dans la filature et la tissanderie de coton s'est élevé de trois cent soixante et onze mille sept cent soixante-dix-sept individus à quatre cent cinquante-six mille six cent quarante-six, et celui engagé dans les manufactures de fer de soixante-huit mille cinquante-trois à cent vingt-cinq mille sept cent onze[16].

Enfin, quant à l'autre face de l'accumulation sociale, qui montre son progrès dans une même branche d'industrie alternativement suivi d'augmentation, de diminution ou de l'état stationnaire du chiffre des ouvriers employés, l'histoire des péripéties subies par l'industrie cotonnière nous en a fourni l'exemple le plus frappant.

En examinant une période de plusieurs années, par exemple, une période décennale, nous trouverons en général qu'avec le progrès de l'accumulation sociale le nombre des ouvriers exploités s'est aussi augmenté, bien que les différentes années prises à part contribuent à des degrés très divers à ce résultat, ou que certaines même n'y contribuent pas du tout. Il faut donc bien que l'état stationnaire, ou le décroissement, du chiffre absolu de la population ouvrière occupée, qu'on trouve au bout du compte dans quelques industries à côté d'un considérable accroissement du capital y engagé, aient été *plus que compensés* par d'autres industries où l'augmentation de la force ouvrière employée l'a définitivement emporté sur les mouvements en sens contraire. Mais ce résultat ne s'obtient qu'au milieu de secousses et dans des conditions de plus en plus difficiles à remplir.

Le décroissement proportionnel de grandeur que la partie variable du capital subit, dans le cours de l'accumulation et de l'extension simultanée des puissances du travail, est progressif. Que, par exemple, le rapport entre le capital constant et le capital variable fût à l'origine comme 1 : 1, et il deviendra 2 : 1, 3 : 1, 5 : 1, 6 : 1, etc., en sorte que de degré en degré $\frac{2}{3}$, $\frac{3}{4}$, $\frac{5}{6}$, $\frac{6}{7}$, etc., de la valeur-capital totale, s'avancent en moyens de production et, par contre, $\frac{1}{3}$, $\frac{1}{4}$, $\frac{1}{6}$, $\frac{1}{7}$, etc., seulement, en force ouvrière. Quand même la somme totale du capital serait dans le même ordre, triplée, quadruplée, sextuplée, septuplée, etc., cela ne suffirait pas à faire augmenter le nombre des ouvriers employés. Pour produire cet effet, il faut que l'exposant de la raison dans laquelle la masse du capital social augmente soit supérieur à celui de la raison dans laquelle le fonds de salaire diminue de grandeur proportionnelle.

Donc, plus bas est déjà descendu son chiffre proportionnel, plus rapide doit être la progression dans laquelle le capital social augmente : mais cette progression même devient la source de nouveaux changements techniques qui réduisent encore la demande de travail relative. Le jeu est donc à recommencer.

Dans le chapitre sur la grande industrie, nous avons longuement traité des causes qui font qu'en dépit des tendances contraires les rangs des salariés grossissent avec le progrès de l'accumulation. Nous rappellerons ici en quelques mots ce qui a immédiatement trait à notre sujet.

Le même développement des pouvoirs productifs du travail, qui occasionne une diminution, non seulement relative, mais souvent absolue, du nombre des ouvriers employés dans certaines grandes branches d'industrie, permet à celles-ci de livrer une masse toujours croissante de produits à bon marché. Elles stimulent ainsi d'autres industries, celles à qui elles fournissent des moyens de production, ou bien celles dont elles tirent leurs matières, instruments, etc.; elles en provoquent l'extension. L'effet produit sur le marché de travail de ces industries sera très considérable, si le travail à la main y prédomine. « L'augmentation du nombre des ouvriers », dit le rédacteur officiel du Recensement du Peuple Anglais en 1861, — « atteint en général son maximum dans les branches d'industrie où les machines n'ont pas encore été introduites avec succès[17]. » Mais nous avons vu ailleurs que toutes ces industries passent à leur tour par la métamorphose technique qui les adapte au mode de production moderne.

Les nouvelles branches de la production auxquelles le progrès économique donne lieu forment autant de débouchés additionnels pour le travail. A leur origine ils revêtent la forme du métier, de la manufacture, ou enfin celle de la grande industrie. Dans les deux premiers cas, il leur faudra passer par la transformation mécanique, dans le dernier la centralisation du capital leur permet de mettre sur pied d'immenses armées industrielles qui étonnent la vue et semblent sortir de terre. Mais, si vaste que paraisse la force ouvrière ainsi embauchée, son chiffre proportionnel, tout d'abord faible comparé à la masse du capital engagé, décroît aussitôt que ces industries ont pris racine.

Enfin, il y a des intervalles où les bouleversements techniques se font moins sentir, où l'accumulation se présente davantage comme un mouvement d'extension quantitative sur la nouvelle base technique une fois acquise. Alors, quelle que soit la composition actuelle du capital, la loi selon laquelle la demande de travail augmente dans la même proportion que le capital recommence plus ou moins à opérer. Mais, en même temps que le nombre des ouvriers attirés par le capital atteint son maximum, les produits deviennent si surabondants qu'au moindre obstacle dans leur écoulement le mécanisme social semble s'arrêter; la répulsion du travail par le capital opère tout d'un coup, sur la plus vaste échelle et de la manière la plus violente; le désarroi même impose aux capitalistes des efforts suprêmes pour économiser le travail. Des perfectionnements de détail graduellement accumulés se concentrent alors pour ainsi dire sous cette haute pression; ils s'incarnent dans des changements techniques qui révolutionnent la composition du capital sur toute la périphérie de grandes sphères de production. C'est ainsi que la guerre civile américaine poussa les filateurs anglais à peupler leurs ateliers de machines plus puissantes et à les dépeupler de travailleurs. Enfin, la durée de ces intervalles où l'accumulation favorise le plus la demande de travail se raccourcit progressivement.

Ainsi donc, dès que l'industrie mécanique prend le dessus, le progrès de l'accumulation redouble l'énergie des forces qui tendent à diminuer la grandeur proportionnelle du capital variable et affaiblit celles qui tendent à en augmenter la grandeur absolue. Il augmente avec le capital social dont il fait partie, mais il augmente en proportion décroissante[18].

La demande de travail effective étant réglée non seulement par la grandeur du capital variable déjà mis en œuvre, mais encore par la moyenne de son accroissement continu, l'offre de travail reste normale tant qu'elle suit ce mouvement. Mais, quand le capital variable descend à une moyenne d'accroissement inférieure, la même offre de travail qui était jusque-là normale devient désormais anormale, surabondante, de sorte qu'une fraction plus ou moins considérable de la classe salariée, ayant cessé d'être nécessaire pour la mise en valeur du capital, et perdu sa raison d'être, est maintenant devenue superflue, surnuméraire. Comme ce jeu continue à se répéter avec la marche ascendante de l'accumulation, celle-ci traîne à sa suite une surpopulation croissante.

La loi de la décroissance proportionnelle du capital variable, et de la diminution correspondante dans la demande de travail relative, a donc pour corollaires l'accroissement absolu du capital variable et l'augmentation absolue de la demande de travail suivant une proportion décroissante, et enfin pour complément : la production d'une surpopulation relative. Nous l'appelons « *relative* », parce qu'elle provient non d'un accroissement positif de la population ouvrière qui dépasserait les limites de la richesse en voie d'accumulation, mais, au contraire, d'un accroissement accéléré du capital social qui lui permet de se passer d'une partie plus ou moins considérable de ses manouvriers. Comme cette surpopulation n'existe que par rapport aux besoins momentanés de l'exploitation capitaliste, elle peut s'enfler et se resserrer d'une manière subite.

En produisant l'accumulation du capital, et à mesure qu'elle y réussit, la classe salariée produit donc elle-même les instruments de sa mise en retraite ou de sa métamorphose en surpopulation relative. Voilà *la loi de population* qui distingue l'époque capitaliste et correspond à son mode de production particulier. En effet, chacun des modes historiques de la production sociale a aussi sa loi de population propre, loi qui ne s'applique qu'à lui, qui passe avec lui et n'a par conséquent qu'une valeur historique. Une loi de population abstraite et immuable n'existe que pour la plante et l'animal, et encore seulement tant qu'ils ne subissent pas l'influence de l'homme.

La loi du décroissement progressif de la grandeur proportionnelle du capital variable, et les effets qu'elle produit sur l'état de la classe salariée, ont été plutôt pressentis que compris par quelques économistes distingués de l'école classique. Le plus grand mérite à cet égard revient à *John Barton*, bien qu'il confonde le capital constant avec le capital fixe et le capital variable avec le capital circulant. Dans ses « *Observations sur les circonstances qui influent sur la condition des classes laborieuses de la société* », il dit :

« La demande de travail dépend de l'accroissement non du capital fixe, mais du capital circulant. S'il était vrai que la proportion entre ces deux sortes de capital soit la même en tout temps et dans toute circonstance, il s'ensuivrait que le nombre des travailleurs employés est en proportion de la richesse nationale. Mais une telle proposition n'a pas la moindre apparence de probabilité. A mesure que les arts sont cultivés et que la civilisation s'étend, le capital fixe devient de plus en plus considérable, par rapport au capital circulant. Le montant de capital fixe employé dans une pièce de mousseline anglaise est au moins cent fois et probablement mille fois plus grand que celui qu'exige une pièce pareille de mousseline indienne. Et la proportion du capital circulant est cent ou mille fois plus petite... L'ensemble des épargnes annuelles, ajouté au capital fixe, n'aurait pas le pouvoir d'augmenter la demande de travail[19]. » *Ricardo*, tout en approuvant les vues générales de Barton, fait cependant, à propos du passage cité, cette remarque : « Il est difficile de comprendre que l'accroissement du capital ne puisse, en aucune circonstance, être suivi d'une plus grande demande de travail; ce qu'on peut dire tout au plus, c'est que la demande se fera dans une proportion décroissante *(« the demand will be in a diminishing ratio »)*[20]. » Il dit ailleurs : « Le fonds d'où les propriétaires fonciers et les capitalistes tirent leurs revenus peut augmenter en même temps que l'autre, dont la classe ouvrière dépend, peut diminuer; il en résulte que la même cause (à savoir : la substitution de machines au travail humain) qui fait monter le revenu net d'un pays peut rendre la population surabondante *(« render the population redundant »)* et empirer la condition du travailleur[21]. » *Richard Jones* déclare à son tour : « Le montant du capital destiné à l'entretien du travail peut varier indépendamment de tout changement dans la masse totale du capital... De grandes fluctuations dans la somme du travail employé et de grandes souffrances peuvent devenir plus fréquentes à mesure que le capital lui-même devient plus abondant[22]. » Citons encore *Ramsay :* « La demande de travail s'élève... non en proportion du capital général. Avec le progrès de la société, toute augmentation du fonds national destiné à la reproduction arrive à avoir de moins en moins d'influence sur le sort du travailleur[23]. »

Si l'accumulation, le progrès de la richesse sur la base capitaliste, produit donc nécessairement une surpopulation ouvrière, celle-ci devient à son tour le levier le plus puissant de l'accumulation, une condition d'existence de la production capitaliste dans son état de développement intégral. Elle forme une *armée de réserve industrielle* qui appartient au capital d'une manière aussi absolue que s'il l'avait élevée et disciplinée à ses propres frais. Elle fournit à ses besoins de valorisation flottants, et, indépendamment de l'accroissement naturel de la population, la matière humaine toujours exploitable et toujours disponible.

La présence de cette réserve industrielle, sa rentrée tantôt partielle, tantôt générale, dans le service actif, puis sa reconstitution sur un cadre plus vaste, tout cela se retrouve au fond de la vie accidentée que traverse l'industrie moderne, avec son cycle décennal à peu près régulier — à part des autres secousses irrégulières — de périodes d'activité ordinaire, de production à haute pression, de crise et de stagnation.

Cette marche singulière de l'industrie, que nous ne rencontrons à aucune époque antérieure de l'humanité, était également impossible dans la période d'enfance de la production capitaliste. Alors, le progrès technique étant lent et se généralisant plus lentement encore, les changements dans la composition du capital social se firent à peine sentir. En même temps l'extension du marché colonial récemment créé, la multiplication correspondante des besoins et des moyens de les satisfaire, la naissance de nouvelles branches d'industrie, activaient, avec l'accumulation, la demande de travail. Bien que peu rapide, au point de vue de notre époque, le progrès de l'accumulation vint se heurter aux limites naturelles de la population, et nous verrons plus tard qu'on ne parvint à reculer ces limites qu'à force de coups d'Etat. C'est seulement sous le régime de la grande industrie que la production d'un superflu de population devient un ressort régulier de la production des richesses.

Si ce régime doue le capital social d'une force d'expansion soudaine, d'une élasticité merveilleuse, c'est que, sous l'aiguillon de chances favorables, le crédit fait affluer à la production des masses extraordinaires de la richesse sociale croissante, de nouveaux capitaux dont les possesseurs, impatients de les faire valoir, guettent sans cesse le moment opportun; c'est, d'un autre côté, que les ressorts techniques de la grande industrie permettent, et de convertir soudainement en moyens de production supplémentaires un énorme surcroît de produits, et de transporter plus rapidement les marchandises d'un coin du monde à l'autre. Si le bas prix de ces marchandises leur fait d'abord ouvrir de nouveaux débouchés et dilate les anciens, leur surabondance vient peu à peu resserrer le marché général jusqu'au point où elles en sont brusquement rejetées. Les vicissitudes commerciales arrivent ainsi à se combiner avec les mouvements alternatifs du capital social qui, dans le cours de son accumulation, tantôt subit des révolutions dans sa composition, tantôt s'accroît sur la base technique une fois acquise. Toutes ces influences concourent à provoquer des expansions et des contractions soudaines de l'échelle de la production.

L'expansion de la production par des mouvements saccadés est la cause première de sa contraction subite; celle-ci, il est vrai, provoque à son tour celle-là, mais l'expansion exorbitante de la production, qui forme le point de départ, serait-elle possible sans une armée de réserve aux ordres du capital, sans un surcroît de travailleurs indépendant de l'accroissement naturel de la population ? Ce surcroît s'obtient à l'aide d'un procédé bien simple et qui tous les jours jette des ouvriers sur le pavé, à savoir l'application de méthodes qui, rendant le travail plus productif, en diminuent la demande. La conversion, toujours renouvelée, d'une partie de la classe ouvrière en autant de bras à demi occupés ou tout à fait désœuvrés, imprime donc au mouvement de l'industrie moderne sa forme typique.

Comme les corps célestes une fois lancés dans leurs orbes les décrivent pour un temps indéfini, de même la production sociale une fois jetée dans ce mouvement alternatif d'expansion et de contraction le répète par une nécessité mécanique. Les effets deviennent causes à leur tour, et des péripéties, d'abord irrégulières et en apparence accidentelles, affectent de plus en plus la forme d'une périodicité normale. Mais c'est seulement de l'époque où l'industrie mécanique, ayant jeté des racines assez profondes, exerça une influence prépondérante sur toute la production nationale; où, grâce à elle, le commerce étranger commença à primer le commerce intérieur; où le marché universel s'annexa successivement de vastes terrains au Nouveau Monde, en Asie et en Australie; où enfin les nations industrielles entrant en lice furent devenues assez nombreuses, c'est de cette époque seulement que datent les cycles renaissants dont les phases successives embrassent des années et qui aboutissent toujours à une crise générale, fin d'un cycle et point de départ d'un autre. Jusqu'ici la durée périodique de ces cycles est de dix ou onze ans, mais il n'y a aucune raison pour considérer ce chiffre comme constant. Au contraire, on doit inférer des lois de la production capitaliste, telles que nous venons de les développer, qu'il est variable et que la période des cycles se raccourcira graduellement.

Quand la périodicité des vicissitudes industrielles sauta aux yeux de tout le monde, il se trouva aussi des économistes prêts à avouer que le capital ne saurait se passer de son armée de réserve, formée par l'*infima plebs* des surnuméraires.

« Supposons », dit H. Merrivale, qui fut tour à tour professeur d'économie politique à l'Université d'Oxford, employé au ministère des colonies anglaises et aussi un peu historien, « supposons qu'à l'occasion d'une crise la nation s'astreigne à un grand effort pour se débarrasser, au moyen de l'émigration, de quelque cent mille bras superflus, quelle en serait la conséquence ? C'est qu'au premier retour d'une demande de travail plus vive l'on se heurterait contre un déficit. Si rapide que puisse être la reproduction humaine, il lui faut en tout cas l'intervalle d'une génération pour remplacer des travailleurs adultes. Or les profits de nos fabricants dépendent surtout de leur faculté d'exploiter le moment favorable d'une forte demande et de s'indemniser ainsi pour la période de stagnation. Cette faculté ne leur est assurée qu'autant qu'ils ont à leur disposition des machines et des bras; il faut qu'ils trouvent là les bras; il faut qu'ils puissent tendre et détendre selon le caprice du marché, l'activité de leurs opérations, sinon ils seront tout à fait incapables de soutenir dans la lutte acharnée de la concurrence cette suprématie sur laquelle repose la richesse de notre pays[24]. » *Malthus* lui-même, bien que de son point de vue borné il explique la surpopulation par un excédent réel de bras et de bouches, reconnaît néanmoins en elle une des nécessités de l'industrie moderne. Selon lui, « les habitudes de prudence dans les rapports matrimoniaux, si elles étaient poussées trop loin parmi la classe ouvrière d'un pays dépendant surtout des manufactures et du commerce, porteraient préjudice à ce pays... Par la nature même de la population, une demande particulière ne peut pas amener sur le marché un surcroît de travailleurs avant un laps de seize ou dix-huit ans, et la conversion du revenu en capital par la voie de l'épargne peut s'effectuer beaucoup plus vite. Un pays est donc toujours *exposé* à ce que son fonds de salaire croisse plus rapidement que sa population[25]. » Après avoir ainsi bien constaté que l'accumulation capitaliste ne saurait se passer d'une surpopulation ouvrière, l'économie politique adresse aux surnuméraires, jetés sur le pavé par l'excédent de capital qu'ils ont créé, ces paroles gracieuses, pertinemment attribuées à des fabricants-modèles : « Nous fabricants, nous faisons tout notre possible pour vous; c'est à vous de faire le reste, en proportionnant votre nombre à la quantité des moyens de subsistance[26]. »

Le progrès industriel, qui suit la marche de l'accumulation, non seulement réduit de plus en plus le nombre des ouvriers nécessaires pour mettre en œuvre une masse croissante de moyens de production, il augmente en même temps la quantité de travail que l'ouvrier individuel doit fournir. A mesure qu'il développe les pouvoirs productifs du travail et fait donc tirer plus de produits de moins de travail, le système capitaliste développe aussi les moyens de tirer plus de travail du salarié, soit en prolongeant sa journée, soit en rendant son labeur plus intense, ou encore d'augmenter en apparence le nombre des travailleurs employés en remplaçant une force supérieure et plus chère par plusieurs forces inférieures et à bon marché, l'homme par la femme, l'adulte par l'adolescent et l'enfant, un Yankee par trois Chinois. Voilà autant de méthodes pour diminuer la demande de travail et en rendre l'offre surabondante, en un mot, pour fabriquer des surnuméraires.

L'excès de travail imposé à la fraction de la classe salariée qui se trouve en service actif grossit les rangs de la réserve, et, en augmentant la pression que la concurrence de la dernière exerce sur la première, force celle-ci à subir plus docilement les ordres du capital. A cet égard il est très instructif de comparer les remontrances des fabricants anglais au dernier siècle, à la veille de la révolution mécanique, avec celles des ouvriers de fabrique anglais en plein XIXe siècle. Le porte-parole des premiers, appréciant fort bien l'effet qu'une réserve de surnuméraires produit sur le service actif, s'écrie : « Dans ce royaume une autre cause de l'oisiveté, *c'est le manque d'un nombre suffisant de bras.* Toutes les fois qu'une demande extraordinaire rend insuffisante la masse de travail qu'on a sous la main, les ouvriers sentent leur propre importance et veulent la faire sentir aux maîtres. C'est étonnant, mais ces gens-là sont si dépravés, que dans de tels cas des groupes d'ouvriers se sont mis d'accord pour jeter leurs maîtres dans l'embarras en cessant de travailler pendant toute une journée[27] », c'est-à-dire que ces gens « dépravés » s'imaginaient que le prix des marchandises est réglé par la « sainte » loi de l'offre et la demande.

Aujourd'hui les choses ont bien changé, grâce au développement de l'industrie mécanique. Personne n'oserait plus prétendre, dans ce bon royaume d'Angleterre, que le manque de bras rend les ouvriers oisifs! Au milieu de la disette cotonnière, quand les fabriques anglaises avaient jeté la plupart de leurs hommes de peine sur le pavé et que le reste n'était occupé que quatre ou six heures par jour, quelques fabricants de Bolton tentèrent d'imposer à leurs fileurs un temps de travail supplémentaire, lequel, conformément à la loi sur les fabriques, ne pouvait frapper que les hommes adultes. Ceux-ci répondirent par un pamphlet d'où nous extrayons le passage suivant : « On a proposé aux ouvriers adultes de travailler de douze à treize heures par jour, à un moment où des centaines d'entre eux sont forcés de rester oisifs, qui cependant accepteraient volontiers même une occupation partielle pour soutenir leurs familles et sauver leurs frères d'une mort prématurée causée par l'excès de travail... Nous le demandons, cette habitude d'imposer aux ouvriers occupés un temps de travail supplémentaire permet-elle d'établir des rapports supportables entre les maîtres et leurs serviteurs ? Les victimes du travail excessif ressentent l'injustice tout autant que ceux que l'on condamne à l'oisiveté forcée *(condemned to forced idleness)*. Si le travail était distribué d'une manière équitable, il y aurait dans ce district assez de besogne pour que chacun en eût sa part. Nous ne demandons que notre droit en invitant nos maîtres à raccourcir généralement la journée tant que durera la situation actuelle des choses, au lieu d'exténuer les uns de travail et de forcer les autres, faute de travail, à vivre des secours de la bienfaisance[28]. »

La condamnation d'une partie de la classe salariée à l'oisiveté forcée non seulement impose à l'autre un excès de travail qui enrichit des capitalistes individuels, mais du même coup, et au bénéfice de la classe capitaliste, elle maintient l'armée industrielle de réserve en équilibre avec le progrès de l'accumulation. Prenez par exemple l'Angleterre : quel prodige que la masse, la multiplicité et la perfection des ressorts techniques qu'elle met en œuvre pour économiser le travail! Pourtant, si le travail était demain réduit à une mesure normale, proportionnée à l'âge et au sexe des salariés, la population ouvrière actuelle ne suffirait pas, il s'en faut de beaucoup, à l'œuvre de la production nationale. Bon gré, mal gré, il faudrait convertir de soi-disant « travailleurs improductifs » en « travailleurs productifs ».

Les variations du *taux général des salaires* ne répondent donc pas à celles du chiffre absolu de la population; la proportion différente suivant laquelle la classe ouvrière se décompose en armée active et en armée de réserve, l'augmentation ou la diminution de la surpopulation relative, le degré auquel elle se trouve tantôt « engagée », tantôt « dégagée », en un mot, ses mouvements d'expansion et de contraction alternatifs correspondant à leur tour aux vicissitudes du cycle industriel, voilà ce qui détermine exclusivement ces variations. Vraiment ce serait une belle loi pour l'industrie moderne que celle qui ferait dépendre le mouvement du capital d'un mouvement dans le chiffre absolu de la population ouvrière, au lieu de régler l'offre du travail par l'expansion et la contraction alternatives du capital fonctionnant, c'est-à-dire d'après les besoins momentanés de la classe capitaliste. Et c'est pourtant là le dogme économiste!

Conformément à ce dogme, l'accumulation produit une hausse de salaires, laquelle fait peu à peu accroître le nombre des ouvriers jusqu'au point où ils encombrent tellement le marché que le capital ne suffit plus pour les occuper tous à la fois. Alors le salaire tombe, la médaille tourne et montre son revers. Cette baisse décime la population ouvrière, si bien que, par rapport à son nombre, le capital devient de nouveau surabondant, et nous voilà revenus à notre point de départ.

Ou bien, selon d'autres docteurs ès population, la baisse des salaires et le surcroît d'exploitation ouvrière qu'elle entraîne stimulent de nouveau l'accumulation, et en même temps cette modicité du salaire empêche la population de s'accroître davantage. Puis, un moment arrive où la demande de travail recommence à en dépasser l'offre, les salaires montent, et ainsi de suite.

Et un mouvement de cette sorte serait compatible avec le système développé de la production capitaliste! Mais, avant que la hausse des salaires eût effectué la moindre augmentation positive dans le chiffre absolu de la population réellement capable de travailler, on aurait vingt fois laissé passer le temps où il fallait ouvrir la campagne industrielle, engager la lutte et remporter la victoire!

De 1849 à 1859, une hausse de salaires insignifiante eut lieu dans les districts agricoles anglais, malgré la baisse simultanée du prix des grains. Dans le Wiltshire, par exemple, le salaire hebdomadaire monta de sept shillings à huit, dans le Dorsetshire de sept ou huit shillings à neuf, etc. C'était l'effet d'un écoulement extraordinaire des surnuméraires ruraux, occasionné par les levées pour la guerre de Crimée, par la demande de bras que l'extension prodigieuse des chemins de fer, des fabriques, des mines, etc., avait provoquée. Plus le taux des salaires est bas, plus forte est la proportion suivant laquelle s'exprime toute hausse, même la plus faible. Qu'un salaire hebdomadaire de vingt shillings, par exemple, monte à vingt-deux, cela ne donne qu'une hausse de dix pour cent : n'est-il au contraire que de sept shillings et monte-t-il à neuf, alors la hausse s'élève à vingt-huit quatre septièmes pour cent, ce qui sonne mal aux oreilles. En tout cas, les fermiers poussèrent des hurlements et l'*Economist* de Londres, à propos de ces salaires de meurt-de-faim, parla sans rire d'une hausse générale et sérieuse, « *a general and substantial advance*[29] ». Mais que firent les fermiers ? Attendirent-ils qu'une rémunération si brillante fît pulluler les ouvriers ruraux et préparât de cette manière les bras futurs, requis pour encombrer le marché et déprimer les salaires de l'avenir ? C'est en effet ainsi que la chose se passe dans les cerveaux doctrinaires. Par contre, nos braves fermiers eurent tout simplement recours aux machines, et l'armée de réserve fut bientôt recrutée au grand complet. Un surplus de capital, avancé sous la forme d'instruments puissants, fonctionna dès lors dans l'agriculture anglaise, mais le nombre des ouvriers agricoles subit une diminution absolue.

Les économistes confondent les lois qui régissent le taux général du salaire et expriment des rapports entre le capital collectif et la force ouvrière collective, avec les lois qui distribuent la population entre les diverses sphères de placement du capital.

Des circonstances particulières favorisent l'accumulation tantôt dans telle branche d'industrie, tantôt dans telle autre. Dès que les profits y dépassent le taux moyen, des capitaux additionnels sont fortement attirés, la demande de travail s'en ressent, devient plus vive et fait monter les salaires. Leur hausse attire une plus grande partie de la classe salariée à la branche privilégiée, jusqu'à ce que celle-ci soit saturée de force ouvrière, mais, comme l'affluence des candidats continue, le salaire retombe bientôt à son niveau ordinaire ou descend plus bas encore. Alors l'immigration des ouvriers va non seulement cesser, mais faire place à leur émigration en d'autres branches d'industrie. Là l'économiste se flatte d'avoir surpris le mouvement social sur le fait. Il voit de ses propres yeux que l'accumulation du capital produit une hausse des salaires, cette hausse une augmentation des ouvriers, cette augmentation une baisse des salaires, et celle-ci enfin une diminution des ouvriers. Mais ce n'est après tout qu'une oscillation locale du marché de travail qu'il vient d'observer, oscillation produite par le mouvement de distribution des travailleurs entre les diverses sphères de placement du capital.

Pendant les périodes de stagnation et d'activité moyenne, l'armée de réserve industrielle pèse sur l'armée active, pour en refréner les prétentions pendant la période de surproduction et de haute prospérité. C'est ainsi que la surpopulation relative, une fois devenue le pivot sur lequel tourne la loi de l'offre et la demande de travail, ne lui permet de fonctionner qu'entre des limites qui laissent assez de champ à l'activité d'exploitation et à l'esprit dominateur du capital.

Revenons, à ce propos, sur un grand exploit de la « science ». Quand une partie du fonds de salaires vient d'être convertie en machines, les utopistes de l'économie politique prétendent que cette opération, tout en déplaçant, à raison du capital ainsi fixé, des ouvriers jusque-là occupés, dégage en même temps un capital de grandeur égale pour leur emploi futur dans quelque autre branche d'industrie. Nous avons déjà montré (voir « Théorie de la compensation », chapitre XV, numéro VI), qu'il n'en est rien; qu'aucune partie de l'ancien capital ne devient ainsi disponible pour les ouvriers déplacés, mais qu'eux-mêmes deviennent au contraire disponibles pour les capitaux nouveaux, s'il y en a. Ce n'est que maintenant qu'on peut apprécier toute la frivolité de cette « théorie de compensation ».

Les ouvriers atteints par une conversion partielle du fonds de salaire en machines appartiennent à diverses catégories. Ce sont d'abord ceux qui ont été licenciés, ensuite leurs remplaçants réguliers, enfin le contingent supplémentaire absorbé par une industrie dans son état ordinaire d'extension. Ils sont maintenant tous disponibles, et tout capital additionnel, alors sur le point d'entrer en fonction, en peut disposer. Qu'il attire eux ou d'autres, l'effet qu'il produit sur la demande générale du travail restera toujours nul, si ce capital suffit juste pour retirer du marché autant de bras que les machines y en ont jetés. S'il en retire moins, le chiffre du surnumérariat augmentera au bout du compte, et, enfin, s'il en retire davantage, la demande générale du travail ne s'accroîtra que de l'excédent des bras qu'il « engage » sur ceux que la machine a « dégagés ». L'impulsion que des capitaux additionnels, en voie de placement, auraient autrement donnée à la demande générale de bras, se trouve donc en tout cas neutralisée, jusqu'à concurrence des bras jetés par les machines sur le marché du travail.

Et c'est là l'effet général de toutes les méthodes qui concourent à rendre des travailleurs surnuméraires. Grâce à elles, l'offre et la demande de travail cessent d'être des mouvements partant de deux côtés opposés, celui du capital et celui de la force ouvrière. Le capital agit des deux côtés à la fois. Si son accumulation augmente la demande de bras, elle en augmente aussi l'offre en fabriquant des surnuméraires. Ses dés sont pipés. Dans ces conditions la loi de l'offre et la demande de travail consomme le despotisme capitaliste.

Aussi, quand les travailleurs commencent à s'apercevoir que leur fonction d'instruments de mise en valeur du capital devient plus précaire, à mesure que leur travail et la richesse de leurs maîtres augmentent; dès qu'ils découvrent que l'intensité de la concurrence qu'ils se font les uns aux autres dépend entièrement de la pression exercée par les surnuméraires; dès qu'afin d'affaiblir l'effet funeste de cette loi « naturelle » de l'accumulation capitaliste ils s'unissent pour organiser l'entente et l'action commune entre les occupés et les non-occupés, aussitôt le capital et son sycophante l'économiste de crier au sacrilège, à la violation de la loi « éternelle » de l'offre et la demande. Il est vrai qu'ailleurs, dans les colonies, par exemple, où la formation d'une réserve industrielle rencontre des obstacles importuns, les capitalistes et leurs avocats d'office ne se gênent pas pour sommer l'Etat d'arrêter les tendances dangereuses de cette loi « sacrée ».

IV. — FORMES D'EXISTENCE DE LA SURPOPULATION RELATIVE. — LA LOI GÉNÉRALE DE L'ACCUMULATION CAPITALISTE

En dehors des grands changements périodiques qui, dès que le cycle industriel passe d'une de ses phases à l'autre, surviennent dans l'aspect général de la surpopulation relative, celle-ci présente toujours des nuances variées à l'infini. Pourtant on y distingue bientôt quelques grandes catégories, quelques différences de forme fortement prononcées — la forme flottante, latente et stagnante.

Les centres de l'industrie moderne, — ateliers automatiques, manufactures, usines, mines, etc., — ne cessent d'attirer et de repousser alternativement des travailleurs, mais en général l'attraction l'emporte à la longue sur la répulsion, de sorte que le nombre des ouvriers exploités y va en augmentant, bien qu'il y diminue proportionnellement à l'échelle de la production. Là la surpopulation existe à l'état flottant.

Dans les fabriques automatiques, de même que dans la plupart des grandes manufactures où les machines ne jouent qu'un rôle auxiliaire à côté de la division moderne du travail, on n'emploie par masse les ouvriers mâles que jusqu'à l'âge de leur maturité. Ce terme passé, on en retient un faible contingent et l'on renvoie régulièrement la majorité. Cet élément de la surpopulation s'accroît à mesure que la grande industrie s'étend. Une partie émigre et ne fait en réalité que suivre l'émigration du capital. Il en résulte que la population féminine augmente plus vite que la population mâle : témoin l'Angleterre. Que l'accroissement naturel de la classe ouvrière ne suffise pas aux besoins de l'accumulation nationale, et qu'il dépasse néanmoins les facultés d'absorption du marché national, cela paraît impliquer une contradiction, mais elle naît du mouvement même du capital, à qui il faut une plus grande proportion de femmes, d'enfants, d'adolescents, de jeunes gens, que d'hommes faits. Semble-t-il donc moins contradictoire, au premier abord, qu'au moment même où des milliers d'ouvriers se trouvent sur le pavé l'on crie à la disette de bras ? Au dernier semestre de 1866, par exemple, il y avait à Londres plus de cent mille ouvriers en chômage forcé, tandis que, faute de bras, beaucoup de machines chômaient dans les fabriques du Lancashire[30].

L'exploitation de la force ouvrière par le capital est d'ailleurs si intense que le travailleur est déjà usé à la moitié de sa carrière.

Quand il atteint l'âge mûr, il doit faire place à une force plus jeune et descendre un échelon de l'échelle sociale, heureux s'il ne se trouve pas définitivement relégué parmi les surnuméraires. En outre, c'est chez les ouvriers de la grande industrie que l'on rencontre la moyenne de vie la plus courte. « Comme l'a constaté le docteur Lee, l'officier de santé pour Manchester, la durée moyenne de la vie est, à Manchester, de trente-huit années pour la classe aisée et de dix-sept années seulement pour la classe ouvrière, tandis qu'à Liverpool elle est de trente-cinq années pour la première et de quinze pour la seconde. Il s'ensuit que la classe privilégiée tient une assignation sur la vie *(have a leave of life)* de plus de deux fois la valeur de celle qui échoit aux citoyens moins favorisés[31]. » Ces conditions une fois données, les rangs de cette fraction du prolétariat ne peuvent grossir qu'en changeant souvent d'éléments individuels. Il faut donc que les générations subissent des périodes de renouvellement fréquentes. Ce besoin social est satisfait au moyen de mariages précoces (conséquence fatale de la situation sociale des ouvriers manufacturiers), et grâce à la prime que l'exploitation des enfants assure à leur production.

Dès que le régime capitaliste s'est emparé de l'agriculture, la demande de travail y diminue absolument à mesure que le capital s'y accumule. La répulsion de la force ouvrière n'est pas dans l'agriculture, comme en d'autres industries, compensée par une attraction supérieure. Une partie de la population des campagnes se trouve donc toujours sur le point de se convertir en population urbaine ou manufacturière, et dans l'attente de circonstances favorables à cette conversion.

« Dans le recensement de 1861 pour l'Angleterre et la principauté de Galles figurent sept cent quatre-vingt-une villes avec une population de dix millions neuf cent soixante mille neuf cent quatre-vingt-dix-huit habitants, tandis que les villages et les paroisses de campagne n'en comptent que neuf millions cent cinq mille deux cent vingt-six... En 1851 le nombre des villes était de cinq cent quatre-vingts avec une population à peu près égale à celle des districts ruraux. Mais, tandis que dans ceux-ci la population ne s'augmentait que d'un demi-million, elle s'augmentait en cinq cent quatre-vingts villes de un million cinq cent cinquante-quatre mille soixante-sept habitants. L'accroissement de population est dans les paroisses rurales de six cinq pour cent, dans les villes de dix-sept trois. Cette différence doit être attribuée à l'émigration qui se fait des campagnes dans les villes. C'est ainsi que celles-ci absorbent les trois quarts de l'accroissement général de la population[32]. »

Pour que les districts ruraux deviennent pour les villes une telle source d'immigration, il faut que dans les campagnes elles-mêmes il y ait une surpopulation latente, dont on n'aperçoit toute l'étendue qu'aux moments exceptionnels où ses canaux de décharge s'ouvrent tout grands.

L'ouvrier agricole se trouve par conséquent réduit au minimum du salaire et a un pied déjà dans la fange du paupérisme.

La troisième catégorie de la surpopulation relative, la stagnante, appartient bien à l'armée industrielle active, mais en même temps l'irrégularité extrême de ses occupations en fait un réservoir inépuisable de forces disponibles. Accoutumée à la misère chronique, à des conditions d'existence tout à fait précaires et honteusement inférieures au niveau normal de la classe ouvrière, elle devient la large base de branches d'exploitation spéciales où le temps de travail atteint son maximum et le taux de salaire son minimum. Le soi-disant travail à domicile nous en fournit un exemple affreux.

Cette couche de la classe ouvrière se recrute sans cesse parmi les « surnuméraires » de la grande industrie et de l'agriculture, et surtout dans les sphères de production où le métier succombe devant la manufacture, celle-ci devant l'industrie mécanique. A part les contingents auxiliaires qui vont ainsi grossir ses rangs, elle se reproduit elle-même sur une échelle progressive. Non seulement le chiffre des naissances et des décès y est très élevé, mais les diverses catégories de cette surpopulation à l'état stagnant s'accroissent actuellement en raison inverse du montant des salaires qui leur échoient, et, par conséquent, des subsistances sur lesquelles elles végètent. Un tel phénomène ne se rencontre pas chez les sauvages ni chez les colons civilisés. Il rappelle la reproduction extraordinaire de certaines espèces animales faibles et constamment pourchassées. Mais, dit Adam Smith, « la pauvreté semble favorable à la génération ». C'est même une ordonnance divine d'une profonde sagesse, s'il faut en croire le spirituel et galant abbé Galiani, selon lequel « Dieu fait que les hommes qui exercent des métiers de première utilité naissent abondamment[33] ». « La misère, poussée même au point où elle engendre la famine et les épidémies, tend à augmenter la population au lieu de l'arrêter. » Après avoir démontré cette proposition par la statistique, Laing ajoute : « Si tout le monde se trouvait dans un état d'aisance, le monde serait bientôt dépeuplé[34]. »

Enfin, le dernier résidu de la surpopulation relative habite l'enfer du paupérisme. Abstraction faite des vagabonds, des criminels, des prostituées, des mendiants, et de tout ce monde qu'on appelle les classes dangereuses, cette couche sociale se compose de trois catégories.

La première comprend des ouvriers capables de travailler. Il suffit de jeter un coup d'œil sur les listes statistiques du paupérisme anglais pour s'apercevoir que sa masse, grossissant à chaque crise et dans la phase de stagnation, diminue à chaque reprise des affaires. La seconde catégorie comprend les enfants des pauvres assistés et des orphelins. Ce sont autant de candidats de la réserve industrielle qui, aux époques de haute prospérité, entrent en masse dans le service actif, comme, par exemple, en 1860. La troisième catégorie embrasse les misérables, d'abord les ouvriers et ouvrières que le développement social a, pour ainsi dire, démonétisés, en supprimant l'œuvre de détail dont la division du travail avait fait leur seule ressource puis ceux qui par malheur ont dépassé l'âge normal du salarié; enfin les victimes directes de l'industrie — malades, estropiés, veuves, etc., dont le nombre s'accroît avec celui des machines dangereuses, des mines, des manufactures chimiques, etc.

Le paupérisme est l'hôtel des Invalides de l'armée active du travail et le poids mort de sa réserve. Sa production est comprise dans celle de la surpopulation relative, sa nécessité dans la nécessité de celle-ci, il forme avec elle une condition d'existence de la richesse capitaliste. Il entre dans les faux frais de la production capitaliste, frais dont le capital sait fort bien, d'ailleurs, rejeter la plus grande partie sur les épaules de la classe ouvrière et de la petite classe moyenne.

La réserve industrielle est d'autant plus nombreuse que la richesse sociale, le capital en fonction, l'étendue et l'énergie de son accumulation, partant aussi le nombre absolu de la classe ouvrière et la puissance productive de son travail, sont plus considérables. Les mêmes causes qui développent la force expansive du capital amenant la mise en disponibilité de la force ouvrière, la réserve industrielle doit augmenter avec les ressorts de la richesse. Mais plus la réserve grossit, comparativement à l'armée active du travail, plus grossit aussi la surpopulation consolidée dont la misère est en raison directe du labeur imposé. Plus s'accroît enfin cette couche des Lazare de la classe salariée, plus s'accroît aussi le paupérisme officiel. Voilà la loi générale, absolue, de l'accumulation capitaliste. L'action de cette loi, comme de toute autre, est naturellement modifiée par des circonstances particulières.

On comprend donc toute la sottise de la sagesse économique qui ne cesse de prêcher aux travailleurs d'accommoder leur nombre aux besoins du capital. Comme si le mécanisme du capital ne le réalisait pas continuellement, cet accord désiré, dont le premier mot est : création d'une réserve industrielle, et le dernier : invasion croissante de la misère jusque dans les profondeurs de l'armée active du travail, poids mort du paupérisme.

La loi selon laquelle une masse toujours plus grande des éléments constituants de la richesse peut, grâce au développement continu des pouvoirs collectifs du travail, être mise en œuvre avec une dépense de force humaine toujours moindre, cette loi qui met l'homme social à même de produire davantage avec moins de labeur, se tourne dans le milieu capitaliste — où ce ne sont pas les moyens de production qui sont au service du travailleur, mais le travailleur qui est au service des moyens de production — en loi contraire, c'est-à-dire que, plus le travail gagne en ressources et en puissance, plus il y a pression des travailleurs sur leurs moyens d'emploi, plus la condition d'existence du salarié, la vente de sa force, devient précaire. L'accroissement des ressorts matériels et des forces collectives du travail, plus rapide que celui de la population, s'exprime donc en la formule contraire, savoir : la population productive croît toujours en raison plus rapide que le besoin que le capital peut en avoir.

L'analyse de la plus-value relative (sect. IV) nous a conduit à ce résultat : dans le système capitaliste toutes les méthodes pour multiplier les puissances du travail collectif s'exécutent aux dépens du travailleur individuel; tous les moyens pour développer la production se transforment en moyens de dominer et d'exploiter le producteur : ils font de lui un homme tronqué, fragmentaire, ou l'appendice d'une machine; ils lui opposent comme autant de pouvoirs hostiles les puissances scientifiques de la production; ils substituent au travail attrayant le travail forcé; ils rendent les conditions dans lesquelles le travail se fait de plus en plus anormales et soumettent l'ouvrier durant son service à un despotisme aussi illimité que mesquin; ils transforment sa vie entière en temps de travail et jettent sa femme et ses enfants sous les roues du Jagernaut capitaliste.

Mais toutes les méthodes qui aident à la production de la plus-value favorisent également l'accumulation, et toute extension de celle-ci appelle à son tour celles-là. Il en résulte que, quel que soit le taux des salaires, haut ou bas, la condition du travailleur doit empirer à mesure que le capital s'accumule.

Enfin la loi, qui toujours équilibre le progrès de l'accumulation et celui de la surpopulation relative, rive le travailleur au capital plus solidement que les coins de Vulcain ne rivaient Prométhée à son rocher. C'est cette loi qui établit une corrélation fatale entre l'accumulation du capital et l'accumulation de la misère, de telle sorte qu'accumulation de richesse à un pôle, c'est égale accumulation de pauvreté, de souffrance, d'ignorance, d'abrutissement, de dégradation morale, d'esclavage, au pôle opposé, du côté de la classe qui produit le capital même.

Ce caractère antagoniste de la production capitaliste[35] a frappé même des économistes, lesquels d'ailleurs confondent souvent les phénomènes par lesquels il se manifeste avec des phénomènes analogues, mais appartenant à des ordres de production sociale antérieurs.

G. Ortès, moine vénitien et un des économistes marquants du XVIIIe siècle, croit avoir trouvé dans l'antagonisme inhérent à la richesse capitaliste la loi immuable et naturelle de la richesse sociale. Au lieu de projeter, dit-il, « pour le bonheur des peuples, des systèmes inutiles, je me bornerai à chercher la raison de leur misère... Le bien et le mal économique se font toujours équilibre dans une nation (« il bene ed il male economico in una nazione sempre all'istessa misura ») : l'abondance des biens chez les uns est toujours égale au manque de biens chez les autres (« la copia dei beni in alcuni sempre eguale alla mancanza di essi in altri »); la grande richesse d'un petit nombre est toujours accompagnée de la privation des premières nécessités chez la multitude, la diligence excessive des uns rend forcée la fainéantise des autres; la richesse d'un pays correspond à sa population et sa misère correspond à sa richesse[36] ».

Mais, si Ortès était profondément attristé de cette fatalité économique de la misère, dix ans après lui, un ministre anglican, le révérend *J. Townsend*, vint, le cœur léger et même joyeux, la glorifier comme la condition nécessaire de la richesse. L'obligation légale du travail, dit-il, « donne trop de peine, exige trop de violence, et fait trop de bruit; la faim au contraire est non seulement une pression paisible, silencieuse et incessante, mais comme le mobile le plus naturel du travail et de l'industrie, elle provoque aussi les efforts les plus puissants ». Perpétuer la faim du travailleur, c'est donc le seul article important de son code du travail, mais, pour l'exécuter, ajoute-t-il, il suffit de laisser faire le principe de population, actif surtout parmi les pauvres. « C'est une loi de la nature, paraît-il, que les pauvres soient imprévoyants jusqu'à un certain degré, afin qu'il y ait toujours des hommes prêts à remplir les fonctions les plus serviles, les plus sales et les plus abjectes de la communauté. Le fonds du bonheur humain (« the fund of human happiness ») en est grandement augmenté, les gens comme il faut, plus délicats (« the more delicate »), débarrassés de telles tribulations, peuvent doucement suivre leur vocation supérieure... Les lois pour le secours des pauvres tendent à détruire l'harmonie et la beauté, l'ordre et la symétrie de ce système que Dieu et la nature ont établi dans le monde[37]. »

Si le moine vénitien trouvait dans la fatalité économique de la misère la raison d'être de la charité chrétienne, du célibat, des monastères, couvents, etc., le révérend prébendé y trouve donc au contraire un prétexte pour passer condamnation sur les « poor laws », les lois anglaises qui donnent aux pauvres le droit aux secours de la paroisse.

« Le progrès de la richesse sociale », dit *Storch*, « enfante cette classe utile de la société... qui exerce les occupations les plus fastidieuses, les plus viles et les plus dégoûtantes, qui prend, en un mot, sur ses épaules tout ce que la vie a de désagréable et d'assujettissant et procure ainsi aux autres classes le loisir, la sérénité d'esprit et la dignité conventionnelle (!) de caractère, etc.[38]. » Puis, après s'être demandé en quoi donc au bout du compte elle l'emporte sur la barbarie, cette civilisation capitaliste avec sa misère et sa dégradation des masses, il ne trouve qu'un mot à répondre — la sécurité!

Sismondi constate que, grâce au progrès de l'industrie et de la science, chaque travailleur peut produire chaque jour beaucoup plus que son entretien quotidien. Mais cette richesse, produit de son travail, le rendrait peu propre au travail, s'il était appelé à la consommer. Selon lui « les hommes (bien entendu, les hommes non-travailleurs) *renonceraient probablement à tous les perfectionnements des arts, à toutes les jouissances que nous donnent les manufactures, s'il fallait que tous les achetassent par un travail constant, tel que celui de l'ouvrier...* Les efforts sont aujourd'hui séparés de leur récompense; ce n'est pas le même homme qui travaille et qui se repose ensuite : mais *c'est parce que l'un travaille que l'autre doit se reposer...* La multiplication indéfinie des pouvoirs productifs du travail ne peut donc avoir pour résultat que l'augmentation du luxe ou des jouissances des riches oisifs[39] ». *Cherbuliez*, disciple de Sismondi, le complète en ajoutant : « Les travailleurs eux-mêmes..., *en coopérant à l'accumulation des capitaux productifs, contribuent à l'événement qui, tôt ou tard, doit les priver d'une partie de leurs salaires*[40]. »

Enfin, le zélateur à froid de la doctrine bourgeoise, *Destutt de Tracy*, dit carrément :

« Les nations pauvres, c'est là où le peuple est à son aise; et les nations riches, c'est là où il est ordinairement pauvre[41]. »

V. — ILLUSTRATION DE LA LOI GÉNÉRALE DE L'ACCUMULATION CAPITALISTE

a) L'Angleterre de 1846 à 1866.

Aucune période de la société moderne ne se prête mieux à l'étude de l'accumulation capitaliste que celle des vingt dernières années[42] : il semble qu'elle ait trouvé l'escarcelle enchantée de Fortunatus. Cette fois encore l'Angleterre figure comme le pays modèle, et parce que, tenant le premier rang sur le marché universel, c'est chez elle seule que la production capitaliste s'est développée dans sa plénitude, et parce que le règne millénaire du libre-échange, établi dès 1846, y a chassé l'économie vulgaire de ses derniers réduits. Nous avons déjà suffisamment indiqué (sections III et IV) le progrès gigantesque de la production anglaise pendant cette période de vingt ans, dont la dernière moitié surpasse encore de beaucoup la première.

Bien que dans le dernier demi-siècle la population anglaise se soit accrue très considérablement, son accroissement proportionnel ou le taux de l'augmentation a baissé constamment, ainsi que le montre le tableau suivant emprunté au recensement officiel de 1861 :

TAUX ANNUEL POUR CENT DE L'ACCROISSEMENT DE LA POPULATION DE L'ANGLETERRE ET DE LA PRINCIPAUTÉ DE GALLES, EN NOMBRES DÉCIMAUX :

1811 - 1821	1,533
1821 - 1831	1,446
1831 - 1841	1,326
1841 - 1851	1,216
1851 - 1861	1,141

Examinons maintenant l'accroissement parallèle de la richesse. Ici la base la plus sûre, c'est le mouvement des profits industriels, rentes foncières, etc., soumis à l'impôt sur le revenu. L'accroissement des profits imposés (fermages et quelques autres catégories non comprises) atteignit, pour la Grande-Bretagne, de1853 à 1864, le chiffre de cinquante quarante-sept pour cent (ou 4,58 % par an en moyenne[43]), celui de la population, pendant la même période, fut de douze pour cent. L'augmentation des rentes imposables du sol (y compris les maisons, les chemins de fer, les mines, les pêcheries, etc.) atteignit, dans le même intervalle de temps, trente-huit pour cent ou trois cinq douzièmes pour cent par an, dont la plus grande part revient aux catégories suivantes :

EXCÉDENT DU REVENU ANNUEL DE 1864 SUR 1863

		Augmentation par an.
Maisons	38,60 %	3,50 %
Carrières	84,76	7,70
Mines	68,85	6,26
Forges	39,92	3,63
Pêcheries	57,37	5,21
Usines à gaz	126,02	11,45
Chemins de fer	83,29	7,57

Si l'on compare entre elles, quatre par quatre, les années de la période 1853-1864, le degré d'augmentation des revenus s'accroît continuellement; celui des revenus dérivés du profit, par exemple, est annuellement de un soixante-treize pour cent de 1853 à 1857, de deux soixante-quatorze pour cent pour chaque année entre 1857 et 1861, et enfin de neuf trente pour cent entre 1861 et 1864. La somme totale des revenus imposés dans le Royaume-Uni s'élevait en 1856 à trois cent sept millions soixante-huit mille huit cent quatre-vingt-dix-huit livres sterling, en 1859 à trois cent vingt-huit millions cent vingt-sept mille quatre cent seize livres sterling, en 1862 à trois cent cinquante et un millions sept cent quarante-cinq mille deux cent quarante et une livres sterling, en 1863 à trois cent cinquante-neuf millions cent quarante-deux mille huit cent quatre-vingt-dix-sept livres sterling, en 1864 à trois cent soixante-deux millions quatre cent soixante-deux mille deux cent soixante-dix-neuf livres sterling, en 1865 à trois cent quatre-vingt-cinq millions cinq cent trente mille vingt livres sterling[44].

La centralisation du capital marchait de pair avec son accumulation. Bien qu'il n'existât aucune statistique agricole officielle pour l'Angleterre (mais bien pour l'Irlande), dix comtés en fournirent une volontairement. Elle donna pour résultat que de 1851 à 1861 le chiffre des fermes au-dessous de cent acres était descendu de trente et un mille cinq cent quatre-vingt-trois à vingt-six mille cinq cent soixante-sept, et que, par conséquent, cinq mille seize d'entre elles avaient été réunies à des fermes plus considérables[45]. De 1815 à 1825, il n'y avait pas une seule fortune mobilière, assujettie à l'impôt sur les successions, qui dépassât un million de livres sterling; il y en eut huit de 1825 à 1855 et quatre de 1856 au mois de juin 1859, c'est-à-dire, en quatre ans et demi[46]. Mais c'est surtout par une rapide analyse de l'impôt sur le revenu pour la catégorie D (profits industriels et commerciaux, non compris les fermes, etc.), dans les années 1864 et 1865, que l'on peut le mieux juger le progrès de la centralisation. Je ferai remarquer auparavant que les revenus qui proviennent de cette source payent l'*income tax* à partir de soixante livres sterling et non au-dessous. Ces revenus imposables se montaient, en 1864, pour l'Angleterre, la principauté de Galles et l'Ecosse, à quatre-vingt-quinze millions huit cent quarante-quatre mille deux cent vingt-deux livres sterling, et en 1865 à cent cinq millions quatre cent trente-cinq mille cinq cent soixante-dix-neuf livres sterling[47]. Le nombre des imposés était, en 1864, de trois cent huit mille quatre cent seize individus, sur une population totale de vingt-trois millions huit cent quatre-vingt-onze mille neuf, et en 1865 de trois cent trente-deux mille quatre cent trente et un individus, sur une population totale de vingt-quatre millions cent vingt-sept mille trois. Voici comment se distribuaient ces revenus dans les deux années :

ANNÉE FINISSANT LE 5 AVRIL 1864		ANNÉE FINISSANT LE 5 AVRIL 1865	
REVENUS	INDIVIDUS	REVENUS	INDIVIDUS
Revenu Total : l. st. 95 844 222	308 416	L. st. : 105 435 738	332 431
dont : l. st. 57 028 289	23 434	L. st. : 64 554 297	24 265
dont : l. st. 36 415 225	3 619	L. st. : 42 535 576	4 021
dont : l. st. 22 809 781	832	L. st. : 27 555 313	973
dont : l. st. 8 844 752	91	L. st. : 11 077 288	107

Il a été produit en 1855, dans le Royaume-Uni, soixante et un millions quatre cent cinquante-trois mille soixante-dix-neuf tonnes de charbon d'une valeur de seize millions cent trente-trois mille deux cent soixante-sept livres sterling, en 1864 : quatre-vingt-douze millions sept cent quatre-vingt-sept mille huit cent soixante-treize tonnes d'une valeur de vingt-trois millions cent quatre-vingt-dix-sept mille neuf cent soixante-huit livres sterling, en 1855 : trois millions deux cent dix-huit mille cent cinquante-quatre tonnes de fer brut d'une valeur de huit millions quarante-cinq mille trois cent quatre-vingt-cinq livres sterling, en 1864 : quatre millions sept cent soixante-sept mille neuf cent cinquante et une tonnes d'une valeur de onze millions neuf cent dix-neuf mille huit cent soixante-dix-sept livres sterling. En 1854, l'étendue des voies ferrées ouvertes dans le Royaume-Uni atteignait huit mille cinquante-quatre milles, avec un capital s'élevant à deux cent quatre-vingt-six millions soixante-huit mille sept cent quatre-vingt-quatorze livres sterling; en 1864, cette étendue était de douze mille sept cent quatre-vingt-neuf milles, avec un capital versé de quatre cent vingt-cinq millions sept cent dix-neuf mille six cent treize livres sterling. L'ensemble de l'exportation et de l'importation du Royaume-Uni se monta, en 1854, à deux cent soixante-huit millions deux cent dix mille cent quarante-cinq livres sterling, et en 1865 à quatre cent quatre-vingt-neuf millions neuf cent vingt-trois mille deux cent quatre-vingt-cinq. Le mouvement de l'exportation est indiqué dans la table qui suit :

1846	58 842 377	livres sterling
1849	63 596 052	—
1856	115 826 948	—
1860	135 842 817	—
1865	165 862 402	—
1866	188 917 563	— [48]

On comprend, après ces quelques indications, le cri de triomphe du Registrar Général du peuple anglais : « Si rapide qu'ait été l'accroissement de la population, il n'a point marché du même pas que le progrès de l'industrie et de la richesse[49]. Tournons-nous maintenant vers les agents immédiats de cette industrie, les producteurs de cette richesse, la classe ouvrière. « C'est un des traits caractéristiques les plus attristants de l'état social de ce pays, dit *M. Gladstone*, qu'en même temps que la puissance de consommation du peuple a diminué, et que la misère et les privations de la classe ouvrière ont augmenté, il y a eu une accumulation croissante de richesse chez les classes supérieures et un accroissement constant de capital[50]. » Ainsi parlait cet onctueux ministre à la Chambre des communes, le 14 février 1843. Vingt ans plus tard, le 16 avril 1863, exposant son budget, il s'exprime ainsi : « De 1842 à 1852, l'augmentation dans les revenus imposables de ce pays avait été de six pour cent... De 1853 à 1861, c'est-à-dire dans huit années, si l'on prend pour base le chiffre de 1853, elle a été de vingt pour cent! Le fait est si étonnant qu'il en est presque incroyable... Cette augmentation étourdissante (intoxicating) de richesse et de puissance... est entièrement restreinte aux classes qui possèdent..., elle doit être d'un avantage indirect pour la population ouvrière, parce qu'elle fait baisser de prix les articles de consommation générale. En même temps que les riches sont devenus plus riches, les pauvres sont devenus moins pauvres. Que les extrêmes de la pauvreté soient moindres, c'est ce que je ne prétends pas affirmer[51]. » La chute en est jolie! Si la classe ouvrière est restée « pauvre, moins pauvre » seulement, à proportion qu'elle créait pour la classe propriétaire une « augmentation étourdissante, de richesse et de puissance », elle est restée tout aussi pauvre relativement parlant. Si les extrêmes de la pauvreté n'ont pas diminué, ils se sont accrus en même temps que les extrêmes de la richesse. Pour ce qui est de la baisse de prix des moyens de subsistance, la statistique officielle, les indications de l'Orphelinat de Londres, par exemple, constatent un enchérissement de vingt pour cent pour la moyenne des trois années de 1860 à 1862 comparée avec celle de 1851 à 1853. Dans les trois années suivantes, 1863-1865, la viande, le beurre, le lait, le sucre, le sel, le charbon et une masse d'autres articles de première nécessité, enchérissent progressivement[52]. Le discours de M. Gladstone, du 7 avril 1864, est un vrai dithyrambe d'un vol pindarique. Il y chante l'art de s'enrichir et ses progrès et aussi le bonheur du peuple tempéré par la « pauvreté ». Il y parle de masses situées « sur l'extrême limite du paupérisme », de branches d'industrie où le salaire ne s'est pas élevé, et finalement il résume la félicité de la classe ouvrière dans ces quelques mots : « La vie humaine est, dans neuf cas sur dix, une lutte pour l'existence[53]. » Le professeur Fawcett, qui n'est point, comme le ministre, retenu par des considérations officielles, s'exprime plus carrément : « Je ne nie pas, dit-il, que le salaire ne se soit élevé (dans les vingt dernières années), avec l'augmentation du capital : mais cet avantage apparent est en grande partie perdu, parce qu'un grand nombre de nécessités de la vie deviennent de plus en plus chères (il attribue cela à la baisse de valeur des métaux précieux)... Les riches deviennent rapidement plus riches (the rich grow rapidly richer), sans qu'il y ait d'amélioration appréciable dans le bien-être des classes ouvrières... Les travailleurs deviennent presque esclaves des boutiquiers dont ils sont les débiteurs[54]. »

Les conditions dans lesquelles la classe ouvrière anglaise a produit, pendant les vingt à trente dernières années, la susdite « augmentation étourdissante de richesse et de puissance » pour les classes possédantes, sont connues du lecteur. Les sections de cet ouvrage qui traitent de la journée de travail et des machines l'ont suffisamment renseigné à ce sujet. Mais ce que nous avons étudié alors, c'était surtout le travailleur au milieu de l'atelier où il fonctionne. Pour mieux pénétrer la loi de l'accumulation capitaliste, il faut nous arrêter un instant à sa vie privée, et jeter un coup d'œil sur sa nourriture et son habitation. Les limites de cet ouvrage m'imposent de m'occuper ici principalement de la partie mal payée des travailleurs industriels et agricoles, dont l'ensemble forme la majorité de la classe ouvrière[55].

Mais auparavant encore un mot sur le paupérisme officiel, c'est-à-dire sur la portion de la classe ouvrière qui, ayant perdu sa condition d'existence, la vente de sa force, ne vit plus que d'aumônes publiques. La liste officielle des pauvres, en Angleterre[56], comptait, en 1855 : huit cent cinquante et un mille trois cent soixante-neuf personnes, en 1856 : huit cent soixante-dix-sept mille sept cent soixante-sept, en 1865 : neuf cent soixante et onze mille quatre cent trente-huit. Par suite de la disette du coton, elle s'éleva, dans les années 1863 et 1864, à un million soixante-dix-neuf mille trois cent quatre-vingt-deux et un million quatorze mille neuf cent soixante-dix-huit personnes. La crise de 1866, qui frappa surtout la ville de Londres, créa dans ce siège du marché universel, plus populeux que le royaume d'Ecosse, un surcroît de pauvres de dix-neuf et demi pour cent pour cette année comparée à 1865, de vingt-quatre quatre pour cent par rapport à 1864, et un accroissement plus considérable encore pour les premiers mois de 1867 comparés à 1866. Dans l'analyse de la statistique du paupérisme, deux points essentiels sont à relever. D'une part, le mouvement de hausse et de baisse de la masse des pauvres reflète les changements périodiques du cycle industriel. D'autre part, la statistique officielle devient un indice de plus en plus trompeur du paupérisme réel, à mesure qu'avec l'accumulation du capital la lutte des classes s'accentue et que le travailleur acquiert un plus vif sentiment de soi-même. Le traitement barbare des pauvres au Workhouse, qui fit pousser à la presse anglaise (*Times*, *Pall Mall Gazette*, etc.) de si hauts cris il y a quelques années, est d'ancienne date. Fr. Engels signala, en 1844, les mêmes cruautés et les mêmes déclamations passagères de la « littérature à sensation ». Mais l'augmentation terrible à Londres, pendant les derniers dix ans, des cas de morts de faim (deaths of starvation), est une démonstration évidente, « sans phrase », de l'horreur croissante des travailleurs pour l'esclavage des Workhouses, ces maisons de correction de la misère.

b) *Les couches industrielles mal payées.*

Jetons maintenant un coup d'œil sur les couches mal payées de la classe ouvrière anglaise. Pendant la crise cotonnière de 1862, le docteur Smith fut chargé par le Conseil privé d'une enquête sur les conditions d'alimentation des ouvriers dans la détresse. Plusieurs années d'études antérieures l'avaient conduit au résultat suivant : « Pour prévenir les maladies d'inanition (starvation diseases), il faudrait que la nourriture quotidienne d'une femme moyenne contînt au moins trois mille neuf cents grains de carbone et cent quatre-vingts d'azote, et celle d'un homme moyen deux cents grains d'azote avec quatre mille trois cents grains de carbone. Pour les femmes il faudrait autant de matière nutritive qu'en contiennent deux livres de bon pain de froment, pour les hommes un neuvième en plus, la moyenne hebdomadaire pour les hommes et les femmes adultes devant atteindre au moins vingt-huit mille six cents grains de carbone et mille trois cent trente d'azote. » Les faits confirmèrent son calcul d'une manière surprenante, en ce sens qu'il se trouva concorder parfaitement avec la chétive quantité de nourriture à laquelle, par suite de la crise, la consommation des ouvriers cotonniers avait été réduite. Elle n'était, en décembre 1862, que de vingt-neuf mille deux cent onze grains de carbone et mille deux cent quatre-vingt-quinze d'azote par semaine.

En 1863, le Conseil privé ordonna une enquête sur la situation de la partie la plus mal nourrie de la classe ouvrière anglaise. Son médecin officiel, le docteur Simon, choisit pour l'aider dans ce travail le docteur Smith ci-dessus mentionné. Ses recherches embrassèrent les travailleurs agricoles d'une part, et de l'autre les tisseurs de soie, les couturières, les gantiers, les bonnetiers, les tisseurs de gants et les cordonniers. Les dernières catégories, à l'exception des bonnetiers, habitent exclusivement dans les villes. Il fut convenu qu'on prendrait pour règle dans cette enquête de choisir, dans chaque catégorie, les familles dont la santé et la position laisseraient le moins à désirer.

On arriva à ce résultat général que : « Dans une seule classe, parmi les ouvriers des villes, la consommation d'azote dépassait légèrement le minimum absolu au-dessous duquel se déclarent les maladies d'inanition; que dans deux classes la quantité de nourriture azotée aussi bien que carbonée faisait défaut, et même grandement défaut dans l'une d'elles; que parmi les familles agricoles plus d'un cinquième obtenait moins que la dose indispensable d'alimentation carbonée et plus d'un tiers de moins que la dose indispensable d'alimentation azotée; qu'enfin dans trois comtés (Berkshire, Oxfordshire et Somersetshire) le minimum de nourriture azotée n'était pas atteint[57]. » Parmi les travailleurs agricoles, l'alimentation la plus mauvaise était celle des travailleurs de l'Angleterre, la partie la plus riche du Royaume-Uni[58]. Chez les ouvriers de la campagne, l'insuffisance de nourriture, en général, frappait principalement les femmes et les enfants, car « il faut que l'homme mange pour faire sa besogne ». Une pénurie bien plus grande encore exerçait ses ravages au milieu de certaines catégories de travailleurs des villes soumises à l'enquête. « Ils sont si misérablement nourris que les cas de privations cruelles et ruineuses pour la santé doivent être nécessairement nombreux[58]. » Abstinence du capitaliste que tout cela!

Il s'abstient, en effet, de fournir à ses esclaves simplement de quoi végéter.

La table suivante permet de comparer l'alimentation de ces dernières catégories de travailleurs urbains avec celle des ouvriers cotonniers pendant l'époque de leur plus grande misère et avec la dose minima adoptée par le docteur Smith :

LES DEUX SEXES	QUANTITÉ MOYENNE DE CARBONE PAR SEMAINE	QUANTITÉ MOYENNE D'AZOTE PAR SEMAINE
Cinq branches d'industrie (dans les villes)	28 876 grains	1 192 grains
Ouvriers de fabrique sans travail du Lancashire	29 211 —	1 295 —
Quantité minima proposée pour les ouvriers du Lancashire à nombre égal d'hommes et de femmes	28 600 —	1 330 — [60]

Une moitié des catégories de travailleurs industriels ne prenait jamais de bière; un tiers, vingt-huit pour cent, jamais de lait. La moyenne d'aliments liquides, par semaine, dans les familles, oscillait de sept onces chez les couturières à vingt-quatre onces trois quarts chez les bonnetiers. Les couturières de Londres formaient la plus grande partie de celles qui ne prenaient jamais de lait. Le quantum de pain consommé hebdomadairement variait de sept livres trois quarts chez les couturières à onze et quart chez les cordonniers; la moyenne totale était de neuf livres par tête d'adulte. Le sucre (sirop, etc.,) variait par semaine également de quatre onces pour les gantiers à dix onces pour les bonnetiers; la moyenne totale par adulte, dans toutes les catégories, ne s'élevait pas au-dessus de huit onces. Celle du beurre (graisse, etc.,), était de cinq onces. Quant à la viande (lard, etc.,), la moyenne hebdomadaire par adulte oscillait entre sept onces et quart chez les tisseurs de soie, et dix-huit et quart chez les gantiers. La moyenne totale était de treize onces un sixième pour les diverses catégories. Les frais de nourriture par semaine, pour chaque adulte, atteignaient les chiffres moyens suivants : Tisseurs de soie, deux shillings deux pence et demi; couturières, deux shillings sept pence; gantiers, deux shillings neuf pence et demi; cordonniers, deux shillings sept pence trois quarts; bonnetiers, deux shillings six pence un quart. Pour les tisseurs de soie de Macclesfield, la moyenne hebdomadaire ne s'élevait pas au-dessus de un shilling huit pence un quart. Les catégories les plus mal nourries étaient celles des couturières, des tisseurs de soie et des gantiers[61].

« Quiconque est habitué à traiter les malades pauvres ou ceux des hôpitaux, résidents ou non », dit le docteur Simon dans son rapport général, « ne craindra pas d'affirmer que les cas dans lesquels l'insuffisance de nourriture produit des maladies ou les aggrave sont, pour ainsi dire, innombrables... Au point de vue sanitaire, d'autres circonstances décisives viennent s'ajouter ici... On doit se rappeler que toute réduction sur la nourriture n'est supportée qu'à contrecœur, et qu'en général la diète forcée ne vient qu'à la suite de bien d'autres privations antérieures. Longtemps avant que le manque d'aliments pèse dans la balance hygiénique, longtemps avant que le physiologiste songe à compter les doses d'azote et de carbone entre lesquelles oscillent la vie et la mort par inanition, tout confort matériel aura déjà disparu du foyer domestique. Le vêtement et le chauffage auront été réduits bien plus encore que l'alimentation. Plus de protection suffisante contre les rigueurs de la température; rétrécissement du local habité à un degré tel que cela engendre des maladies ou les aggrave; à peine une trace de meubles ou d'ustensiles de ménage. La propreté elle-même sera devenue coûteuse ou difficile. Si par respect pour soi-même on fait encore des efforts pour l'entretenir, chacun de ces efforts représente un supplément de faim. On habitera là où le loyer est le moins cher, dans les quartiers où l'action de la police sanitaire est nulle, où il y a le plus de cloaques infects, le moins de circulation, le plus d'immondices en pleine rue, le moins d'eau ou la plus mauvaise, et, dans les villes, le moins d'air et de lumière. Tels sont les dangers auxquels la pauvreté est exposée inévitablement, quand cette pauvreté implique manque de nourriture. Si tous ces maux réunis pèsent terriblement sur la vie, la simple privation de nourriture est par elle-même effroyable... Ce sont là des pensées pleines de tourments, surtout si l'on se souvient que la misère dont il s'agit n'est pas celle de la paresse, qui n'a à s'en prendre qu'à elle-même. C'est la misère de gens laborieux. Il est certain, quant aux ouvriers des villes, que le travail au moyen duquel ils achètent leur maigre pitance est presque toujours prolongé au-delà de toute mesure. Et cependant on ne peut dire, sauf en un sens très restreint, que ce travail suffise à les sustenter... Sur une très grande échelle, ce n'est qu'un acheminement plus ou moins long vers le paupérisme[62]. »

Pour saisir la liaison intime entre la faim qui torture les couches les plus travailleuses de la société et l'accumulation capitaliste, avec son corollaire, la surconsommation grossière ou raffinée des riches, il faut connaître les lois économiques. Il en est tout autrement dès qu'il s'agit des conditions du domicile. Tout observateur désintéressé voit parfaitement que, plus les moyens de production se concentrent sur une grande échelle, plus les travailleurs s'agglomèrent dans un espace étroit; que, plus l'accumulation du capital est rapide, plus les habitations ouvrières deviennent misérables. Il est évident, en effet, que les améliorations et embellissements (improvements) des villes, — conséquence de l'accroissement de la richesse, — tels que démolition des quartiers mal bâtis, construction de palais pour banques, entrepôts, etc., élargissement des rues pour la circulation commerciale et les carrosses de luxe, établissement de voies ferrées à l'intérieur, etc., chassent toujours les pauvres dans des coins et recoins de plus en plus sales et insalubres. Chacun sait, d'autre part, que la cherté des habitations est en raison inverse de leur bon état, et que les mines de la misère sont exploitées par la spéculation avec plus de profit et à moins de frais que ne le furent jamais celles du Potose. Le caractère antagonique de l'accumulation capitaliste, et conséquemment des relations de propriété qui en découlent, devient ici tellement saisissable[63] que même les rapports officiels anglais sur ce sujet abondent en vives sorties peu orthodoxes contre la « propriété et ses droits ». Au fur et à mesure du développement de l'industrie, de l'accumulation du capital, de l'agrandissement des villes et de leur embellissement, le mal fit de tels progrès, que la frayeur des maladies contagieuses, qui n'épargnent pas même la *respectability*, les gens comme il faut, provoqua de 1847 à 1864 dix actes du Parlement concernant la police sanitaire, et que dans quelques villes, telles que Liverpool, Glasgow, etc., la bourgeoisie épouvantée contraignit les municipalités à prendre des mesures de salubrité publique. Néanmoins le docteur Simon s'écrie dans son rapport de 1865 : « Généralement parlant, en Angleterre, le mauvais état des choses a libre carrière! » Sur l'ordre du Conseil privé, une enquête eut lieu en 1864 sur les conditions d'habitation des travailleurs des campagnes, et en 1865 sur celles des classes pauvres dans les villes. Ces admirables travaux, résultat des études du docteur Julien Hunter, se trouvent dans les septième (1865) et huitième (1866) rapports sur la santé publique. Nous examinerons plus tard la situation des travailleurs des campagnes. Avant de faire connaître celle des ouvriers des villes, citons une observation générale du docteur Simon : « Quoique mon point de vue officiel, dit-il, soit exclusivement physique, l'humanité la plus ordinaire ne permet pas de taire l'autre côté du mal. Parvenu à un certain degré, il implique presque nécessairement une négation de toute pudeur, une promiscuité révoltante, un étalage de nudité qui est moins de l'homme que de la bête. Etre soumis à de pareilles influences, c'est une dégradation qui, si elle dure, devient chaque jour plus profonde. Pour les enfants élevés dans cette atmosphère maudite, c'est un baptême dans l'infamie *(baptism into infamy)*. Et c'est se bercer du plus vain espoir que d'attendre de personnes placées dans de telles conditions qu'à d'autres égards elles s'efforcent d'atteindre à cette civilisation élevée dont l'essence consiste dans la pureté physique et morale[64]. »

C'est Londres qui occupe le premier rang sous le rapport des logements encombrés, ou absolument impropres à servir d'habitation humaine. Il y a deux faits certains, dit le docteur Hunter : « Le premier, c'est que Londres renferme vingt grandes colonies fortes d'environ dix mille personnes chacune, dont l'état de misère dépasse tout ce qu'on a vu jusqu'à ce jour en Angleterre, et cet état résulte presque entièrement de l'accommodation pitoyable de leurs demeures. Le second, c'est que le degré d'encombrement et de ruine de ces demeures est bien pire qu'il y a vingt ans[65]. Ce n'est pas trop dire que d'affirmer que dans nombre de quartiers de Londres et de Newcastle la vie est réellement infernale[66]. »

A Londres, la partie même la mieux posée de la classe ouvrière, en y joignant les petits détaillants et d'autres éléments de la petite classe moyenne, subit chaque jour davantage l'influence fatale de ces abjectes conditions de logement, à mesure que marchent les « améliorations », et aussi la démolition des anciens quartiers, à mesure que les fabriques toujours plus nombreuses font affluer des masses d'habitants dans la métropole, et enfin que les loyers des maisons s'élèvent avec la rente foncière dans les villes. « Les loyers ont pris des proportions tellement exorbitantes, que bien peu de travailleurs peuvent payer plus d'une chambre[67]. » Presque pas de propriété bâtie à Londres qui ne soit surchargée d'une foule d'intermédiaires (middlemen). Le prix du sol y est très élevé en comparaison des revenus qu'il rapporte annuellement, chaque acheteur spéculant sur la perspective de revendre tôt ou tard son acquêt à un *prix de jury* (c'est-à-dire suivant le taux établi par les jurys d'expropriation), ou sur le voisinage d'une grande entreprise qui en hausserait considérablement la valeur. De là un commerce régulier pour l'achat de baux près d'expirer. « Des gentlemen de cette profession il n'y a pas autre chose à attendre; ils pressurent les locataires le plus qu'ils peuvent et livrent ensuite la maison dans le plus grand délabrement possible aux successeurs[68]. » La location est à la semaine, et ces messieurs ne courent aucun risque. Grâce aux constructions de voies ferrées dans l'intérieur de la ville, « on a vu dernièrement dans la partie est de Londres une foule de familles, brusquement chassées de leurs logis un samedi soir, errer à l'aventure, le dos chargé de tout leur avoir en ce monde, sans pouvoir trouver d'autre refuge que le Workhouse[68] ». Les Workhouses sont déjà remplis outre mesure, et les « embellissements » octroyés par le Parlement n'en sont encore qu'au début.

Les ouvriers chassés par la démolition de leurs anciennes demeures ne quittent point leur paroisse, ou ils s'en établissent le plus près possible, sur la lisière. « Ils cherchent naturellement à se loger dans le voisinage de leur atelier, d'où il résulte que la famille qui avait deux chambres est forcée de se réduire à une seule. Lors même que le loyer en est plus élevé, le logement nouveau est pire que celui, déjà mauvais, d'où on les a expulsés. La moitié des ouvriers du Strand sont déjà obligés de faire une course de deux milles pour se rendre à leur atelier. » Ce Strand, dont la rue principale donne à l'étranger une haute idée de la richesse londonienne, va précisément nous fournir un exemple de l'entassement humain qui règne à Londres. L'employé de la police sanitaire a compté dans une de ses paroisses cinq cent quatre-vingt-un habitants par acre, quoique la moitié du lit de la Tamise fût comprise dans cette estimation. Il va de soi que toute mesure de police qui, comme cela s'est fait jusqu'ici à Londres, chasse les ouvriers d'un quartier en en faisant démolir les maisons inhabitables, ne sert qu'à les entasser plus à l'étroit dans un autre. « Ou bien il faut absolument », dit le docteur Hunter, « que ce mode absurde de procéder ait un terme, ou bien la sympathie publique (!) doit s'éveiller pour ce que l'on peut appeler sans exagération un devoir national. Il s'agit de fournir un abri à des gens qui ne peuvent s'en procurer faute de capital, mais n'en rémunèrent pas moins leurs propriétaires par des payements périodiques[70]. » Admirez la justice capitaliste! Si le propriétaire foncier, le propriétaire de maisons, l'homme d'affaires, sont expropriés pour causes d'améliorations, telles que chemins de fer, construction de rues nouvelles, etc., ils n'obtiennent pas seulement indemnité pleine et entière. Il faut encore, selon le droit et l'équité, les consoler de leur « abstinence », de leur « renoncement » forcé, en leur octroyant un bon pourboire. Le travailleur, lui, est jeté sur le pavé avec sa femme, ses enfants et son saint-crépin, et, s'il se presse par trop grandes masses vers les quartiers de la ville où la municipalité est à cheval sur les convenances, il est traqué par la police au nom de la salubrité publique!

Au commencement du XIXe siècle il n'y avait, en dehors de Londres, pas une seule ville en Angleterre qui comptât cent mille habitants. Cinq seulement en comptaient plus de cinquante mille. Il en existe aujourd'hui vingt-huit dont la population dépasse ce nombre. « L'augmentation énorme de la population des villes n'a pas été le seul résultat de ce changement, mais les anciennes petites villes compactes sont devenues des centres autour desquels des constructions s'élèvent de tous côtés, ne laissant arriver l'air de nulle part. Les riches, ne les trouvant plus agréables, les quittent pour les faubourgs, où ils se plaisent davantage. Les successeurs de ces riches viennent donc occuper leurs grandes maisons; une famille s'installe dans chaque chambre, souvent même avec des sous-locataires. C'est ainsi qu'une population entière s'est installée dans des habitations qui n'étaient pas disposées pour elle, et où elle était absolument déplacée, livrée à des influences dégradantes pour les adultes et pernicieuses pour les enfants[71]. »

A mesure que l'accumulation du capital s'accélère dans une ville industrielle ou commerciale, et qu'y afflue le matériel humain exploitable, les logements improvisés des travailleurs empirent. Newcastle-on-Tyne, centre d'un district dont les mines de charbon et les carrières s'exploitent toujours plus en grand, vient immédiatement après Londres sur l'échelle des habitations infernales. Il ne s'y trouve pas moins de trente-quatre mille individus qui habitent en chambrées. La police y a fait démolir récemment, ainsi qu'à Gateshead, un grand nombre de maisons pour cause de danger public. La construction des maisons nouvelles marche très lentement, mais les affaires vont très vite. Aussi la ville était-elle en 1865 bien plus encombrée qu'auparavant. A peine s'y trouvait-il une seule chambre à louer. « Il est hors de doute, dit le docteur Embleton, médecin de l'hôpital des fiévreux de Newcastle, que la durée et l'expansion du typhus n'ont pas d'autre cause que l'entassement de tant d'êtres humains dans des logements malpropres. Les maisons où demeurent ordinairement les ouvriers sont situées dans des impasses ou des cours fermées. Au point de vue de la lumière, de l'air, de l'espace et de la propreté, rien de plus défectueux et de plus insalubre; c'est une honte pour tout pays civilisé. Hommes, femmes et enfants, y couchent la nuit pêle-mêle. A l'égard des hommes, la série de nuit y succède à la série de jour sans interruption, si bien que les lits n'ont pas même le temps de refroidir. Manque d'eau, absence presque complète de latrines, pas de ventilation, une puanteur et une peste[72]. » Le prix de location de tels bouges est de huit pence à trois shillings par semaine. « Newcastle-upon-Tyne, dit le docteur Hunter, nous offre l'exemple d'une des plus belles races de nos compatriotes tombée dans une dégradation presque sauvage, sous l'influence de ces circonstances purement externes, l'habitation et la rue[73]. »

Suivant le flux et le reflux du capital et du travail, l'état des logements dans une ville industrielle peut être aujourd'hui supportable et demain abominable. Si l'édilité s'est enfin décidée à faire un effort pour écarter les abus les plus criants, voilà qu'un essaim de sauterelles, un troupeau d'Irlandais déguenillés ou de pauvres travailleurs agricoles anglais, fait subitement invasion. On les amoncelle dans des caves et des greniers, ou bien on transforme la ci-devant respectable maison du travailleur en une sorte de camp volant dont le personnel se renouvelle sans cesse. Exemple : Bradford. Le Philistin municipal y était justement occupé de réformes urbaines; il s'y trouvait en outre, en 1861, mille sept cent cinquante et une maisons inhabitées: mais soudain les affaires se mettent à prendre cette bonne tournure dont le doux, le libéral et négrophile M. Forster a tout récemment caqueté avec tant de grâce : alors, naturellement, avec la reprise des affaires, débordement des vagues sans cesse mouvantes de « l'armée de réserve », de la surpopulation relative. Des travailleurs, la plupart bien payés, sont contraints d'habiter les caves et les chambres horribles décrites dans la note ci-dessous[74], qui contient une liste transmise au docteur Hunter par l'agent d'une société d'asssurances. Ils se déclarent tout prêts à prendre de meilleurs logements, s'il s'en trouvait; en attendant la dégradation va son train, et la maladie les enlève l'un après l'autre. Et, pendant ce temps, le doux, le libéral M. Forster célèbre, avec des larmes d'attendrissement, les immenses bienfaits de la liberté commerciale, du *laisser faire laisser passer*, et aussi les immenses bénéfices de ces fortes têtes de Bradford qui s'adonnent à l'étude de la laine longue.

Dans son rapport du 5 septembre 1865, le docteur Bell, un des médecins des pauvres de Bradford, attribue, lui aussi, la terrible mortalité parmi les malades de son district atteints de fièvres, à l'influence horriblement malsaine des logements qu'ils habitent. « Dans une cave de mille cinq cents pieds cubes dix personnes logent ensemble... Vincent street, Green Air Place et les Leys, contiennent deux cent vingt-trois maisons avec mille quatre cent cinquante habitants, quatre cent trente-cinq lits et trente-six lieux d'aisances... Les lits, et j'entends par là le premier amas venu de sales guenilles ou de copeaux, servent chacun à trois trois personnes en moyenne, et quelques-uns à quatre et six personnes. Beaucoup dorment sans lit étendus tout habillés sur le plancher nu, hommes et femmes, mariés et non mariés, pêle-mêle. Est-il besoin d'ajouter que ces habitations sont des antres infects, obscurs et humides, tout à fait impropres à abriter un être humain ? Ce sont les foyers d'où partent la maladie et la mort pour chercher des victimes même chez les gens de bonne condition (of good circumstances), qui ont permis à ces ulcères pestilentiels de suppurer au milieu de nous[75]. »

Dans cette classification des villes d'après le nombre et l'horreur de leurs bouges, Bristol occupe le troisième rang. « Ici, dans une des villes les plus riches de l'Europe, la pauvreté réduite au plus extrême dénuement (blank poverty) surabonde, ainsi que la misère domestique[76]. »

c) *La population nomade. — Les mineurs.*

Les nomades du prolétariat se recrutent dans les campagnes, mais leurs occupations sont en grande partie industrielles. C'est l'infanterie légère du capital, jetée suivant les besoins du moment, tantôt sur un point du pays, tantôt sur un autre. Quand elle n'est pas en marche, elle campe. On l'emploie à la bâtisse, aux opérations de drainage, à la fabrication de la brique, à la cuite de la chaux, à la construction des chemins de fer, etc. Colonne mobile de la pestilence, elle sème sur sa route, dans les endroits où elle assoit son camp et alentour, la petite vérole, le typhus, le choléra, la fièvre scarlatine, etc.[77]. Quand des entreprises, telles que la construction des chemins de fer, etc., exigent une forte avance de capital, c'est généralement l'entrepreneur qui fournit à son armée des baraques en planches ou des logements analogues, villages improvisés sans aucunes mesures de salubrité, en dehors de la surveillance des autorités locales, mais sources de gros profits pour monsieur l'entrepreneur, qui exploite ses ouvriers et comme soldats de l'industrie et comme locataires. Suivant que la baraque contient un, deux ou trois trous, l'habitant, terrassier, maçon, etc., doit payer par semaine un, deux, trois shillings[78]. Un seul exemple suffira : En septembre 1864, rapporte le docteur Simon, le président du *Nuisance Removal Committee* de la paroisse de Sevenoaks dénonça au ministre de l'Intérieur, Sir George Grey, les faits suivants :

« Dans cette paroisse, la petite vérole était encore, il y a un an, à peu près inconnue. Un peu avant cette époque, on commença à percer une voie ferrée de Lewisham à Tunbridge. Outre que le gros de l'ouvrage s'exécuta dans le voisinage immédiat de cette ville, on y installa aussi le dépôt central de toute la construction. Comme le grand nombre des individus ainsi occupés ne permettait pas de les loger tous dans des cottages, l'entrepreneur, M. Jay, afin de mettre ses ouvriers à l'abri, fit construire sur différents points, le long de la voie, des baraques dépourvues de ventilation et d'égouts, et de plus nécessairement encombrées, car chaque locataire était obligé d'en recevoir d'autres chez lui, si nombreuse que fût sa propre famille et bien que chaque hutte n'eût que deux chambres. D'après le rapport médical qu'on nous adresse, il résulta de tout ceci que ces pauvres gens, pour échapper aux exhalaisons pestilentielles des eaux croupissantes et des latrines situées sous leurs fenêtres, avaient à subir pendant la nuit tous les tourments de la suffocation. Des plaintes furent enfin portées devant notre comité par un médecin qui avait eu l'occasion de visiter ces taudis. Il s'exprima en termes amers sur l'état de ces soi-disant habitations, et donna à entendre qu'il y avait à craindre les conséquences les plus funestes, si quelques mesures de salubrité n'étaient pas prises sur-le-champ. Il y a un an environ, M. Jay s'engagea à faire préparer une maison où les gens qu'il occupe devaient passer aussitôt qu'ils seraient atteints de maladie contagieuse. Il a renouvelé sa promesse vers la fin du mois de juillet dernier, mais il n'a rien fait, bien que depuis lors on ait eu à constater plusieurs cas de petite vérole dans les cabanes mêmes qu'il me décrivit comme étant dans des conditions effroyables. Pour votre information (celle du ministre) je dois ajouter que notre paroisse possède une maison isolée, dite la maison des pestiférés (pest-house), où les habitants atteints de maladies contagieuses reçoivent des soins. Cette maison est depuis des mois encombrée de malades. Dans une même famille, cinq enfants sont morts de la petite vérole et de la fièvre. Depuis le 1er avril jusqu'au 1er septembre de cette année, il n'y a pas eu moins de dix cas de morts de la petite vérole, quatre dans les susdites cabanes, le foyer de la contagion. On ne saurait indiquer le chiffre des cas de maladie, parce que les familles qui en sont affligées font tout leur possible pour les cacher[79]. »

Les houilleurs et les autres ouvriers des mines appartiennent aux catégories les mieux payées de la classe ouvrière anglaise. A quel prix ils achètent leur salaire, on l'a vu précédemment [80]. Mais ici nous ne considérons leur situation que sous le rapport de l'habitation. En général, l'exploiteur de la mine, qu'il en soit le propriétaire ou le locataire, fait construire un certain nombre de cottages pour ses ouvriers. Ceux-ci reçoivent en outre du charbon gratis, c'est-à-dire qu'une partie de leur salaire leur est payée en charbon et non en argent. Les autres, qu'on ne peut loger de cette façon, obtiennent en compensation quatre livres sterling par an.

Les districts des mines attirent rapidement une grande population composée des ouvriers mineurs et des artisans, débitants, etc., qui se groupent autour d'eux. Là, comme partout où la population est très dense, la rente foncière est très élevée. L'entrepreneur cherche donc à établir à l'ouverture des mines, sur l'emplacement le plus étroit possible, juste autant de cottages qu'il en faut pour parquer les ouvriers et leurs familles. Quand on ouvre, aux environs, des mines nouvelles, ou que l'on reprend l'exploitation des anciennes, la presse devient naturellement extrême. Un seul motif préside à la construction de ces cottages, « l'abstinence » du capitaliste, son aversion pour toute dépense d'argent comptant qui n'est pas de rigueur.

« Les habitations des mineurs et des centres ouvriers que l'on voit dans les mines de Northumberland et de Durham, dit le docteur Julian Hunter, sont peut-être en moyenne ce que l'Angleterre présente, sur une grande échelle, de pire et de plus cher en ce genre, à l'exception cependant des districts semblables dans le Monmouthshire. Le mal est là à son comble, à cause du grand nombre d'hommes entassés dans une seule chambre, de l'emplacement étroit où l'on a empilé un amas de maisons, du manque d'eau, de l'absence de latrines et de la méthode fréquemment employée, qui consiste à bâtir les maisons les unes sur les autres ou à les bâtir en *flats* (de manière que les différents cottages forment des étages superposés verticalement). L'entrepreneur traite toute la colonie comme si, au lieu de résider, elle ne faisait que camper[81]. » « En vertu de mes instructions, dit le docteur Stevens, j'ai visité la plupart des villages miniers de l'union Durham... On peut dire de tous, à peu d'exceptions près, que tous les moyens de protéger la santé des habitants y sont négligés... Les ouvriers des mines sont liés (*bound*, expression qui de même que *bondage* date de l'époque du servage), sont liés pour douze mois au fermier de la mine (le *lessee*) ou au propriétaire. Quand ils se permettent de manifester leur mécontentement ou d'importuner d'une façon quelconque l'inspecteur *(vie-wer)*, celui-ci met à côté de leur nom une marque ou une note sur son livre, et à la fin de l'année leur engagement n'est pas renouvelé... A mon avis, de toutes les applications du système du troc (payement du salaire en marchandises), il n'en est pas de plus horrible que celle qui règne dans ces districts si peuplés. Le travailleur y est forcé d'accepter, comme partie de son salaire, un logis entouré d'exhalaisons pestilentielles. Il ne peut pas faire ses propres affaires comme il l'entend; il est à l'état de serf sous tous les rapports *(he is to all intents and purposes a serf)*. Il n'est pas certain, paraît-il, qu'il puisse en cas de besoin s'adresser à personne autre que son propriétaire : or celui-ci consulte avant tout sa balance de compte, et le résultat est à peu près infaillible. Le travailleur reçoit du propriétaire son approvisionnement d'eau. Bonne ou mauvaise, fournie ou suspendue, il faut qu'il la paie, ou, pour mieux dire, qu'il subisse une déduction sur son salaire[82]. »

En cas de conflits avec « l'opinion publique » ou même avec la police sanitaire, le capital ne se gêne nullement de « justifier » les conditions, les unes dangereuses et les autres dégradantes, auxquelles il astreint l'ouvrier, faisant valoir que tout cela est indispensable pour enfler la recette. C'est ainsi que nous l'avons vu « s'abstenir » de toute mesure de protection contre les dangers des machines dans les fabriques, de tout appareil de ventilation et de sûreté dans les mines, etc. Il en est de même à l'égard du logement des mineurs. « Afin d'excuser », dit le docteur Simon, le délégué médical du Conseil privé, dans son rapport officiel, « afin d'excuser la pitoyable organisation des logements, on allègue que les mines sont ordinairement exploitées à bail, et que la durée du contrat (vingt et un ans en général dans les houillères) est trop courte, pour que le fermier juge qu'il vaille la peine de ménager des habitations convenables pour la population ouvrière et les diverses professions que l'entreprise attire. Et lors même, dit-on, que l'entrepreneur aurait l'intention d'agir libéralement en ce sens, sa bonne volonté échouerait devant les prétentions du propriétaire foncier. Celui-ci, à ce qu'il paraît, viendrait aussitôt exiger un surcroît de rente exorbitant, pour le privilège de construire à la surface du sol qui lui appartient un village décent et confortable, servant d'abri aux travailleurs qui font valoir sa propriété souterraine. On ajoute que ce prix prohibitoire, là où il n'y a pas prohibition directe, rebute aussi les spéculateurs en bâtiments... Je ne veux ni examiner la valeur de cette justification ni rechercher sur qui tomberait en définitive le surcroît de dépense, sur le propriétaire foncier, le fermier des mines, les travailleurs ou le public... Mais, en présence des faits outrageux révélés par les rapports ci-joints (ceux des docteurs Hunter, Stevens, etc.), il faut nécessairement trouver un remède... C'est ainsi que des titres de propriété servent à commettre une grande injustice publique. En sa qualité de possesseur de mines, le propriétaire foncier engage une colonie industrielle à venir travailler sur ses domaines; puis, en sa qualité de propriétaire de la surface du sol, il enlève aux travailleurs qu'il a réunis toute possibilité de pourvoir à leur besoin d'habitation. Le fermier des mines (l'exploiteur capitaliste) n'a aucun intérêt pécuniaire à s'opposer à ce marché ambigu. S'il sait fort bien apprécier l'outrecuidance de telles prétentions, il sait aussi que les conséquences n'en retombent pas sur lui, mais sur les travailleurs, que ces derniers sont trop peu instruits pour connaître leurs droits à la santé, et enfin que les habitations les plus ignobles, l'eau à boire la plus corrompue, ne fourniront jamais prétexte à une grève[83]. »

d) *Effet des crises sur la partie la mieux payée de la classe ouvrière.*

Avant de passer aux ouvriers agricoles, il convient de montrer, par un exemple, comment les crises affectent même la partie la mieux payée de la classe ouvrière, son aristocratie.

On sait qu'en 1857 il éclata une de ces crises générales auxquelles le cycle industriel aboutit périodiquement. Son terme suivant échut en 1866. Cette fois la crise revêtit un caractère essentiellement financier, ayant déjà été escomptée en partie dans les districts manufacturiers, à l'occasion de la disette de coton qui rejeta une masse de capitaux de leur sphère de placement ordinaire sur les grands centres du marché monétaire. Son début fut signalé à Londres, en mai 1866, par la faillite d'une banque gigantesque, suivie de l'écroulement général d'une foule innombrable de sociétés financières véreuses. Une des branches de la grande industrie, particulièrement atteinte à Londres par la catastrophe, fut celle des constructeurs de navires cuirassés. Les gros bonnets de la partie avaient non seulement poussé la production à outrance pendant la période de haute prospérité, mais ils s'étaient aussi engagés à des livraisons énormes, dans l'espoir que la source du crédit ne tarirait pas de si tôt. Une réaction terrible eut lieu, réaction que subissent, à cette heure encore, fin mars 1867, de nombreuses industries[84]. Quant à la situation des travailleurs, on peut en juger par le passage suivant, emprunté au rapport très circonstancié d'un correspondant du *Morning Star* qui, au commencement de janvier 1867, visita les principales localités en souffrance.

« A l'est de Londres, dans les districts de Poplar, Milwall, Greenwich, Deptford, Limehouse et Canning Town, quinze mille travailleurs au moins, parmi lesquels plus de trois mille ouvriers de métier, se trouvent avec leurs familles littéralement aux abois. Un chômage de six à huit mois a épuisé leurs fonds de réserve... C'est à grand-peine que j'ai pu m'avancer jusqu'à la porte du Workhouse de Poplar qu'assiégeait une foule affamée. Elle attendait des bons de pain, mais l'heure de la distribution n'était pas encore arrivée. La cour forme un grand carré avec un auvent qui court tout autour de ses murs. Les pavés du milieu étaient couverts d'épais monceaux de neige, mais l'on y distinguait certains petits espaces entourés d'un treillage d'osier, comme des parcs à moutons, où les hommes travaillent quand le temps le permet. Le jour de ma visite, ces parcs étaient tellement encombrés de neige, que personne ne pouvait s'y asseoir. Les hommes étaient occupés, sous le couvert de la saillie du toit, à macadamiser des pavés. Chacun d'eux avait pour siège un pavé épais et frappait avec un lourd marteau sur le granit, recouvert de givre, jusqu'à ce qu'il en eût concassé cinq boisseaux. Sa journée était alors terminée, il recevait trois pence (30 centimes) et un bon de pain. Dans une partie de la cour se trouvait une petite cabane sordide et délabrée. En ouvrant la porte, nous la trouvâmes remplie d'hommes pressés les uns contre les autres, épaule contre épaule, pour se réchauffer. Ils effilaient des câbles de navire et luttaient à qui travaillerait le plus longtemps avec le minimum de nourriture, mettant leur point d'honneur dans la persévérance. Ce seul Workhouse fournit des secours à sept mille personnes, et beaucoup parmi ces ouvriers, il y a six ou huit mois, gagnaient les plus hauts salaires du pays. Leur nombre eût été double, si ce n'était que certains travailleurs, leur réserve d'argent une fois épuisée, refusent néanmoins tout secours de la paroisse, aussi longtemps qu'ils ont quelque chose à mettre en gage... En quittant le Workhouse, je fis une promenade dans les rues, entre les rangées de maisons à un étage, si nombreuses à Poplar. Mon guide était membre du Comité pour les ouvriers sans travail. La première maison où nous entrâmes était celle d'un ouvrier en fer, en chômage depuis vingt-sept semaines. Je le trouvai assis dans une chambre de derrière avec toute sa famille. La chambre n'était pas tout à fait dégarnie de meubles et il y avait un peu de feu; c'était de toute nécessité, par une journée de froid terrible, afin d'empêcher les pieds nus des jeunes enfants de se geler. Il y avait devant le feu, sur un plat, une certaine quantité d'étoupe que les femmes et les enfants devaient effiler en échange du pain fourni par le Workhouse. L'homme travaillait dans une des cours décrites ci-dessus, pour un bon de pain et trois pence par jour. Il venait d'arriver chez lui, afin d'y prendre son repas du midi, très affamé, comme il nous le dit avec un sourire amer, et ce repas consistait en quelques tranches de pain avec du saindoux et une tasse de thé sans lait. La seconde porte à laquelle nous frappâmes fut ouverte par une femme entre deux âges, qui, sans souffler mot, nous conduisit dans une petite chambre sur le derrière, où se trouvait toute sa famille, silencieuse et les yeux fixés sur un feu près de s'éteindre. Il y avait autour de ces gens et de leur petite chambre un air de solitude et de désespoir à me faire souhaiter de ne jamais revoir pareille scène... « Ils n'ont rien gagné, Monsieur », dit la femme en montrant ses jeunes garçons, « rien depuis vingt-six semaines, et tout notre argent est parti, tout l'argent que le père et moi nous avions mis de côté dans des temps meilleurs, avec le vain espoir de nous assurer une réserve pour les jours mauvais. Voyez! » s'écria-t-elle d'un accent presque sauvage, et en même temps elle nous montrait un livret de banque où étaient indiquées régulièrement toutes les sommes successivement versées, puis retirées, si bien que nous pûmes constater comment le petit pécule, après avoir commencé par un dépôt de cinq shillings, puis avoir grossi peu à peu jusqu'à vingt livres sterling, s'était fondu ensuite de livres en shillings et de shillings en pence, jusqu'à ce que le livret fût réduit à n'avoir pas plus de valeur qu'un morceau de papier blanc. Cette famille recevait chaque jour un maigre repas du Workhouse... Nous visitâmes enfin la femme d'un Irlandais qui avait travaillé au chantier de construction maritime. Nous la trouvâmes malade d'inanition, étendue tout habillée sur un matelas et à peine couverte d'un lambeau de tapis, car toute la literie était au mont-de-piété. Ses malheureux enfants la soignaient et paraissaient avoir bien besoin, à leur tour, des soins maternels. Dix-neuf semaines d'oisiveté forcée l'avaient réduite à cet état, et pendant qu'elle nous racontait l'histoire du passé désastreux, elle sanglotait comme si elle eût perdu tout espoir d'un avenir meilleur. A notre sortie de cette maison, un jeune homme courut vers nous et nous pria d'entrer dans son logis pour voir si l'on ne pourrait rien faire en sa faveur. Une jeune femme, deux jolis enfants, un paquet de reconnaissances du mont-de-piété et une chambre entièrement nue, voilà tout ce qu'il avait à nous montrer[85]. »

e) *Le prolétariat agricole anglais.*

Le caractère antagonique de l'accumulation capitaliste ne s'affirme nulle part plus brutalement que dans le mouvement progressif de l'agriculture anglaise et le mouvement rétrograde des cultivateurs anglais. Avant d'examiner leur situation actuelle, il nous faut jeter un regard en arrière. L'agriculture moderne date en Angleterre du milieu du siècle dernier, quoique les bouleversements survenus dans la constitution de la propriété foncière, qui devaient servir de base au nouveau mode de production, remontent à une époque beaucoup plus reculée.

Les renseignements fournis par Arthur Young, penseur superficiel, mais observateur exact, prouvent incontestablement que l'ouvrier agricole de 1771 était un bien piteux personnage comparé à son devancier de la fin du XIVe siècle, « lequel pouvait vivre dans l'abondance et accumuler de la richesse[86] », pour ne pas parler du XVe siècle, « l'âge d'or du travailleur anglais et à la ville et à la campagne ». Nous n'avons pas besoin cependant de remonter si loin. On lit dans un écrit remarquable publié en 1777 : « Le gros fermier s'est presque élevé au niveau du gentleman, tandis que le pauvre ouvrier des champs est foulé aux pieds... Pour juger de son malheureux état, il suffit de comparer sa position d'aujourd'hui avec celle qu'il avait il y a quarante ans... Propriétaire foncier et fermier se prêtent mutuellement main-forte pour opprimer le travailleur[87]. » Il y est ensuite prouvé en détail que de 1737 à 1777 dans les campagnes le salaire réel est tombé d'environ un quart ou vingt-cinq pour cent. « La politique moderne, dit Richard Price, favorise les classes supérieures du peuple; la conséquence sera que tôt ou tard le royaume entier se composera de gentlemen et de mendiants, de magnats et d'esclaves[88]. »

Néanmoins la condition du travailleur agricole anglais de 1770 à 1780, à l'égard du logement et de la nourriture aussi bien que de la dignité et des divertissements, etc., reste un idéal qui n'a jamais été atteint depuis. Son salaire moyen exprimé en pintes de froment se montait de 1770 à 1771 à quatre-vingt-dix; à l'époque d'Eden (1797), il n'était plus que de soixante-cinq, et en 1808 que de soixante[89].

Nous avons indiqué la situation du travailleur agricole à la fin de la guerre antijacobine (*antijacobin war*, tel est le nom donné par William Cobbet à la guerre contre la Révolution française), pendant laquelle seigneurs terriens, fermiers, fabricants, commerçants, banquiers, loups-cerviers, fournisseurs, etc., s'étaient extraordinairement enrichis. Le salaire nominal s'éleva, en conséquence soit de la dépréciation des billets de banque, soit d'un enchérissement des subsistances les plus nécessaires indépendant de cette dépréciation. Son mouvement réel peut être constaté d'une manière fort simple, sans entrer dans des détails fastidieux. La loi des pauvres et son administration étaient, en 1814, les mêmes qu'en 1795. Or, nous avons vu comment cette loi s'exécutait dans les campagnes : c'était la paroisse qui, sous forme d'aumône, parfaisait la différence entre le salaire nominal du travail et la somme minima indispensable au travailleur pour végéter. La proportion entre le salaire payé par le fermier et le supplément ajouté par la paroisse nous montre deux choses, premièrement : de combien le salaire était au-dessous de son minimum, secondement : à quel degré le travailleur agricole était transformé en serf de sa paroisse. Prenons pour exemple un comté qui représente la moyenne de cette proportion dans tous les autres comtés. En 1795 le salaire hebdomadaire moyen était à Northampton de sept shillings six pence, la dépense totale annuelle d'une famille de six personnes de trente-six livres sterling douze shillings cinq pence, sa recette totale de vingt-neuf livres sterling dix-huit shillings, le complément fourni par la paroisse de six livres sterling quatorze shillings cinq pence. Dans le même comté le salaire hebdomadaire était en 1814 de douze shillings deux pence, la dépense totale annuelle d'une famille de cinq personnes de cinquante-quatre livres sterling dix-huit shillings quatre pence; sa recette totale de trente-six livres sterling deux shillings, le complément fourni par la paroisse de dix-huit livres sterling six shillings quatre pence[90]. En 1795 le complément n'atteignait pas le quart du salaire, en 1814 il en dépassait la moitié. Il est clair que dans ces circonstances le faible confort qu'Eden signale encore dans le cottage de l'ouvrier agricole avait alors tout à fait disparu[91]. De tous les animaux qu'entretient le fermier, le travailleur, l'*instrumentum vocale*, restera désormais le plus mal nourri et le plus mal traité.

Les choses continuèrent paisiblement en cet état jusqu'à ce que « les émeutes de 1830 vinssent nous avertir (nous, les classes gouvernantes), à la lueur des meules de blé incendiées, que la misère et un sombre mécontentement, tout prêt à éclater, bouillonnaient aussi furieusement sous la surface de l'Angleterre agricole que de l'Angleterre industrielle[92] ». Alors, dans la Chambre des communes, Sadler baptisera les ouvriers des campagnes du nom « d'esclaves blancs » (white slaves), et un évêque répétera le mot dans la Chambre haute. « Le travailleur agricole du sud de l'Angleterre, dit l'économiste le plus remarquable de cette période, E. G. Wakefield, n'est ni un esclave, ni un homme libre : c'est un *pauper*[93]. »

A la veille de l'abrogation des lois sur les céréales, la lutte des partis intéressés vint jeter un nouveau jour sur la situation des ouvriers agricoles. D'une part les agitateurs abolitionnistes faisaient appel aux sympathies populaires, en démontrant par des faits et des chiffres que ces lois de protection n'avaient jamais protégé le producteur réel. D'autre part la bourgeoisie industrielle écumait de rage quand les aristocrates fonciers venaient dénoncer l'état des fabriques, que ces oisifs, cœurs secs, corrompus jusqu'à la moelle, faisaient parade de leur profonde sympathie pour les souffrances des ouvriers de fabrique, et réclamaient à hauts cris l'intervention de la législature. Quand deux larrons se prennent aux cheveux, dit un vieux proverbe anglais, l'honnête homme y gagne toujours. Et de fait, la dispute bruyante, passionnée, des deux fractions de la classe dominante, sur la question de savoir laquelle des deux exploitait le travailleur avec le moins de vergogne, aida puissamment à révéler la vérité.

L'aristocratie terrienne avait pour général en chef dans sa campagne philanthropique contre les fabricants le comte de Shaftesbury (ci-devant Lord Ashley). Aussi fut-il le principal point de mire des révélations que le *Morning Chronicle* publiait de 1844 à 1845. Cette feuille, le plus important des organes libéraux d'alors, envoya dans les districts ruraux des correspondants qui, loin de se contenter d'une description et d'une statistique générales, désignèrent nominalement les familles ouvrières visitées et leurs propriétaires. La liste suivante spécifie les salaires payés dans trois villages, aux environs de Blandford, Wimbourne et Poole, villages appartenant à M. G. Bankes et au comte de Shaftesbury. On remarquera que ce pontife de la basse église (low church), ce chef des piétistes anglais empoche, tout comme son compère Bankes, sous forme de loyer, une forte portion du maigre salaire qu'il est censé octroyer à ses cultivateurs.

PREMIER VILLAGE[94]

a) Enfants.	*b*) Nombre des membres de la famille.	*c*) Salaire des hommes par semaine.	*d*) Salaire des enfants par semaine.	*e*) Recette hebdomadaire de toute la famille.
2	4	8 sh.		8 sh.
3	5	8 sh.		8 sh.
2	4	8 sh.		8 sh.
2	4	8 sh.		8 sh.
6	8	7 sh.	1 sh. 6 d.	10 sh. 6 d.
3	5	7 sh.	1 sh. 2 d.	10 sh. 2 d.

f) Loyer de la semaine.	*g*) Salaire total après déduction du loyer.	*h*) Salaire par semaine et par tête.
2 sh.	6 sh.	1 sh. 6 d.
1 sh. 6 d.	6 sh. 6 d.	1 sh. 3 ½ d.
1 sh.	7 sh.	1 sh. 9 d.
1 sh.	7 sh.	1 sh. 9 d.
2 sh.	8 sh. 6 d.	1 sh. 0 ¾ d.
1 sh. 4 d.	6 sh. 10 d.	1 sh. ½ d.

DEUXIÈME VILLAGE

a) Enfants.	*b*) Nombre des membres de la famille.	*c*) Salaire des hommes par semaine.	*d*) Salaire des enfants par semaine.	*e*) Recette hebdomadaire de toute la famille.
6	8	7 sh.	1 sh. 6 d.	10 sh.
6	8	7 sh.	1 sh. 6 d.	7 sh.
8	10	7 sh.		7 sh.
4	6	7 sh.		7 sh.
3	5	7 sh.		7 sh.

f) Loyer de la semaine.	g) Salaire total après déduction du loyer.	h) Salaire par semaine et par tête.
1 sh. 6 d.	8 sh. 6 d.	1 sh. 0 ¾ d.
1 sh. 3 ½ d.	5 sh. 8 ½ d.	1 sh. 8 ½ d.
1 sh. 3 ½ d.	5 sh. 8 ½ d.	1 sh. 7 d.
1 sh. 6 ½ d.	5 sh. 5 ½ d.	1 sh. 11 d.
1 sh. 6 ½ d.	5 sh. 5 ½ d.	1 sh. 1 d.

TROISIÈME VILLAGE

a) Enfants.	b) Nombre des membres de la famille.	c) Salaire des hommes par semaine.	d) Salaire des enfants par semaine.	e) Recette hebdomadaire de toute la famille.
4	6	7 sh.		7 sh.
3	5	7 sh.	1 sh. 2 d.	11 sh. 6 d.
0	2	5 sh.	1 sh. 6 d.	5 sh.

f) Loyer de la semaine.	g) Salaire total après déduction du loyer.	h) Salaire par semaine et par tête.
1 sh.	6 sh.	1 sh.
0 sh. 10 d.	10 sh. 8 d.	2 sh. 2 ½ d.
1 sh.	4 sh.	2 sh.

L'abrogation des lois sur les céréales donna à l'agriculture anglaise une nouvelle et merveilleuse impulsion. Drainage tout à fait en grand[95], nouvelles méthodes pour nourrir le bétail dans les étables et pour cultiver les prairies artificielles, introduction d'appareils mécaniques pour la fumure des terres, manipulation perfectionnée du sol argileux, usage plus fréquent des engrais minéraux, emploi de la charrue à vapeur et de toutes sortes de nouvelles machines-outils, etc., en général, culture intensifiée, voilà ce qui caractérise cette époque. Le président de la Société royale d'agriculture, M. Pusey, affirme que l'introduction des machines a fait diminuer de près de moitié les frais (relatifs) d'exploitation. D'un autre côté, le rendement positif du sol s'éleva rapidement. La condition essentielle du nouveau système était un plus grand déboursé de capital, entraînant nécessairement une concentration plus rapide des fermes[96]. En même temps, la superficie des terres mises en culture augmenta, de 1846 à 1865, d'environ quatre cent soixante-quatre mille cent dix-neuf acres, sans parler des grandes plaines des comtés de l'est, dont les garennes et les maigres pâturages furent transformés en magnifiques champs de blé. Nous savons déjà que le nombre total des personnes employées dans l'agriculture diminua dans la même période. Le nombre des cultivateurs proprement dits, des deux sexes et de tout âge, tomba, de 1851 à 1861, de un million deux cent quarante et un mille deux cent soixante-neuf à un million cent soixante-trois mille deux cent vingt-sept[97]. Si donc le Registrar général fait très justement remarquer que « l'accroissement du nombre des fermiers et des ouvriers de campagne depuis 1801 n'est pas le moins du monde en rapport avec l'accroissement du produit agricole[98] », cette disproportion se constate encore bien davantage dans la période de 1846 à 1866. Là, en effet, la dépopulation des campagnes a suivi pas à pas l'extension et l'intensification de la culture, l'accumulation inouïe du capital incorporé au sol et de celui consacré à son exploitation, l'augmentation des produits, sans précédent dans l'histoire de l'agronomie anglaise, l'accroissement des rentes dévolues aux propriétaires fonciers et celui des profits réalisés par les fermiers capitalistes. Si l'on songe que tout cela coïncidait avec le développement rapide et continu des débouchés urbains et le règne du libre-échange, le travailleur agricole, *post tot discrimina rerum*, se trouva évidemment placé dans des conditions qui devaient enfin, *secundum artem*, selon la formule, le rendre fou de bonheur.

Le professeur Rogers trouve, en définitive, que, comparé à son prédécesseur de la période de 1770 à 1780, pour ne rien dire de celle qui commence au dernier tiers du XIVe siècle et se termine au dernier tiers du XVe, le travailleur agricole anglais d'aujourd'hui est dans un état pitoyable, « qu'il est redevenu serf », à vrai dire, serf mal nourri et mal logé[99]. D'après le rapport du docteur Julien Hunter sur les conditions d'habitation des ouvriers ruraux, rapport qui a fait époque, « les frais d'entretien du *hind* (nom donné au paysan aux temps féodaux) ne sont point calculés sur le profit qu'il s'agit de tirer de lui. Dans les supputations du fermier il représente le zéro[100]. Ses moyens de subsistance sont toujours traités comme une quantité fixe[101] ». « Quant à une réduction ultérieure du peu qu'il reçoit, il peut dire : *nihil habeo, nihil curo*, « rien n'ai, rien ne me chaut ». Il n'a aucune appréhension de l'avenir, parce qu'il ne dispose de rien en dehors de ce qui est absolument indispensable à son existence. Il a atteint le point de congélation qui sert de base aux calculs du fermier. Advienne que pourra, heur ou malheur, il n'y a point part[102]. »

Une enquête officielle eut lieu, en 1863, sur l'alimentation et le travail des condamnés soit à la transportation, soit au travail forcé. Les résultats en sont consignés dans deux livres bleus volumineux. « Une comparaison faite avec soin », y est-il dit entre autres, « entre l'ordinaire des criminels dans les prisons d'Angleterre d'une part, et celui des pauvres dans les Workhouses et des travailleurs agricoles libres du même pays d'autre part, prouve jusqu'à l'évidence que les premiers sont beaucoup mieux nourris qu'aucune des deux autres catégories[103], tandis que « la masse du travail exigée d'un condamné au travail forcé ne s'élève guère qu'à la moitié de celle qu'exécute le travailleur agricole ordinaire[104]. » Citons à l'appui quelques détails caractéristiques, extraits de la déposition d'un témoin : *Déposition de John Smith*, directeur de la prison d'Edimbourg. Nr. 5056 : « L'ordinaire des prisons anglaises est bien meilleur que celui de la généralité des ouvriers agricoles. » Nr. 5075 : « C'est un fait certain qu'en Ecosse les travailleurs agricoles ne mangent presque jamais de viande. » Nr. 3047 : « Connaissez-vous une raison quelconque qui explique la nécessité de nourrir les criminels beaucoup mieux (much better) que l'ouvrier de campagne ordinaire ? — Assurément non. » Nr. 3048 : « Pensez-vous qu'il convienne de faire de plus amples expériences, pour rapprocher le régime alimentaire des condamnés au travail forcé de celle du travailleur libre[105] ? » Ce qui veut dire : « L'ouvrier agricole pourrait tenir ce propos : Je travaille beaucoup et je n'ai pas assez à manger. Lorsque j'étais en prison, je travaillais moins et je mangeais tout mon soûl : il vaut donc mieux rester en prison qu'en liberté[106]. » Des tables annexes au premier volume du rapport nous avons tiré le tableau comparatif qui suit :

SOMME DE NOURRITURE HEBDOMADAIRE

	Eléments azotés.	Eléments non azotés.	Eléments minéraux.	Somme totale.
	Onces.	Onces.	Onces.	Onces.
Criminels de la prison de Portland	28,95	150,06	4,68	183,69
Matelots de la marine royale	29,63	152,91	4,52	187,06
Soldats	25,55	114,49	3,94	143,98
Ouvrier carrossier	24,53	162,06	4,23	190,82
Compositeur	21,24	100,83	3,12	125,19
Travailleur agricole	17,73	118,06	3,29	139,08

Le lecteur connaît déjà les conclusions de la Commission médicale d'enquête sur l'alimentation des classes mal nourries du peuple anglais. Il se souvient que, chez beaucoup de familles agricoles, l'ordinaire s'élève rarement à la ration indispensable « pour prévenir les maladies d'inanition ». Ceci s'applique surtout aux districts purement agricoles de Cornwall, Devon, Somerset, Dorset, Wilts, Stafford, Oxford, Berks et Herts. « La nourriture du cultivateur, dit le docteur Simon, dépasse la moyenne que nous avons indiquée, parce qu'il consomme une part supérieure à celle du reste de sa famille, et sans laquelle il serait incapable de travailler; il se réserve presque toute la viande ou le lard dans les districts les plus pauvres. La quantité de nourriture qui échoit à la femme et aux enfants dans l'âge de la croissance est, en beaucoup de cas, et à vraï dire dans presque tous les comtés, insuffisante et surtout pauvre en azote[107]. Les valets et les servantes, qui habitent chez les fermiers eux-mêmes, sont, au contraire, plantureusement nourris, mais leur nombre va diminuant. De deux cent quatre-vingt-huit mille deux cent soixante-dix-sept qu'il comptait en 1851 il était descendu à deux cent quatre mille neuf cent soixante-deux en 1861.

« Le travail des femmes en plein champ, dit le docteur Smith, quels qu'en soient les inconvénients inévitables, est, dans les circonstances présentes, d'un grand avantage pour la famille, parce qu'il lui procure les moyens de se chausser, de se vêtir, de payer son loyer et de se mieux nourrir[108]. »

Le fait le plus curieux que l'enquête ait relevé, c'est que parmi les travailleurs agricoles du Royaume-Uni celui de l'Angleterre est de beaucoup le plus mal nourri (considerably the worst fed). Voici l'analyse comparée de leurs régimes alimentaires :

CONSOMMATION HEBDOMADAIRE DE CARBONE ET D'AZOTE
par l'ouvrier rural en moyenne.

	Carbone	Azote
	grains	grains
Angleterre	40 673	1 594
Galles	48 354	2 031
Ecosse	48 980	2 348
Irlande	43 336	2 439[109]

« Chaque page du rapport du docteur Hunter », dit le docteur Simon dans son rapport officiel sur la santé, « atteste l'insuffisance numérique et l'état misérable des habitations de nos travailleurs agricoles. Et depuis nombre d'années leur situation à cet égard n'a fait qu'empirer. Il leur est maintenant bien plus difficile de trouver à se loger, et les logements qu'ils trouvent sont bien moins adaptés à leurs besoins, que ce n'était le cas depuis peut-être des siècles. Dans les vingt ou trente dernières années particulièrement, le mal a fait de grands progrès, et les conditions de domicile du paysan sont aujourd'hui lamentables au plus haut degré. Sauf les cas où ceux que son travail enrichit jugent que cela vaut bien la peine de le traiter avec une certaine indulgence, mêlée de compassion, il est absolument hors d'état de se tirer d'affaire. S'il parvient à trouver sur le sol qu'il cultive un abri-logis décent ou un toit à cochons, avec ou sans un de ces petits jardins qui allègent tant le poids de la pauvreté, cela ne dépend ni de son inclination personnelle, ni même de son aptitude à payer le prix qu'on lui demande, mais de la manière dont d'autres veulent bien exercer « leur droit » d'user de leur propriété comme bon leur semble. Si grande que soit une ferme, il n'existe pas de loi qui établisse qu'elle contiendra un certain nombre d'habitations pour les ouvriers, et que même ces habitations seront décentes. La loi ne réserve pas non plus à l'ouvrier le moindre droit sur ce sol, auquel son travail est aussi nécessaire que la pluie et le soleil... Une circonstance notoire fait encore fortement pencher la balance contre lui, c'est l'influence de la loi des pauvres et de ses dispositions[110] sur le domicile des pauvres et les charges qui reviennent aux paroisses. Il en résulte que chaque paroisse a un intérêt d'argent à limiter au minimum le nombre des ouvriers ruraux domiciliés chez elle, car, malheureusement, au lieu de garantir à ceux-ci et à leurs familles une indépendance assurée et permanente, le travail champêtre, si rude qu'il soit, les conduit, en général, par des acheminements plus ou moins rapides, au paupérisme; paupérisme toujours si imminent, que la moindre maladie ou le moindre manque passager d'occupation nécessite un appel immédiat à l'assistance paroissiale. La résidence d'une population d'agriculteurs dans une paroisse y fait donc évidemment augmenter la taxe des pauvres... Il suffit aux grands propriétaires fonciers[111] de décider qu'aucune habitation de travailleurs ne pourra être établie sur leurs domaines, pour qu'ils soient sur-le-champ affranchis de la moitié de leur responsabilité envers les pauvres. Jusqu'à quel point la loi et la constitution anglaises ont-elles eu pour but d'établir ce genre de propriété absolue, qui autorise le seigneur du sol à traiter les cultivateurs du sol comme des étrangers et à les chasser de son territoire, sous prétexte « de disposer de son bien comme il l'entend » ? c'est là une question que je n'ai pas à discuter... Cette puissance d'éviction n'est pas de la théorie pure; elle se réalise pratiquement sur la plus grande échelle; elle est une des circonstances qui dominent les conditions de logement du travailleur agricole... » Le dernier recensement permet de juger de l'étendue du mal; il démontre que dans les dix dernières années la destruction des maisons, malgré la demande toujours croissante d'habitations, a progressé en huit cent vingt et un districts de l'Angleterre.

En comparant l'année 1861 à l'année 1851, on trouvera qu'à part les individus forcés de résider en dehors des paroisses où ils travaillent, une population plus grande de cinq un tiers pour cent a été resserrée dans un espace plus petit de quatre et demi pour cent... « Dès que le progrès de la dépopulation a atteint le but », dit le docteur Hunter, « on obtient pour résultat un *show-village* (un village de parade), où les cottages sont réduits à un chiffre faible et où personne n'a le privilège de résider, hormis les bergers, les jardiniers, les gardes-chasses et autres gens de domesticité ordinairement bien traités par leurs bienveillants seigneurs[112]. Mais le sol a besoin d'être cultivé, et ses cultivateurs, loin de résider sur les domaines du propriétaire foncier, viennent d'un *village ouvert*, distant peut-être de trois milles, où ils ont été accueillis après la destruction de leurs cottages. Là où cette destruction se prépare, l'aspect misérable des cottages ne laisse pas de doute sur le destin auquel ils sont condamnés. On les trouve à tous les degrés naturels de délabrement. Tant que le bâtiment tient debout, le travailleur est admis à en payer le loyer et il est souvent bien content de ce privilège, même lorsqu'il lui faut y mettre le prix d'une bonne demeure. Jamais de réparations d'aucune sorte, à part celles que peut faire le pauvre locataire. La bicoque devient-elle à la fin tout à fait inhabitable, ce n'est qu'un cottage détruit de plus, et autant de moins à payer à l'avenir pour la taxe des pauvres. Tandis que les grands propriétaires s'affranchissent ainsi de la taxe en dépeuplant les terres qui leur appartiennent, les travailleurs, chassés par eux, sont accueillis par la localité ouverte ou la petite ville la plus proche; la plus proche, ai-je dit, mais ce « plus proche » peut signifier une distance de trois ou quatre milles de la ferme où le travailleur va peiner tous les jours. Outre la besogne qu'il fait journellement pour gagner son pain quotidien, il lui faut encore parcourir l'espace de six à huit milles, et cela n'est compté pour rien. Tout travail agricole accompli par sa femme et ses enfants subit les mêmes circonstances aggravantes. Et ce n'est pas là le seul mal que lui cause l'éloignement de son domicile, de son champ de travail : des spéculateurs achètent, dans les localités ouvertes, des lambeaux de terrain qu'ils couvrent de tanières de toute espèce, élevées au meilleur marché possible, entassées les unes sur les autres. Et c'est dans ces ignobles trous qui, même en pleine campagne, partagent les pires inconvénients des plus mauvaises habitations urbaines, que croupissent les ouvriers agricoles anglais[113]... » D'autre part, il ne faut pas s'imaginer que l'ouvrier qui demeure sur le terrain qu'il cultive y trouve le logement que mérite sa vie laborieuse. Même sur les domaines princiers son cottage est souvent des plus misérables. Combien de propriétaires qui estiment qu'une étable est assez bonne pour des familles ouvrières, et qui ne dédaignent pas de tirer de sa location le plus d'argent possible[114]. « Ou bien c'est une cabane en ruines avec une seule chambre à coucher, sans foyer, sans latrines, sans fenêtres, sans autre conduit d'eau que le fossé, sans jardin, — et le travailleur est sans défense contre ces iniquités. Nos lois de police sanitaire (les Nuisances Removal Acts) sont en outre lettre morte. Leur exécution est confiée précisément aux propriétaires qui louent des bouges de cette espèce... On ne doit pas se laisser éblouir par quelques exceptions et perdre de vue la prédominance écrasante de ces faits qui sont l'opprobre de la civilisation anglaise. L'état des choses doit être en réalité épouvantable, puisque, malgré la monstruosité évidente des logements actuels, des observateurs compétents sont tous arrivés au même résultat sur ce point, savoir, que leur insuffisance numérique constitue un mal infiniment plus grave encore. Depuis nombre d'années, non seulement les hommes qui font surtout cas de la santé, mais tous ceux qui tiennent à la décence et à la moralité de la vie, voyaient avec le chagrin le plus profond l'encombrement des habitations des ouvriers agricoles. Les rapporteurs chargés d'étudier la propagation des maladies épidémiques dans les districts ruraux n'ont jamais cessé, en phrases si uniformes qu'elles semblent stéréotypées, de dénoncer cet encombrement comme une des causes qui rendent vaine toute tentative faite pour arrêter la marche d'une épidémie une fois qu'elle est déclarée. Et mille et mille fois on a eu la preuve que, malgré l'influence favorable de la vie champêtre sur la santé, l'agglomération qui active à un si haut degré la propagation des maladies contagieuses ne contribue pas moins à faire naître les maladies ordinaires. Et les hommes qui ont dénoncé cet état de choses n'ont pas passé sous silence un mal plus grand. Alors même que leur tâche se bornait à examiner le côté sanitaire, ils se sont vus presque forcés d'aborder aussi les autres côtés de la question en démontrant par le fait que des adultes des deux sexes, mariés et non mariés, se trouvent très souvent entassés pêle-mêle (huddled) dans des chambres à coucher étroites. Ils ont fait naître la conviction que, dans de semblables circonstances, tous les sentiments de pudeur et de décence sont offensés de la façon la plus grossière, et que toute moralité est nécessairement étouffée[115]... On peut voir, par exemple, dans l'appendice de mon dernier rapport, un cas mentionné par le docteur Ord, à propos de la fièvre qui avait ravagé Wing, dans le Buckinghamshire. Un jeune homme y arriva de Wingrave avec la fièvre. Les premiers jours de sa maladie il couche dans une même chambre avec neuf autres individus. Quelques semaines après, cinq d'entre eux furent pris de la même fièvre et un en mourut! Vers la même époque, le docteur Harvey, de l'hôpital Saint-Georges, à propos de sa visite à Wing pendant l'épidémie, me cita des faits pareils : « Une jeune femme malade de la fièvre couchait la « nuit dans la même chambre que son père, sa mère, son enfant « illégitime, deux jeunes hommes, ses frères, et ses deux sœurs « chacune avec un bâtard, en tout dix personnes. Quelques « semaines auparavant, treize enfants couchaient dans ce même « local[116]. »

Le docteur Hunter visita cinq mille trois cent soixante-quinze cottages de travailleurs ruraux, non seulement dans les districts purement agricoles, mais dans toutes les parties de l'Angleterre. Sur ce nombre deux mille cent quatre-vingt-quinze contenaient une seule chambre à coucher (formant souvent toute l'habitation); deux mille neuf cent trente en contenaient deux et deux cent cinquante plus de deux. Voici quelques échantillons pris parmi une douzaine de ces comtés.

1) Bedfordshire.

Wrestlingworth : Chambre à coucher d'environ douze pieds de long sur dix de large, et il y en a beaucoup de plus petites. L'étroite cabane, d'un seul étage, est souvent partagée, au moyen de planches, en deux chambres à coucher; il y a quelquefois un lit dans une cuisine haute de cinq pieds six pouces. Loyer : trois livres sterling par an. Il faut que les locataires construisent eux-mêmes leurs lieux d'aisances, le propriétaire ne leur fournissant que le trou. Dès que l'un d'eux a construit ses latrines, elles servent à tout le voisinage. Une maison du nom de Richardson était une vraie merveille. Ses murs de mortier ballonnaient comme une crinoline qui fait la révérence. A une extrémité, le pignon était convexe, à l'autre concave. De ce côté-là se dressait une malheureuse cheminée, espèce de tuyau recourbé, fait de bois et de terre glaise, pareil à une trompe d'éléphant; pour l'empêcher de tomber on l'avait appuyée à un fort bâton. Les portes et les fenêtres étaient en losange. Sur dix-sept maisons visitées, quatre seulement avaient plus d'une chambre à coucher et ces quatre étaient encombrées. Les cottages à une seule chambre abritaient tantôt trois adultes et trois enfants, tantôt un couple marié, avec six enfants, etc.

Dunton : Loyers très élevés, de quatre à cinq livres sterling par an. Salaire des hommes : dix shillings par semaine. Ils espèrent que le travail domestique (tressage de la paille) leur permettra de payer cette somme. Plus le loyer est élevé, plus il faut être en nombre pour pouvoir l'acquitter. Six adultes qui occupent avec quatre enfants une chambre à coucher paient un loyer de trois livres sterling dix shillings. La maison louée le meilleur marché, longue de quinze pieds et large de dix à l'extérieur, se paie trois livres sterling. Une seule des quatorze maisons visitées avait deux chambres à coucher. Un peu avant le village se trouve une maison dont les murs extérieurs sont souillés d'ordures par les habitants; la putréfaction a enlevé cinq pouces du bas de la porte; une seule ouverture, ménagée ingénieusement le soir au moyen de quelques tuiles poussées du dedans au-dehors, et couverte avec un lambeau de natte. Là, sans meubles, étaient entassés trois adultes et cinq enfants. Dunton n'est pas pire que le reste de la Biggleswude Union.

2) Berkshire.

Beenham : En juin 1864, un homme demeurait dans un cot (cottage à un seul étage), avec sa femme et quatre enfants. Une de ses filles, atteinte de la fièvre scarlatine et obligée de quitter son emploi, arrive chez lui. Elle meurt. Un enfant tombe malade et meurt également. La mère et un autre enfant étaient atteints du typhus, lorsque le docteur Hunter fut appelé. Le père et un deuxième enfant couchaient au-dehors; mais, ce qui montre combien il est difficile de localiser l'infection, le linge de cette famille avait été jeté là, sur le marché encombré du misérable village, en attendant le blanchissage. — Loyer de la maison de H. un shilling par semaine; dans l'unique chambre à coucher, un couple et six enfants. Une autre maison, louée huit pence (par semaine), quatorze pieds six pouces de long, sept pieds de large; cuisine six pieds de haut; la chambre à coucher sans fenêtre, sans foyer, sans porte ni ouverture, si ce n'est vers le couloir, pas de jardin. Un homme y demeurait, il y a peu de temps, avec deux filles adultes et un fils adolescent; le père et le fils couchaient dans le lit, les jeunes filles dans le couloir. A l'époque où elles habitaient là, elles avaient chacune un enfant; seulement l'une d'elles était allée faire ses couches au Workhouse et était revenue ensuite.

3) Buckinghamshire.

Trente cottages, sur mille acres de terrain, contiennent de cent trente à cent quarante personnes environ. La paroisse de Bradenham comprend une superficie de mille acres; elle avait, en 1851, trente-six maisons et une population de quatre-vingt-quatre hommes et cinquante-quatre femmes. En 1861, cette inégalité entre les sexes n'existait plus; les personnes du sexe masculin étaient au nombre de quatre-vingt-dix-huit et celles du sexe féminin de quatre-vingt-dix-sept, donnant une augmentation de quatorze hommes et de trente-trois femmes en dix ans. Mais il y avait une maison de moins.

Winslow : Une grande partie de ce village a été nouvellement bâtie dans le grand style. Les maisons y paraissent être très recherchées, car de misérables huttes sont louées un shilling et un shilling trois pence par semaine.

Water Eaton : Ici les propriétaires, s'apercevant de l'accroissement de la population, ont détruit environ vingt pour cent des maisons existantes. Un pauvre ouvrier qui avait à faire près de quatre milles pour se rendre à son travail, et auquel on demandait s'il ne pourrait pas trouver un logement plus rapproché, répondit : « Non, c'est impossible, ils se garderont bien de loger un homme avec autant de famille. »

Tinker's End, près de Winslow : Une chambre à coucher dans laquelle se trouvaient quatre adultes et quatre enfants avait onze pieds de long, neuf de large et six pieds cinq pouces de haut dans l'endroit le plus élevé. Une autre, longue de onze pieds cinq pouces, large de neuf et haute de cinq pieds dix pouces, abritait dix personnes. Chacune de ces familles avait moins de place qu'il n'en est accordé à un galérien. Pas une seule maison n'avait plus d'une chambre à coucher, pas une seule une porte de derrière; de l'eau très rarement; le loyer de un shilling quatre pence à deux shillings par semaine. Sur seize maisons visitées, il n'y avait qu'un seul homme qui gagnât, par semaine, dix shillings. La quantité d'air pour chaque personne, dans les cas ci-dessus, correspond à celle qui lui reviendrait, si on l'enfermait la nuit dans une boîte de quatre pieds cubes. Il est vrai que les anciennes masures laissent pénétrer l'air par différentes voies.

4) Cambridgeshire.

Gamblingay appartient à divers propriétaires. On ne trouverait nulle part des cots plus misérables et plus délabrés. Grand tressage de paille. Il y règne une langueur mortelle et une résignation absolue à vivre dans la fange. L'abandon dans lequel se trouve le centre du village devient une torture à ses extrémités nord et sud, où les maisons tombent morceau par morceau en pourriture. Les propriétaires absentéistes saignent à blanc les malheureux locataires; les loyers sont très élevés; huit à neuf personnes sont entassées dans une seule chambre à coucher. Dans deux cas, six adultes chacun avec deux ou trois enfants, dans une petite chambre.

5) Essex.

Dans ce comté, un grand nombre de paroisses voient diminuer à la fois les cottages et les personnes. Dans vingt-deux paroisses, cependant, la destruction des maisons n'a pas arrêté l'accroissement de la population, ni produit, comme partout ailleurs, l'expulsion — qu'on appelle « l'émigration vers les villes ». A Fingringhœ, une paroisse de trois mille quatre cent quarante-trois acres, il y avait cent quarante-cinq maisons en 1851; il n'y en avait plus que cent dix en 1861, mais la population ne voulait pas s'en aller et avait trouvé moyen de s'accroître dans ces conditions. En 1851 Ramsden Crays était habité par deux cent cinquante-deux individus répartis dans soixante et une maisons, mais en 1861 le nombre des premiers était de deux cent quatre-vingt-deux et celui des secondes de quarante-neuf. A Basilden cent cinquante-sept individus occupaient, en 1851, mille huit cent vingt-sept acres et trente-cinq maisons; dix ans après, il n'y avait plus que vingt-sept maisons pour cent quatre-vingts individus. Dans les paroisses de Fingringhœ, South Fambridge, Widford, Basilden et Ramsden Crays, habitaient, en 1851, sur huit mille quatre cent quarante-neuf acres, mille trois cent quatre-vingt-douze individus, dans trois cent seize maisons; en 1861, sur la même superficie, il n'y avait plus que deux cent quarante-neuf maisons pour mille quatre cent soixante-treize habitants.

6) Herefordshire.

Ce petit comté a plus souffert de « l'esprit d'éviction » que n'importe quel autre en Angleterre. A Madby les cottages, bondés de locataires, presque tous avec deux chambres à coucher, appartiennent pour la plus grande partie aux fermiers. Ils les louent facilement trois ou quatre livres sterling par an à des gens qu'ils paient, eux, neuf shillings la semaine!

7) Huntingdonshire.

Hartford avait, en 1851, quatre-vingt-sept maisons; peu de temps après, dix-neuf cottages furent abattus dans cette petite paroisse de mille sept cent vingts acres. Chiffre de la population en 1831 : quatre cent cinquante-deux; en 1852, huit cent trente-deux, et en 1861 : trois cent quarante et un. Visité quatorze cots dont chacun avec une seule chambre à coucher. Dans l'un un couple marié, trois fils et une fille adultes, quatre enfants, dix en tout; dans une autre, trois adultes et six enfants. Une de ces chambres, dans laquelle couchaient huit personnes, mesurait douze pieds dix pouces de long sur douze pieds deux pouces de large et six pieds neuf pouces de haut. En comptant les saillies, cela faisait cent trente pieds cubes par tête. Dans les quatorze chambres, trente-quatre adultes et trente-trois enfants. Ces cottages sont rarement pourvus de jardinets, mais nombre d'habitants peuvent louer de petits lopins de terre, à dix ou douze shillings par rood (environ dix-sept pieds). Ces lots sont éloignés des maisons, lesquelles n'ont point de lieux d'aisances. Il faut donc que la famille se rende à son terrain pour y déposer ses excréments, ou qu'elle en remplisse le tiroir d'une armoire. Car cela se fait ici, sauf votre respect. Dès que le tiroir est plein, on l'enlève pour le vider là où on en peut utiliser le contenu. Au Japon, les choses se font plus proprement.

8) Lincolnshire.

Langtofft : Un homme habite ici dans la maison de Wright avec sa femme, sa mère et cinq enfants. La maison se compose d'une cuisine, d'une chambre à coucher au-dessus et d'un évier. Les deux premières pièces ont douze pieds deux pouces de long, neuf pieds cinq pouces de large; la superficie entière a vingt et un pieds trois pouces de longueur sur neuf pieds cinq pouces de largeur. La chambre à coucher est une mansarde dont les murs se rejoignent en pain de sucre vers le toit, avec une lucarne sur le devant. Pourquoi demeure-t-il ici ? à cause du jardin ? il est imperceptible. A cause du bon marché ? Le loyer est cher, un shilling trois pence par semaine. Est-il près de son travail ? non, à six milles de distance, en sorte qu'il fait chaque jour un voyage de douze milles (aller et retour). Il demeure ici parce que ce cot était à louer et qu'il voulait avoir un cot pour lui tout seul, n'importe où, à quelque prix que ce fût et dans n'importe quelles conditions.

Voici la statistique de douze maisons de Langtofft avec douze chambres à coucher, trente-huit adultes et trente-six enfants :

12 MAISONS A LANGTOFFT

MAISONS	CHAMBRES A COUCHER	ADULTES	ENFANTS	NOMBRE DES PERSONNES	MAISONS	CHAMBRES A COUCHER	ADULTES	ENFANTS	NOMBRE DES PERSONNES
1	1	3	5	8	1	1	3	3	7
1	1	4	3	7	1	1	8	2	5
1	1	4	5	8	1	1	2	0	2
1	1	5	4	9	1	1	3	3	5
1	1	2	2	4	1	1	3	3	6
1	1	5	3	8	1	1	2	4	6

9) Kent.

Kennington était fâcheusement surchargé de population en 1859, quand la diphtérie fit son apparition et que le chirurgien de la paroisse organisa une enquête officielle sur la situation de la classe pauvre. Il trouva que dans cette localité, où il y a toujours beaucoup de travail, nombre de cots avaient été détruits sans être remplacés par de nouveaux. Dans un district se trouvaient quatre maisons surnommées *les cages* (birdcages); chacune d'elles avait quatre compartiments avec les dimensions suivantes, en pieds et en pouces :

Cuisine	9,5 × 8,11 × 6,6
Evier	8,6 × 4,6 × 6,6
Chambre à coucher..........	8,5 × 5,10 × 6,3
Chambre à coucher..........	8,3 × 8,4 × 6,3

10) Northamptonshire.

Brenworth, *Pickford* et *Floore :* Dans ces villages une trentaine d'hommes, sans travail l'hiver, battent le pavé. Les fermiers ne font pas toujours suffisamment labourer les terres à blé ou à racines, et le propriétaire a jugé bon de réduire toutes ses fermes à deux ou trois. De là manque d'occupation. Tandis que d'un côté du fossé la terre semble appeler le travail, de l'autre, les travailleurs frustrés jettent sur elle des regards d'envie. Exténués de travail l'été et mourant presque de faim l'hiver, rien d'étonnant s'ils disent dans leur patois que « the parson and gentlefolks seem frit to death at them » (que « le curé et les nobles semblent s'être donné le mot pour les faire mourir »).

A Floore on a trouvé, dans des chambres à coucher de la

plus petite dimension des couples avec quatre, cinq, six enfants, ou bien trois adultes avec cinq enfants, ou bien encore un couple avec le grand-père et six malades de la fièvre scarlatine, etc. Dans deux maisons de deux chambres, deux familles de huit et neuf adultes chacune.

11) Wiltshire.

Stratton : Visité trente et une maisons, huit avec une seule chambre à coucher; Pentill dans la même paroisse. Un cot, loué un shilling trois pence par semaine à quatre adultes et quatre enfants, n'avait, sauf les murailles, rien de bon, depuis le plancher carrelé de pierres grossièrement taillées jusqu'à la toiture de paille pourrie.

12) Worcestershire.

La destruction des maisons n'a pas été aussi considérable; cependant, de 1851 à 1861, le personnel s'est augmenté par maison de quatre deux individus à quatre six.

Badsey : Ici beaucoup de cots et de jardins. Quelques fermiers déclarent que les cots sont « a great nuisance here, because they bring the poor » (« les cots font beaucoup de tort, parce que cela amène les pauvres »). « Que l'on bâtisse cinq cents cots, dit un gentleman, et les pauvres ne s'en trouveront pas mieux; en réalité, plus on en bâtit, et plus il en faut. » — Pour ce Monsieur, les maisons engendrent les habitants, lesquels naturellement pressent à leur tour sur « les moyens d'habitation ». — Mais ces pauvres, remarque à ce propos le docteur Hunter, « doivent pourtant venir de quelque part, et puisqu'il n'y a ni charité, ni rien qui les attire particuiièrement à Badsey, il faut qu'ils soient repoussés de quelque autre localité plus défavorable encore, et qu'ils ne viennent s'établir ici que faute de mieux. Si chacun pouvait avoir un cot et un petit morceau de terre tout près du lieu de son travail, il l'aimerait assurément mieux qu'à Badsey, où la terre lui est louée deux fois plus cher qu'aux fermiers. »

L'émigration continuelle vers les villes, la formation constante d'une surpopulation relative dans les campagnes, par suite de la concentration des fermes, de l'emploi des machines, de la conversion des terres arables en pacages, etc., et l'éviction non interrompue de la population agricole, résultant de la destruction des cottages, tous ces faits marchent de front. Moins un district est peuplé, plus est considérable sa surpopulation relative, la pression que celle-ci exerce sur les moyens d'occupation, et l'excédent absolu de son chiffre sur celui des habitations; plus ce trop-plein occasionne dans les villages un entassement pestilentiel. La condensation de troupeaux d'hommes dans des villages et des bourgs correspond au vide qui s'effectue violemment à la surface du pays. L'incessante mise en disponibilité des ouvriers agricoles, malgré la diminution positive de leur nombre et l'accroissement simultané de leurs produits, est la source de leur paupérisme : ce paupérisme éventuel est lui-même un des motifs de leur éviction et la cause principale de leur misère domiciliaire, qui brise leur dernière force de résistance et fait d'eux de purs esclaves des propriétaires[117] et des fermiers. C'est ainsi que l'abaissement du salaire au minimum devient pour eux l'état normal. D'un autre côté, malgré cette surpopulation relative, les campagnes restent en même temps insuffisamment peuplées. Cela se fait sentir, non seulement d'une manière locale sur les points où s'opère un rapide écoulement d'hommes vers les villes, les mines, les chemins de fer, etc., mais encore généralement, en automne, au printemps et en été, aux moments fréquents où l'agriculture anglaise, si soigneuse et si intensive, a besoin d'un supplément de bras. Il y a toujours trop d'ouvriers pour les besoins moyens, toujours trop peu pour les besoins exceptionnels et temporaires de l'agriculture[118]. Aussi les documents officiels fourmillent-ils de plaintes contradictoires, faites par les mêmes localités, à propos du manque et de l'excès de bras. Le manque de travail temporaire ou local n'a point pour résultat de faire hausser le salaire, mais bien d'amener forcément les femmes et les enfants à la culture du sol et de les faire exploiter à un âge de plus en plus tendre. Dès que cette exploitation des femmes et des enfants s'exécute sur une plus grande échelle, elle devient, à son tour, un nouveau moyen de rendre superflu le travailleur mâle et de maintenir son salaire au plus bas. L'est de l'Angleterre nous présente un joli résultat de ce cercle vicieux, le *système des bandes ambulantes* (Gangsystem), sur lequel il nous faut revenir ici[119].

Ce système règne presque exclusivement dans le Lincolnshire, le Huntingdonshire, le Cambridgeshire, le Norfolkshire, le Suffolkshire et le Nottinghamshire. On le trouve employé çà et là dans les comtés voisins du Northampton, du Bedford et du Ruthland. Prenons pour exemple le Lincolnshire. Une grande partie de la superficie de ce comté est de date récente; la terre, jadis marécageuse, y a été, comme en plusieurs autres comtés de l'Est, conquise sur la mer. Le drainage à la vapeur a fait merveille, et aujourd'hui ces marais et ces sables portent l'or des belles moissons et des belles rentes foncières. Il en est de même des terrains d'alluvion, gagnés par la main de l'homme, comme ceux de l'île d'Axholme et des autres paroisses sur la rive du Trent. A mesure que les nouvelles fermes se créaient, au lieu de bâtir de nouveaux cottages, on démolissait les anciens et on faisait venir les travailleurs de plusieurs milles de distance, des villages ouverts situés le long des grandes routes qui serpentent au flanc des collines. C'est là que la population trouva longtemps son seul refuge contre les longues inondations de l'hiver. Dans les fermes de quatre cents à mille acres, les travailleurs à demeure (on les appelle *confined labourers*) sont employés exclusivement aux travaux agricoles permanents, pénibles et exécutés avec des chevaux. Sur cent acres environ, c'est à peine si l'on trouve en moyenne un cottage. Un fermier de marais, par exemple, s'exprime ainsi devant la Commission d'enquête : « Ma ferme s'étend sur plus de trois cent vingt acres, tout en terre à blé. Elle n'a point de cottage. A présent, je n'ai qu'un journalier à la maison. J'ai quatre conducteurs de chevaux, logés dans le voisinage. L'ouvrage facile, qui nécessite un grand nombre de bras, se fait au moyen de *bandes*[120]. » La terre exige certains travaux de peu de difficulté, tels que le sarclage, le houage, l'épierrement, certaines parties de la fumure, etc. On y emploie des *gangs* ou bandes organisées qui demeurent dans les localités ouvertes.

Une bande se compose de dix à quarante ou cinquante personnes, femmes, adolescents des deux sexes, bien que la plupart des garçons en soient éliminés vers leur treizième année, enfin, enfants de six à treize ans. Son chef, le *Gangmaster*, est un ouvrier de campagne ordinaire, presque toujours ce qu'on appelle un mauvais sujet, vagabond, noceur, ivrogne, mais entreprenant et doué de savoir-faire. C'est lui qui recrute la bande, destinée à travailler sous ses ordres et non sous ceux du fermier. Comme il prend l'ouvrage à la tâche, son revenu qui, en moyenne, ne dépasse guère celui de l'ouvrier ordinaire[121], dépend presque exclusivement de l'habileté avec laquelle il sait tirer de sa troupe, dans le temps le plus court, le plus de travail possible. Les fermiers savent, par expérience, que les femmes ne font tous leurs efforts que sous le commandement des hommes, et que les jeunes filles et les enfants, une fois en train, dépensent leurs forces, ainsi que l'a remarqué Fourier, avec fougue, en prodigues, tandis que l'ouvrier mâle adulte cherche, en vrai sournois, à économiser les siennes. Le chef de bande, faisant le tour des fermes, est à même d'occuper ses gens pendant six ou huit mois de l'année. Il est donc pour les familles ouvrières une meilleure pratique que le fermier isolé, qui n'emploie les enfants que de temps à autre. Cette circonstance établit si bien son influence, que dans beaucoup de localités ouvertes on ne peut se procurer les enfants sans son intermédiaire. Il les loue aussi individuellement aux fermiers, mais c'est un accident qui n'entre pas dans le « système des bandes ».

Les vices de ce système sont l'excès de travail imposé aux enfants et aux jeunes gens, les marches énormes qu'il leur faut faire chaque jour pour se rendre à des fermes éloignées de cinq, six et quelquefois sept milles, et pour en revenir, enfin, la démoralisation de la troupe ambulante. Bien que le chef de bande, qui porte en quelques endroits le nom de « *driver* » (piqueur, conducteur), soit armé d'un long bâton, il ne s'en sert néanmoins que rarement, et les plaintes de traitement brutal sont l'exception. Comme le preneur de rats de la légende, c'est un charmeur, un empereur démocratique. Il a besoin d'être populaire parmi ses sujets et se les attache par les attraits d'une existence de bohème — vie nomade, absence de toute gêne, gaillardise bruyante, libertinage grossier. Ordinairement la paye se fait à l'auberge au milieu de libations copieuses. Puis, on se met en route pour retourner chez soi. Titubant, s'appuyant de droite et de gauche sur le bras robuste de quelque virago, le digne chef marche en tête de la colonne, tandis qu'à la queue la jeune troupe folâtre et entonne des chansons moqueuses ou obscènes. Ces voyages de retour sont le triomphe de la phanérogamie, comme l'appelle Fourier. Il n'est pas rare que des filles de treize ou quatorze ans deviennent grosses du fait de leurs compagnons du même âge. Les villages ouverts, souches et réservoirs de ces bandes, deviennent des Sodomes et des Gomorrhes[122], où le chiffre des naissances illégitimes atteint son maximum. Nous connaissons déjà la moralité des femmes mariées qui ont passé par une telle école[123]. Leurs enfants sont autant de recrues prédestinées de ces bandes, à moins pourtant que l'opium ne leur donne auparavant le coup de grâce.

La bande dans la forme classique que nous venons de décrire se nomme bande publique, commune ou ambulante *(public, common or tramping gang)*. Il y a aussi des bandes particulières *(private gangs)*, composées des mêmes éléments que les premières mais moins nombreuses, et fonctionnant sous les ordres, non d'un chef de bande, mais de quelque vieux valet de ferme, que son maître ne saurait autrement employer. Là, plus de gaieté ni d'humeur bohémienne, mais, au dire de tous les témoins, les enfants y sont moins payés et plus maltraités.

Ce système qui, depuis ces dernières années, ne cesse de s'étendre[124], n'existe évidemment pas pour le bon plaisir du chef de bande. Il existe parce qu'il enrichit les gros fermiers[125] et les propriétaires[126]. Quant au fermier, il n'est pas de méthode plus ingénieuse pour maintenir son personnel de travailleurs bien au-dessous du niveau normal — tout en laissant toujours à sa disposition un supplément de bras applicable à chaque besogne extraordinaire — pour obtenir beaucoup de travail avec le moins d'argent possible[127], et pour rendre « superflus » les adultes mâles. On ne s'étonnera plus, d'après les explications données, que le chômage plus ou moins long et fréquent de l'ouvrier agricole soit franchement avoué, et qu'en même temps « le système des bandes » soit déclaré « nécessaire », sous prétexte que les travailleurs mâles font défaut et qu'ils émigrent vers les villes[128].

La terre du Lincolnshire nettoyée, ses cultivateurs souillés, voilà le pôle positif et le pôle négatif de la production capitaliste[129].

f) *Irlande*

Avant de clore cette section, il nous faut passer d'Angleterre en Irlande. Et d'abord constatons les faits qui nous servent de point de départ.

La population de l'Irlande avait atteint en 1841 le chiffre de huit millions deux cent vingt-deux mille six cent soixante-quatre habitants; en 1861 elle était tombée à cinq millions sept cent quatre-vingt-huit mille quatre cent quinze et en 1866 à cinq millions et demi, c'est-à-dire à peu de chose près au même niveau qu'en 1800. La diminution commença avec la famine de 1846, de telle sorte que l'Irlande, en moins de vingt ans, perdit plus des cinq seizièmes de sa population[130]. La somme totale de

TABLE A

Bestiaux.

ANNÉES	CHEVAUX		BÊTES A CORNES		
	NOMBRE TOTAL	DIMINUTION	NOMBRE TOTAL	DIMINUTION	AUGMENTATION
1860	619 811		3 606 374		
1861	614 232	5 993	3 471 688	138 316	
1862	602 894	11 338	3 254 890	216 798	
1863	579 978	22 916	3 144 231	110 695	
1864	562 158	17 820	3 262 294		118 063
1865	547 867	14 291	3 493 414		231 120

ANNÉES	MOUTONS			PORCS		
	NOMBRE TOTAL	DIMINUTION	AUGMENTATION	NOMBRE TOTAL	DIMINUTION	AUGMENTATION
1860	3 542 080			1 271 072		
1861	3 556 050		13 970	1 102 042	169 030	
1862	3 456 132	99 918		1 154 324		52 282
1863	3 308 204	147 982		1 067 458	86 866	
1864	3 366 941		58 737	1 058 480	8 978	
1865	3 688 742		321 801	1 299 893		241 413

La table ci-dessus donne pour résultat :

CHEVAUX	BÊTES A CORNES	MOUTONS	PORCS
Diminution absolue.	Diminution absolue.	Augmentation absolue.	Augmentation absolue.
72 358	116 626	146 608	28 819[131]

ses émigrants, de mai 1851 à juillet 1865, s'éleva à un million cinq cent quatre-vingt-onze mille quatre cent quatre-vingt-sept personnes, l'émigration des cinq dernières années, de 1861 à 1865, comprenant plus d'un demi-million. De 1851 à 1861, le chiffre des maisons habitées diminua de cinquante-deux mille neuf cent quatre-vingt-dix. Dans le même intervalle, le nombre des métairies de quinze à trente acres s'accrut de soixante et un mille, et celui des métairies au-dessus de trente acres de cent neuf mille, tandis que la somme totale de toutes les métairies diminuait de cent vingt mille, diminution qui était donc due exclusivement à la suppression, ou, en d'autres termes, à la concentration des fermes au-dessous de quinze acres.

La décroissance de la population fut naturellement accompagnée d'une diminution de la masse des produits. Il suffit pour notre but d'examiner les cinq années de 1861 à 1866, pendant lesquelles le chiffre de l'émigration monta à plus d'un demi-million, tandis que la diminution du chiffre absolu de la population dépassa un tiers de million.

Passons maintenant à l'agriculture, qui fournit les subsistances aux hommes et aux bestiaux. Dans la table suivante l'augmentation et la diminution sont calculées pour chaque année particulière, par rapport à l'année qui précède. Le titre « grains » comprend le froment, l'avoine, l'orge, le seigle, les fèves et les lentilles; celui de « récoltes vertes » les pommes de terre, les navets, les raves et les betteraves, les choux, les panais, les vesces, etc.

TABLE B

Augmentation ou diminution du nombre d'acres consacrés à la culture et aux prairies (ou pâturages).

ANNÉES	GRAINS	RÉCOLTES VERTES	
	DIMINUTION	DIMINUTION	AUGMENTATION
	Acres.	Acres.	
1861	15 701	36 974	
1862	72 734	74 785	
1863	144 719	19 358	
1864	122 437	2 317	
1865	72 450		25 241
1861-1865	428 041	107 984	

ANNÉES	HERBAGES ET TRÈFLE		LIN		TERRES SERVANT A LA CULTURE ET A L'ÉLÈVE DU BÉTAIL	
	DIMINUTION	AUGMENTATION	DIMINUTION	AUGMENTATION	DIMINUTION	AUGMENTATION
					Acres.	
1861	47 969			19 271	81 873	
1862		6 623		2 055	138 841	
1863		7 724		63 922	92 431	
1864		47 486		87 761		10 493
1865		68 970	50 159		28 218	
1861-1865 ..		32 834		122 850	330 860	

En 1865, la catégorie des « herbages » s'enrichit de cent vingt-sept mille quatre cent soixante-dix-huit acres, parce que la superficie du sol désignée sous le nom de terre meuble ou de *Bog* (tourbière) diminua de cent un mille cinq cent quarante-trois acres. Si l'on compare 1865 avec 1864, il y a une diminution de grains de deux cent quarante-six mille six cent soixante-sept quarters (le « quarter » anglais = 29 078 litres), dont quarante-huit mille neuf cent quatre-vingt-dix-neuf de froment, cent soixante-six mille six cent six d'avoine, vingt-neuf mille huit cent quatre-vingt-douze d'orge, etc. La diminution des pommes de terre, malgré l'agrandissement de la surface cultivée en 1865, a été de quatre cent quarante-six mille trois cent quatre-vingt-dix-huit tonnes, etc.[132].

Après le mouvement de la population et de la production agricole de l'Irlande, il faut bien examiner celui qui s'opère dans la bourse de ses propriétaires, de ses gros fermiers et de ses capitalistes industriels. Ce mouvement se reflète dans l'augmentation et la diminution de l'impôt sur le revenu. Pour l'intelligence de la table D, remarquons que la catégorie D (profits, non compris ceux des fermiers) embrasse aussi les profits de gens dits, en anglais, *de profession* (professional), c'est-à-dire les revenus des avocats, des médecins, etc., en un mot, des « capa-

TABLE C

Augmentation ou diminution dans la superficie du sol cultivé, dans le produit par acre et dans le produit total de 1865 comparé à 1864.

PRODUITS	TERRAIN CULTIVÉ		1855	
	1864	1865	AUGMENTATION	DIMINUTION
Froment	276 483	266 989		9 494
Avoine	1 814 886	1 745 228		69 658
Orge	172 700	177 102	4 402	
Seigle	8 894	10 091	1 197	
Pommes de terre	1 039 724	1 066 260	26 256	
Navets	337 355	334 212		3 143
	14 073	14 389	316	
Choux	31 821	33 622	1 801	
Lin	301 693	251 433		50 260
Foin	1 609 569	1 678 493	68 924	
	PRODUIT PAR ACRE		1865	
	1864	1865	AUGMENTATION	DIMINUTION
Froment .... *quintaux*	13,3	13,0		0,3
Avoine .... *q.*	12,1	12,0	0,2	
Orge .... *q.*	14,9	14,9		1,0
— .... *q.*	16,4	14,8		1,6
Seigle .... *q.*	8,5	10,4	1,9	
Pom. de terre ..... *tonnes*	4,1	3,6		0,5
Navets .... *t.*	10,3	9,9		0,4
— .... *t.*	10,5	13,3	2,8	
Choux .... *t.*	9,3	10,4	1,1	
Lin, *stones* de 14 livres .	34,2	25,2		9,0
Foin .... *t.*	1,6	1,8	0,2	
PRODUITS	PRODUIT TOTAL			
	1864	1865	1865	
			AUGMENTATION	DIMINUTION
Froment .... *q.*	875 782	826 783		48 909
Avoine .... *q.*	7 826 332	7 659 727		166 605
Orge .... *q.*	761 909	732 017		29 892
— .... *q.*	15 160	13 989		1 171
Seigle .... *q.*	12 680	18 864	5 684	
Pommes de terre .... *t.*	4 312 388	3 865 990		446 398
Navets .... *t.*	3 467 659	3 301 683		165 976
— .... *t.*	147 284	191 937	44 653	
Choux .... *t.*	297 375	350 252	52 877	
Lin, ... *stones*	64 506	39 751		24 945
Foin .... *t.*	2 607 153	3 068 707	461 554	

cités », et que les catégories C et E, qui ne sont pas énumérées en détail, comprennent les recettes d'employés, d'officiers, de sinécuristes, de créanciers de l'Etat, etc.

TABLE D

Revenus en livres sterling soumis à l'impôt.

	1860	1861	1862
Rubrique A. Rente foncière.........	13 893 829	13 003 554	13 398 938
Rubrique B. Profits des fermiers.....	2 765 387	2 773 644	2 937 899
Rubrique D. Profits industriels, etc...	4 891 652	4 836 203	3 858 800
Rubriques depuis *A* jusqu'à *E*.............	22 962 885	22 998 394	23 597 574
	1863	**1864**	**1865**
Rubrique A. Rente foncière.........	13 494 691	13 470 700	13 801 616
Rubrique B. Profits des fermiers	2 938 823	2 930 874	2 946 072
Rubrique D. Profits industriels, etc...	4 846 497	4 546 147	4 850 199
Rubriques depuis *A* jusqu'à *E*.	23 236 298	23 236 298	23 930 340[133]

Sous la catégorie D, l'augmentation du revenu, de 1853 à 1864, n'a été par an, en moyenne, que de zéro quatre-vingt-treize tandis qu'elle était de quatre quarante-huit pour la même période dans la Grande-Bretagne. La table suivante montre la distribution des profits (à l'exception de ceux des fermiers) pour les années 1864 et 1865.

TABLE E

Rubrique D. Revenus de profits (au-dessus de 60 livres sterling) en Irlande.

	LIVRES STERLING DISTRIBUÉES EN 1864		LIVRES STERLING DISTRIBUÉES EN 1865	
	L. st.	Pers.	L. st.	Pers.
Recette totale annuelle de	4 368 610	17 467	4 669 979	18 081
Revenus annuels au-dessous de 100 l. st. et au-dessus de 60	238 626	5 015	222 575	4 703
De la recette totale annuelle	1 979 066	11 321	2 028 471	12 184
Reste de la recette totale annuelle de	2 150 818	1 131	2 418 933	1 194
Dont	1 033 906	910	1 097 937	1 044
	1 066 912	121	1 320 996	186
	430 535	105	584 458	122
	646 377	26	736 448	28
	262 610	3	274 528	3[134]

L'Angleterre, pays de production capitaliste développée, et pays industriel avant tout, serait morte d'une saignée de population telle que l'a subie l'Irlande. Mais l'Irlande n'est plus aujourd'hui qu'un district agricole de l'Angleterre, séparé d'elle par un large canal, et qui lui fournit du blé, de la laine, du bétail, des recrues pour son industrie et son armée.

Le dépeuplement a enlevé à la culture beaucoup de terres, a diminué considérablement le produit du sol et, malgré l'agrandissement de la superficie consacrée à l'élève du bétail, a amené dans quelques-unes de ses branches une décadence absolue, et dans d'autres un progrès à peine digne d'être mentionné, car il est constamment interrompu par des reculs. Néanmoins, au fur et à mesure de la décroissance de la population, les revenus du sol et les profits des fermiers se sont élevés en progression continue, ces derniers cependant avec moins de régularité. La raison en est facile à comprendre. D'une part, en effet, l'absorption des petites fermes par les grandes et la conversion de terres arables en pâturages permettaient de convertir en produit net une plus grande partie du produit brut. Le produit net grandissait, quoique le produit brut, dont il forme une fraction, diminuât. D'autre part, la valeur numéraire de ce produit net s'élevait plus rapidement que sa masse, par suite de la hausse que les prix de la viande, de la laine, etc., subissaient sur le marché anglais durant les vingt et plus spécialement les dix dernières années.

Des moyens de production éparpillés, qui fournissent aux producteurs eux-mêmes leur occupation et leur subsistance, sans que jamais le travail d'autrui s'y incorpore et les valorise, ne sont pas plus capital que le produit consommé par son propre producteur n'est marchandise. Si donc la masse des moyens de production engagés dans l'agriculture diminuait en même temps que la masse de la population, par contre, la masse du capital employé augmentait, parce qu'une partie des moyens de production auparavant éparpillés s'étaient convertis en capital.

Tout le capital de l'Irlande employé en dehors de l'agriculture, dans l'industrie et le commerce, s'accumula pendant les vingt dernières années lentement et au milieu de fluctuations incessantes. La concentration de ses éléments individuels n'en fut que plus rapide. Enfin, quelque faible qu'en ait été l'accroissement absolu, il paraît toujours assez considérable en présence de la dépopulation progressive.

Là se déroule donc, sous nos yeux et sur une grande échelle, un mouvement à souhait, plus beau que l'économie orthodoxe n'eût pu l'imaginer pour justifier son fameux dogme que la misère provient de l'excès absolu de la population et que l'équilibre se rétablit par le dépeuplement. Là nous passons par une expérience bien autrement importante, au point de vue économique, que celle dont le milieu du XIVe siècle fut témoin lors de la peste noire, tant fêtée par les Malthusiens. Du reste, prétendre vouloir appliquer aux conditions économiques du XIXe siècle, et à son mouvement de population correspondant, un étalon emprunté au XIVe siècle, c'est une naïveté de pédant, et d'autre part, citer cette peste, qui décima l'Europe, sans savoir qu'elle fut suivie d'effets tout à fait opposés sur les deux côtés du détroit, c'est de l'érudition d'écolier; en Angleterre elle contribua à l'enrichissement et l'affranchissement des cultivateurs; en France à leur appauvrissement, à leur asservissement plus complet[135].

La famine de 1846 tua en Irlande plus d'un million d'individus, mais ce n'était que des pauvres diables. Elle ne porta aucune atteinte directe à la richesse du pays. L'exode qui s'ensuivit, lequel dure depuis vingt années et grandit toujours, décima les hommes, mais non — comme l'avait fait en Allemagne, par exemple, la guerre de Trente Ans, — leurs moyens de production. Le génie irlandais inventa une méthode toute nouvelle pour enlever un peuple malheureux à des milliers de lieues du théâtre de sa misère. Tous les ans les émigrants transplantés en Amérique envoient quelque argent au pays; ce sont les frais de voyage des parents et des amis. Chaque troupe qui part entraîne le départ d'une autre troupe l'année suivante. Au lieu de coûter à l'Irlande, l'émigration forme ainsi une des branches les plus lucratives de son commerce d'exportation. Enfin, c'est un procédé systématique qui ne creuse pas seulement un vide passager dans les rangs du peuple, mais lui enlève annuellement plus d'hommes que n'en remplace la génération, de sorte que le niveau absolu de la population baisse d'année en année[136].

Et pour les travailleurs restés en Irlande et délivrés de la surpopulation, quelles ont été les conséquences ? Voici : il y a relativement la même surabondance de bras qu'avant 1846, le salaire réel est aussi bas, le travail plus exténuant et la misère des campagnes conduit derechef le pays à une nouvelle crise. La raison en est simple. La révolution agricole a marché du même pas que l'émigration. L'excès relatif de population s'est produit plus vite que sa diminution absolue. Tandis qu'avec l'élève du bétail la culture des récoltes vertes, telles que légumes, etc., qui occupe beaucoup de bras, s'accroît en Angleterre, elle décroît en Irlande. Là de vastes champs autrefois cultivés sont laissés en friche ou transformés en pâturages permanents, en même temps qu'une portion du sol naguère stérile et inculte et des marais tourbeux servent à étendre l'élevage du bétail. Du nombre total des fermiers, les petits et les moyens — je range dans cette catégorie tous ceux qui ne cultivent pas au-delà de cent acres — forment encore les huit dixièmes[137]. Ils sont de plus en plus écrasés par la concurrence de l'exploitation agricole capitaliste, et fournissent sans cesse de nouvelles recrues à la classe des journaliers.

La seule grande industrie de l'Irlande, la fabrication de la toile, n'emploie qu'un petit nombre d'hommes faits, et malgré son expansion, depuis l'enchérissement du coton, n'occupe en général qu'une partie proportionnellement peu importante de la population. Comme toute autre grande industrie, elle subit des fluctuations fréquentes, des secousses convulsives, donnant lieu à un excès relatif de population, lors même que la masse humaine qu'elle absorbe va en croissant. D'autre part, la misère de la population rurale est devenue la base sur laquelle s'élèvent de gigantesques manufactures de chemises et autres, dont l'armée ouvrière est éparse dans les campagnes. On y retrouve le système déjà décrit du travail à domicile, système où l'insuffisance des salaires et l'excès de travail servent de moyens méthodiques de fabriquer des « surnuméraires ». Enfin, quoique le dépeuplement ne puisse avoir en Irlande les mêmes effets que dans un pays de production capitaliste développée, il ne laisse pas de provoquer des contrecoups sur le marché intérieur. Le vide que l'émigration y creuse non seulement resserre la demande de travail local, mais la recette des épiciers, détaillants, petits manufacturiers, gens de métier, etc., en un mot, de la petite bourgeoisie, s'en ressent. De là cette diminution des revenus au-dessus de soixante livres et au-dessous de cent, signalée dans la table *E*.

Un exposé lucide de l'état des salariés agricoles se trouve dans les rapports publiés en 1870 par les inspecteurs de l'administration de la loi des pauvres en Irlande[138]. Fonctionnaires d'un gouvernement qui ne se maintient dans leur pays que grâce aux baïonnettes et à l'état de siège, tantôt déclaré, tantôt dissimulé, ils ont à observer tous les ménagements de langage dédaignés par leurs collègues anglais; mais, malgré cette retenue judicieuse, ils ne permettent pas à leurs maîtres de se bercer d'illusions.

D'après eux, le taux des salaires agricoles, toujours très bas, s'est néanmoins, pendant les vingt dernières années, élevé de cinquante à soixante pour cent, et la moyenne hebdomadaire en est maintenant de six à neuf shillings.

Toutefois, c'est en effet une baisse réelle qui se déguise sous cette hausse apparente, car celle-ci ne correspond pas à la hausse des objets de première nécessité, comme on peut s'en convaincre par l'extrait suivant tiré des comptes officiels d'un workhouse irlandais :

Moyenne hebdomadaire des frais d'entretien par tête.

ANNÉE	VIVRES	VÊTEMENTS	TOTAL
Finissant le 29 septembre 1849......	1 s. 3 ¼ d.	0 s. 3 d.	1 s. 6 ¼ d.
Finissant le 29 septembre 1869......	2 s. 7 ¼ d.	0 s. 6 d.	3 s. ¼ d.

Le prix des vivres de première nécessité est donc actuellement presque deux fois plus grand qu'il y a vingt ans, et celui des vêtements a exactement doublé.

A part cette disproportion, ce serait s'exposer à commettre de graves erreurs que de comparer simplement les taux de la rémunération monétaire aux deux époques. Avant la catastrophe le gros des salaires agricoles était avancé en nature, de sorte que l'argent n'en formait qu'un supplément; aujourd'hui la paye en argent est devenue la règle. Il en résulte qu'en tout cas, quel que fût le mouvement du salaire réel, son taux monétaire ne pouvait que monter. « Avant l'arrivée de la famine le travailleur agricole possédait un lopin de terre où il cultivait des pommes de terre et élevait des cochons et de la volaille. Aujourd'hui non seulement il est obligé d'acheter tous ses vivres, mais encore il voit disparaître les recettes que lui rapportait autrefois la vente de ses cochons, de ses poules et de ses œufs[139]. »

En effet, les ouvriers ruraux se confondaient auparavant avec les petits fermiers et ne formaient en général que l'arrière-ban des grandes et moyennes fermes où ils trouvaient de l'emploi. Ce n'est que depuis la catastrophe de 1846 qu'ils commencèrent à constituer une véritable fraction de la classe salariée, un ordre à part n'ayant avec les patrons que des relations pécuniaires.

Leur état d'habitation — et l'on sait ce qu'il était avant 1846 — n'a fait qu'empirer. Une partie des ouvriers agricoles, qui décroît du reste de jour en jour, réside encore sur les terres des fermiers dans des cabanes encombrées dont l'horreur dépasse tout ce que les campagnes anglaises nous ont présenté de pire en ce genre. Et, à part quelques districts de la province d'Ulster, cet état de choses est partout le même, au sud, dans les comtés de Cork, de Limerick, de Kilkenny, etc.; à l'est, dans les comtés de Wexford, Wicklow, etc.; au centre, dans Queen's-County, King's County, le comté de Dublin, etc.; au nord, dans les comtés de Down, d'Antrim, de Tyrone, etc.; enfin, à l'ouest, dans les comtés de Sligo, de Roscommon, de Mayo, de Galway, etc. « C'est une honte », s'écrie un des inspecteurs, « c'est une honte pour la religion et la civilisation de ce pays[140]. » Pour rendre aux cultivateurs l'habitation de leurs tanières plus supportable, on confisque d'une manière systématique les lambeaux de terre qui y ont été attachés de temps immémorial. « La conscience de cette sorte de ban auquel ils sont mis par les landlords et leurs agents a provoqué chez les ouvriers ruraux des sentiments correspondants d'antagonisme et de haine contre ceux qui les traitent pour ainsi dire en *race proscrite*[141]. »

Pourtant, le premier acte de la révolution agricole ayant été de raser sur la plus grande échelle, et comme sur un mot d'ordre donné d'en haut, les cabanes situées sur le champ de travail, beaucoup de travailleurs furent forcés de demander un abri aux villes et villages voisins. Là on les jeta comme du rebut dans des mansardes, des trous, des souterrains, et dans les recoins des mauvais quartiers. C'est ainsi que des milliers de familles irlandaises, se distinguant, au dire même d'Anglais imbus de préjugés nationaux, par leur rare attachement au foyer, leur gaîté insouciante et la pureté de leurs mœurs domestiques, se trouvèrent tout à coup transplantées dans des serres chaudes de corruption. Les hommes vont maintenant chercher de l'ouvrage chez les fermiers voisins, et ne sont loués qu'à la journée, c'est-à-dire qu'ils subissent la forme de salaire la plus précaire; de plus, « ils ont maintenant de longues courses à faire pour arriver aux fermes et en revenir, souvent mouillés comme des rats et exposés à d'autres rigueurs qui entraînent fréquemment l'affaiblissement, la maladie et le dénuement[142] ».

« Les villes avaient à recevoir d'année en année ce qui était censé être le surplus de bras des districts ruraux[143] », et puis on trouve étonnant « qu'il y ait un surplus de bras dans les villages et les villes et un manque de bras dans les districts ruraux[144] ». La vérité est que ce manque ne se fait sentir « qu'au temps des opérations agricoles urgentes, au printemps et à l'automne, tandis qu'aux autres saisons de l'année beaucoup de bras restent oisifs[145] »; que « après la récolte d'octobre au printemps, il n'y a guère d'emploi pour eux[146] », et qu'ils sont en outre, pendant les saisons actives, « exposés à perdre des journées fréquentes et à subir toutes sortes d'interruptions du travail[147] ».

Ces résultats de la révolution agricole — c'est-à-dire de la conversion de champs arables en pâturages, de l'emploi des machines, de l'économie de travail la plus rigoureuse, etc., — sont encore aggravés par les landlords-modèles, ceux qui, au lieu de manger leurs rentes à l'étranger, daignent résider en Irlande, sur leurs domaines. De peur que la loi de l'offre et la demande de travail n'aille faire fausse route, ces messieurs « tirent à présent presque tout leur approvisionnement de bras de leurs petits fermiers, qui se voient forcés de faire la besogne de leurs seigneurs à un taux de salaire généralement au-dessous du taux courant payé aux journaliers ordinaires, et cela sans aucun égard aux inconvénients et aux pertes que leur impose l'obligation de négliger leurs propres affaires aux périodes critiques des semailles et de la moisson[148] ».

L'incertitude de l'occupation, son irrégularité, le retour fréquent et la longue durée des chômages forcés, tous ces symptômes d'une surpopulation relative, sont donc consignés dans les rapports des inspecteurs de l'administration des pauvres comme autant de griefs du prolétariat agricole irlandais. On se souviendra que nous avons rencontré chez le prolétariat agricole anglais des phénomènes analogues. Mais il y a cette différence que, l'Angleterre étant un pays d'industrie, la réserve industrielle s'y recrute dans les campagnes, tandis qu'en Irlande, pays d'agriculture, la réserve agricole se recrute dans les villes qui ont reçu les ruraux expulsés; là, les surnuméraires de l'agriculture se convertissent en ouvriers manufacturiers; ici, les habitants forcés des villes, tout en continuant à déprimer le taux des salaires urbains, restent agriculteurs et sont constamment renvoyés dans les campagnes à la recherche de travail.

Les rapporteurs officiels résument ainsi la situation matérielle des salariés agricoles : « Bien qu'ils vivent avec la frugalité la plus rigoureuse, leurs salaires suffisent à peine à leur procurer, à eux et à leurs familles, la nourriture et le logement; il leur faut d'autres recettes pour les frais de vêtement... l'atmosphère de leurs demeures, combinée avec d'autres privations, a rendu cette classe particulièrement sujette au typhus ou à la phtisie[149]. » Après cela, on ne s'étonnera pas que, suivant le témoignage unanime des rapporteurs, un sombre mécontentement pénètre les rangs de cette classe, qu'elle regrette le passé, déteste le présent, ne voie aucune chance de salut dans l'avenir, « se prête aux mauvaises influences des démagogues », et soit possédée de l'idée fixe d'émigrer en Amérique. Tel est le pays de Cocagne que la dépopulation, la grande panacée malthusienne, a fait de la verte Erin.

Quant aux aises dont jouissent les ouvriers manufacturiers, en voici un échantillon : « Lors de ma récente inspection du nord de l'Irlande », dit l'inspecteur de fabrique Robert Baker, « j'ai été frappé des efforts faits par un habile ouvrier irlandais pour donner, malgré l'exiguïté de ses moyens, de l'éducation à ses enfants. C'est une bonne main, sans quoi il ne serait pas employé à la fabrication d'articles destinés pour le marché de Manchester. Je vais citer littéralement les renseignements que Johnson (c'est son nom) m'a donnés : « Je suis *beetler;* du lundi « au vendredi je travaille depuis 6 heures du matin jusqu'à « 11 heures du soir; le samedi nous terminons vers 6 heures du « soir, et nous avons trois heures pour nous reposer et prendre « notre repas. J'ai cinq enfants. Pour tout mon travail je reçois « dix shillings six pence par semaine. Ma femme travaille « aussi et gagne par semaine cinq shillings. La fille aînée, âgée « de douze ans, garde la maison. C'est notre cuisinière et notre « seule aide. Elle apprête les petits pour l'école. Ma femme se « lève et part avec moi. Une jeune fille qui passe devant notre « maison me réveille à cinq heures et demie du matin. Nous ne « mangeons rien avant d'aller au travail. L'enfant de douze ans « a soin des plus jeunes pendant toute la journée. Nous déjeu- « nons à 8 heures, et pour cela nous allons chez nous. Nous « prenons du thé une fois la semaine; les autres jours nous « avons une bouillie (stirabout), tantôt de farine d'avoine, « tantôt de farine de maïs, suivant que nos moyens nous le « permettent. En hiver, nous avons un peu de sucre et d'eau « avec notre farine de maïs. En été, nous récoltons quelques « pommes de terre sur un petit bout de terrain que nous culti- « vons nous-mêmes, et quand il n'y en a plus nous revenons « à la bouillie. C'est comme cela d'un bout de l'an à l'autre, « dimanches et jours ouvrables. Je suis toujours très fatigué le « soir, une fois ma journée finie. Il nous arrive quelquefois de « voir un brin de viande, mais bien rarement. Trois de nos « enfants vont à l'école; nous payons pour chacun un penny « par semaine. Le loyer de notre maison est de trois pence par « semaine. La tourbe pour le chauffage coûte au moins un shil- « ling six pence tous les quinze jours. » Voilà la vie de l'Irlandais, voilà son salaire[150]. »

En fait, la misère irlandaise est devenue de nouveau le thème du jour en Angleterre. A la fin de 1866 et au commencement de 1867, un des magnats de l'Irlande, lord Dufferin, voulut bien y porter remède, dans les colonnes du *Times*, s'entend. « Quelle humanité, dit Méphisto, quelle humanité chez un si grand seigneur! »

On a vu par la table E qu'en 1864, sur les quatre millions trois cent soixante-huit mille six cent dix livres sterling du profit total réalisé en Irlande, trois fabricants de plus-value en accaparèrent deux cent soixante-deux mille six cent dix, mais qu'en 1865 les mêmes virtuoses de « l'abstinence », sur quatre millions six cent soixante-neuf mille neuf cent soixante-dix-neuf livres sterling, en empochèrent deux cent soixante-quatorze mille quatre cent quarante-huit. En 1864, six cent quarante-six mille trois cent soixante-dix-sept livres sterling se distribuèrent entre vingt-six individus; en 1865, sept cent trente-six mille quatre cent quarante-huit livres sterling entre vingt-huit; en 1864, un million soixante-six mille deux cent douze livres sterling entre cent vingt et un; en 1865, un million trois cent vingt mille neuf cent quatre-vingt-seize livres sterling entre cent quatre-vingt-six; en 1864, mille cent trente et un individus encaissèrent deux millions cent cinquante mille huit cent dix-huit livres sterling, presque la moitié du profit total annuel, et en 1865, mille cent quatre-vingt-quatorze fauteurs d'accumulation s'approprièrent deux millions quatre cent dix-huit mille neuf cent trente-trois livres sterling, c'est-à-dire plus de la moitié de tous les profits perçus dans le pays.

La part léonine qu'en Irlande, comme en Angleterre et en Ecosse, un nombre imperceptible de grands terriens se taillent sur le revenu annuel du sol, est si monstrueuse que la sagesse d'Etat anglaise trouve bon de ne pas fournir sur la répartition de la rente foncière les mêmes matériaux statistiques que sur la répartition du profit. Lord Dufferin est un de ces Léviathans. Croire que rentes foncières, profits industriels ou commerciaux, intérêts, etc., puissent jamais dépasser la mesure, ou que la pléthore de richesse se rattache en rien à la pléthore de misère, c'est pour lui naturellement une manière de voir aussi extravagante que malsaine *(unsound)*; Sa Seigneurie s'en tient aux faits. Le fait, c'est qu'à mesure que le chiffre de la population diminue en Irlande celui de la rente foncière y grossit; que le dépeuplement « fait du bien » aux seigneurs du sol, partant au sol, et conséquemment au peuple qui n'en est qu'un accessoire. Il déclare donc qu'il reste encore trop d'Irlandais en Irlande et que le flot de l'émigration n'en emporte pas assez. Pour être tout à fait heureux, il faudrait que ce pays fût débarrassé au moins d'un autre tiers de million de paysans. Et que l'on ne s'imagine pas que ce lord, d'ailleurs très poétique, soit un médecin de l'école de Sangrado qui, toutes les fois que le malade empirait, ordonnait une nouvelle saignée, jusqu'à ce qu'il ne restât plus au patient ni sang ni maladie. Non, lord Dufferin ne demande que quatre cent cinquante mille victimes, au lieu de deux millions; si on les lui refuse, il ne faut pas songer à établir le millenium en Irlande. Et la preuve en est bientôt faite.

NOMBRE ET ÉTENDUE DES FERMES EN IRLANDE EN 1864.

1. Fermes qui ne dépassent pas 1 acre	Nombre	48 653
	Superficie	25 394
2. Fermes au-dessus de 1 et non au-dessus de 5 acres	Nombre	82 037
	Superficie	288 916
3. Fermes au-dessus de 5 et non au-dessus de 15 acres	Nombre	176 368
	Superficie	836 310
4. Fermes au-dessus de 15 et non au-dessus de 30 acres	Nombre	136 578
	Superficie	3 051 343
5. Fermes au-dessus de 30 et non au-dessus de 50 acres	Nombre	71 961
	Superficie	2 906 274
6. Fermes au-dessus de 50 et non au-dessus de 100 acres	Nombre	54 247
	Superficie	3 983 880

7. Fermes au-dessus de 100 acres	Nombre	31 927
	Superficie........	8 227 807
8. Superficie totale comprenant aussi les tourbières et les terres incultes.......	20 319 924 acres.	

De 1851 à 1861, la concentration n'a supprimé qu'une partie des fermes des trois catégories d'un à quinze acres, et ce sont elles qui doivent disparaître avant les autres. Nous obtenons, ainsi un excès de trois cent sept mille cinquante-huit fermiers, et, en supposant que leurs familles se composent en moyenne de quatre têtes, chiffre trop modique, il y a à présent un million deux cent vingt-huit mille deux cent trente-deux « surnuméraires ». Si, après avoir accompli sa révolution, l'agriculture absorbe un quart de ce nombre, supposition presque extravagante, il en restera pour l'émigration neuf cent vingt et un mille cent soixante-quatorze. Les catégories quatre, cinq, six, de quinze à cent acres, chacun le sait en Angleterre, sont incompatibles avec la grande culture du blé, et elles n'entrent même pas en ligne de compte dès qu'il s'agit de l'élevage des moutons. Dans les données admises, un autre contingent de sept cent quatre-vingt-huit mille sept cent soixante et un individus doit filer; total : un million sept cent neuf mille cinq cent trente-deux. Et, comme l'appétit vient en mangeant, les gros terriens ne manqueront pas de découvrir bientôt qu'avec trois millions et demi d'habitants l'Irlande reste toujours misérable, et misérable parce que surchargée d'Irlandais. Il faudra donc la dépeupler davantage pour qu'elle accomplisse sa vraie destination, qui est de former un immense pacage, un herbage assez vaste pour assouvir la faim dévorante de ses vampires anglais[151].

Ce procédé avantageux a, comme toute bonne chose en ce monde, son mauvais côté. Tandis que la rente foncière s'accumule en Irlande, les Irlandais s'accumulent en même proportion aux Etats-Unis. L'Irlandais évincé par le bœuf et le mouton reparaît de l'autre côté de l'Atlantique sous forme de Fenian. Et en face de la reine des mers sur son déclin se dresse de plus en plus menaçante la jeune république géante.

Acerba fata Romanos agunt
Scelusque fraternæ necis.

HUITIÈME SECTION

L'ACCUMULATION PRIMITIVE

CHAPITRE XXVI

LE SECRET DE L'ACCUMULATION PRIMITIVE

Nous avons vu comment l'argent devient capital, le capital source de plus-value, et la plus-value source de capital additionnel. Mais l'accumulation capitaliste présuppose la présence de la plus-value et celle-ci la production capitaliste qui, à son tour, n'entre en scène qu'au moment où des masses de capitaux et de forces ouvrières assez considérables se trouvent déjà accumulées entre les mains de producteurs marchands. Tout ce mouvement semble donc tourner dans un cercle vicieux, dont on ne saurait sortir sans admettre une *accumulation primitive* (*previous accumulation*, dit Adam Smith), antérieure à l'accumulation capitaliste et servant de point de départ à la production capitaliste, au lieu de venir d'elle.

Cette accumulation primitive joue dans l'économie politique à peu près le même rôle que le péché originel dans la théologie. Adam mordit la pomme, et voilà le péché qui fait son entrée dans le monde. On nous en explique l'origine par une aventure qui se serait passée quelques jours après la création du monde.

De même, il y avait autrefois, mais il y a bien longtemps de cela, un temps où la société se divisait en deux camps : là des gens d'élite, laborieux, intelligents, et surtout doués d'habitudes ménagères; ici un tas de coquins faisant gogaille du matin au soir et du soir au matin. Il va sans dire que les uns entassèrent trésor sur trésor, tandis que les autres se trouvèrent bientôt dénués de tout. De là la pauvreté de la grande masse qui, en dépit d'un travail sans fin ni trêve, doit toujours payer de sa propre personne, et la richesse du petit nombre, qui récolte tous les fruits du travail sans avoir à faire œuvre de ses dix doigts.

L'histoire du péché théologal nous fait bien voir, il est vrai, comme quoi l'homme a été condamné par le Seigneur à gagner son pain à la sueur de son front; mais celle du péché économique comble une lacune regrettable en nous révélant comme quoi il y a des hommes qui échappent à cette ordonnance du Seigneur.

Et ces insipides enfantillages, on ne se lasse pas de les ressasser. M. Thiers, par exemple, en ose encore régaler les Français, autrefois si spirituels, et cela dans un volume où, avec un aplomb d'homme d'Etat, il prétend avoir réduit à néant les attaques sacrilèges, du socialisme contre la propriété. Il est vrai que, la question de la propriété une fois mise sur le tapis, chacun se doit faire un devoir sacré de s'en tenir à la sagesse de l'abécédaire, la seule à l'usage et à la portée des écoliers de tout âge[1].

Dans les annales de l'histoire réelle, c'est la conquête, l'asservissement, la rapine à main armée, le règne de la force brutale, qui l'a toujours emporté. Dans les manuels béats de l'économie politique, c'est l'idylle au contraire qui a de tout temps régné. A leur dire il n'y eut jamais, l'année courante exceptée, d'autres moyens d'enrichissement que le travail et le droit. En fait, les méthodes de l'accumulation primitive sont tout ce qu'on voudra, hormis matière à idylle.

Le rapport officiel entre le capitaliste et le salarié est d'un caractère purement mercantile. Si le premier joue le rôle de maître et le dernier le rôle de serviteur, c'est grâce à un contrat par lequel celui-ci s'est non seulement mis au service, et partant sous la dépendance, de celui-là, mais par lequel il a renoncé à tout titre de propriété sur son propre produit. Mais pourquoi le salarié fait-il ce marché ? Parce qu'il ne possède rien que sa force personnelle, le travail à l'état de puissance, tandis que toutes les conditions extérieures requises pour donner corps à cette puissance, la matière et les instruments nécessaires à l'exercice utile du travail, le pouvoir de disposer des subsistances indispensables au maintien de la force ouvrière et à sa conversion en mouvement productif, tout cela se trouve de l'autre côté.

Au fond du système capitaliste il y a donc la séparation radicale du producteur d'avec les moyens de production. Cette séparation se reproduit sur une échelle progressive dès que le système capitaliste s'est une fois établi; mais comme celle-là forme la base de celui-ci, il ne saurait s'établir sans elle. Pour qu'il vienne au monde, il faut donc que, partiellement au moins, les moyens de production aient déjà été arrachés sans phrase aux producteurs, qui les employaient à réaliser leur propre travail, et qu'ils se trouvent déjà détenus par des producteurs marchands, qui eux les emploient à spéculer sur le travail d'autrui. Le *mouvement historique* qui fait divorcer le travail d'avec ses conditions extérieures, voilà donc le fin mot de l'accumulation appelée « primitive » parce qu'elle appartient à l'âge préhistorique du monde bourgeois.

L'ordre économique capitaliste est sorti des entrailles de l'ordre économique féodal. La dissolution de l'un a dégagé les éléments constitutifs de l'autre.

Quant au travailleur, au producteur immédiat, pour pouvoir disposer de sa propre personne, il lui fallait d'abord cesser d'être attaché à la glèbe ou d'être inféodé à une autre personne; il ne pouvait non plus devenir libre vendeur de travail, apportant sa marchandise partout où elle trouve un marché, sans avoir échappé au régime des corporations, avec leurs maîtrises, leurs jurandes, leurs lois d'apprentissage, etc. Le mouvement historique qui convertit les producteurs en salariés se présente donc comme leur affranchissement du servage et de la hiérarchie industrielle. De l'autre côté, ces affranchis ne deviennent vendeurs d'eux-mêmes qu'après avoir été dépouillés de tous leurs moyens de production et de toutes les garanties d'existence offertes par l'ancien ordre des choses. L'histoire de leur expropriation n'est pas matière à conjecture : elle est écrite dans les annales de l'humanité en lettres de sang et de feu indélébiles.

Quant aux capitalistes entrepreneurs, ces nouveaux potentats avaient non seulement à déplacer les maîtres des métiers, mais aussi les détenteurs féodaux des sources de la richesse. Leur avènement se présente de ce côté-là comme le résultat d'une lutte victorieuse contre le pouvoir seigneurial avec ses prérogatives révoltantes, et le régime corporatif avec les entraves qu'il mettait au libre développement de la production et à la libre exploitation de l'homme par l'homme. Mais les chevaliers d'industrie n'ont supplanté les chevaliers d'épée qu'en exploitant des événements qui n'étaient pas de leur propre fait. Ils sont arrivés par des moyens aussi vils que ceux dont se servit l'affranchi romain pour devenir le maître de son patron.

L'ensemble du développement, embrassant à la fois la genèse du salarié et celle du capitaliste, a pour point de départ la servitude des travailleurs; le progrès qu'il accomplit consiste à changer la forme de l'asservissement, à amener la métamorphose de l'exploitation féodale en exploitation capitaliste. Pour en faire comprendre la marche, il ne nous faut pas remonter trop haut. Bien que les premières ébauches de la production capitaliste aient été faites de bonne heure dans quelques villes de la Méditerranée, l'ère capitaliste ne date que du XVIe siècle. Partout où elle éclôt, l'abolition du servage est depuis longtemps un fait accompli, et le régime des villes souveraines, cette gloire du moyen âge, est déjà en pleine décadence.

Dans l'histoire de l'accumulation primitive, toute révolution fait époque qui sert de levier à l'avancement de la classe capitaliste en voie de formation, celles surtout qui, dépouillant de grandes masses de leurs moyens de production et d'existence traditionnels, les lancent à l'improviste sur le marché du travail. Mais la base de toute cette évolution, c'est l'expropriation des cultivateurs.

Elle ne s'est encore accomplie d'une manière radicale qu'en Angleterre : ce pays jouera donc nécessairement le premier rôle dans notre esquisse. Mais tous les autres pays de l'Europe occidentale parcourent le même mouvement, bien que selon le milieu il change de couleur locale, ou se resserre dans un cercle plus étroit, ou présente un caractère moins fortement prononcé, ou suive un ordre de succession différent[2].

CHAPITRE XXVII

L'EXPROPRIATION DE LA POPULATION CAMPAGNARDE

En Angleterre le servage avait disparu de fait vers la fin du XIVe siècle. L'immense majorité de la population[1] se composait alors, et plus entièrement encore au XVe siècle, de paysans libres cultivant leurs propres terres, quels que fussent les titres féodaux dont on affubla leur droit de possession. Dans les grands domaines seigneuriaux l'ancien bailli *(bailiff)*, serf lui-même, avait fait place au fermier indépendant. Les salariés ruraux étaient en partie des paysans — qui, pendant le temps de loisir laissé par la culture de leurs champs, se louaient au service des grands propriétaires, — en partie une classe particulière et peu nombreuse de journaliers. Ceux-ci mêmes étaient aussi dans une certaine mesure cultivateurs de leur chef, car en sus du salaire on leur faisait concession de champs d'au moins quatre acres, avec des cottages; de plus, ils participaient, concuremment avec les paysans proprement dits, à l'usufruit des biens communaux, où ils faisaient paître leur bétail, et se pourvoyaient de bois, de tourbe, etc., pour le chauffage.

Nous remarquerons en passant que le serf même était non seulement possesseur, tributaire, il est vrai, des parcelles attenant à sa maison, mais aussi copossesseur des biens communaux. Par exemple, quand Mirabeau publia son livre : *de la Monarchie prussienne*, le servage existait encore dans la plupart des provinces prussiennes, entre autres en Silésie. Néanmoins les serfs y possédaient des biens communaux. « On n'a pu encore, dit-il, engager les Silésiens au partage des communes, tandis que dans la nouvelle Marche il n'y a guère de village où ce partage ne soit exécuté avec le plus grand succès[2]. »

Le trait le plus caractéristique de la production féodale dans tous les pays de l'Europe occidentale, c'est le partage du sol entre le plus grand nombre possible d'hommes-liges. Il en était du seigneur féodal comme de tout autre souverain; sa puissance dépendait moins de la rondeur de sa bourse que du nombre de ses sujets, c'est-à-dire du nombre des paysans établis sur ses domaines. Le Japon, avec son organisation purement féodale de la propriété foncière et sa petite culture, offre donc, à beaucoup d'égards, une image plus fidèle du moyen âge européen que nos livres d'histoire imbus de préjugés bourgeois. Il est par trop commode d'être « libéral » aux dépens du moyen âge.

Bien que la conquête normande eût constitué toute l'Angleterre en baronnies gigantesques — dont une seule comprit souvent plus de neuf cents seigneuries anglo-saxonnes — le sol était néanmoins parsemé de petites propriétés rurales interrompues çà et là par de grands domaines seigneuriaux. Dès que le servage eut donc disparu et qu'au XVe siècle la prospérité des villes prit un grand essor, le peuple anglais atteignit l'état d'aisance si éloquemment dépeint par le chancelier Fortescue, dans ses *Laudes legum Angliæ.* Mais cette richesse du peuple excluait la richesse capitaliste.

La révolution qui allait jeter les premiers fondements du régime capitaliste, eut son prélude dans le dernier tiers du XVe siècle et au commencement du XVIe. Alors le licenciement des nombreuses suites seigneuriales — dont Sir James Steuart dit pertinemment qu'elles « encombraient la tour et la maison » — lança à l'improviste sur le marché du travail une masse de prolétaires sans feu ni lieu. Bien que le pouvoir royal, sorti lui-même du développement bourgeois, fût, dans sa tendance à la souveraineté absolue, poussé à activer ce licenciement par des mesures violentes, il n'en fut pas la seule cause. En guerre ouverte avec la royauté et le Parlement, les grands seigneurs créèrent un prolétariat bien autrement considérable en usurpant les biens communaux des paysans et les chassant du sol, qu'ils possédaient au même titre féodal que leurs maîtres. Ce qui en Angleterre donna surtout lieu à ces actes de violence, ce fut l'épanouissement des manufactures de laine en Flandre et la hausse des prix de la laine qui en résulta. La longue guerre des Deux-Roses ayant dévoré l'ancienne noblesse, la nouvelle, fille de son époque, regardait l'argent comme la puissance des puissances. Transformation des terres arables en pâturages, tel fut son cri de guerre.

Dans sa « *Description of England. Prefixed to Holinshed's Chronicles* », Harrison raconte comment l'expropriation des paysans a désolé le pays. « Mais qu'importe à nos grands usurpateurs! (What care our great incroachers!) Les maisons des paysans et les cottages des travailleurs ont été violemment rasés ou condamnés à tomber en ruines. Si l'on veut comparer les anciens inventaires de chaque manoir seigneurial, on trouvera que d'innombrables maisons ont disparu avec les petits cultivateurs qui les habitaient, que le pays nourrit beaucoup moins de gens, que beaucoup de villes sont déchues, bien que quelques-unes de nouvelle fondation prospèrent... A propos des villes et des villages détruits pour faire des parcs à moutons et où l'on ne voit plus rien debout, sauf les châteaux seigneuriaux, j'en aurais long à dire[3]. » Les plaintes de ces vieux chroniqueurs, toujours exagérées, dépeignent pourtant d'une manière exacte l'impression produite sur les contemporains par la révolution survenue dans l'ordre économique de la société. Que l'on compare les écrits du chancelier Fortescue avec ceux du chancelier Thomas Morus, et l'on se fera une idée de l'abîme qui sépare le XVe siècle du XVIe. En Angleterre la classe travailleuse, dit fort justement Thornton, fut précipitée sans transition de son âge d'or dans son âge de fer.

Ce bouleversement fit peur à la législature. Elle n'avait pas encore atteint ce haut degré de civilisation, où la richesse nationale *(Wealth of the Nation)*, c'est-à-dire l'enrichissement des capitalistes, l'appauvrissement et l'exploitation effrontée de la masse du peuple, passe pour l'*ultima Thule* de la sagesse d'Etat. « Vers cette époque (1489), dit Bacon dans son histoire d'Henri VII, les plaintes à propos de la conversion des terres arables en pacages qui n'exigent que la surveillance de quelques bergers devinrent de plus en plus nombreuses, et des fermes amodiées à vie, à long terme ou à l'année, dont vivaient en grande partie des *yeomen*, furent annexées aux terres domaniales. Il en résulta un déclin de la population, suivi de la décadence de beaucoup de villes, d'églises, d'une diminution des dîmes, etc. Les remèdes apportés à cette funeste situation témoignent d'une sagesse admirable de la part du roi et du Parlement. Ils prirent des mesures contre cette usurpation dépopulatrice des terrains communaux *(depopulating enclosures)* et contre l'extension des pâturages dépopulateurs *(depopulating pasture)* qui la suivait de près. »

Une loi d'Henri VII, 1489, c. 19, interdit la démolition de toute maison de paysan avec attenance d'au moins vingt acres de terre. Cette interdiction est renouvelée dans une loi de la vingt-cinquième année du règne d'Henri VIII, où il est dit entre autres que « beaucoup de fermes et de grands troupeaux de bétail, surtout de moutons, s'accumulent en peu de mains, d'où il résulte que les rentes du sol s'accroissent, mais que le labourage *(tillage)* déchoit, que des maisons et des églises sont démolies et d'énormes masses de peuple se trouvent dans l'impossibilité de subvenir à leur entretien et à celui de leurs familles ». La loi ordonne par conséquent la reconstruction des maisons de ferme démolies, fixe la proportion entre les terres à blé et les pâturages, etc. Une loi de 1533 constate que certains propriétaires possèdent vingt-quatre mille moutons, et leur impose pour limite le chiffre de deux mille, etc.[4].

Les plaintes du peuple, de même que les lois promulguées depuis Henri VII, pendant cent cinquante ans, contre l'expropriation des paysans et des petits fermiers, restèrent également sans effet. Dans ses *Essays, civil and moral*, sect. 20, Bacon trahit à son insu le secret de leur inefficacité. « La loi d'Henri VII, dit-il, fut profonde et admirable, en ce sens qu'elle créa des établissements agricoles et des maisons rurales d'une grandeur normale déterminée, c'est-à-dire qu'elle assura aux cultivateurs une portion de terre suffisante pour les mettre à même d'élever des sujets jouissant d'une honnête aisance et de condition non servile, et pour maintenir la charrue entre les mains de propriétaires et non de mercenaires (to keep the plough in the hand of the owners and not hirelings[5]). » Ce qu'il fallait à l'ordre de production capitaliste, c'était au contraire la condition servile des masses, leur transformation en mercenaires et la conversion de leurs moyens de travail en capital.

Dans cette époque de transition la législation chercha aussi à maintenir les quatre acres de terre auprès du cottage du salarié agricole, et lui interdit de prendre des sous-locataires. En 1627, sous Jacques Ier, Roger Crocker de Frontmill est condamné pour avoir bâti un cottage sur le domaine seigneurial de ce nom sans y avoir annexé quatre acres de terre à perpétuité; en 1638, sous Charles Ier, on nomme une Commission royale pour faire exécuter les anciennes lois, notamment celles sur les quatre acres. Cromwell aussi interdit de bâtir près de Londres, à quatre milles à la ronde, aucune maison qui ne fût dotée d'un champ de quatre acres au moins. Enfin, dans la première moitié du XVIIIe siècle, on se plaint encore dès qu'il n'y a pas un ou deux acres de terre adjoints au cottage de l'ouvrier agricole. Aujourd'hui ce dernier se trouve fort heureux quand il a un petit jardin ou qu'il trouve à louer à une distance considérable un champ de quelques mètres carrés. « Landlords et fermiers, dit le Dr Hunter, se prêtent main-forte. Quelques acres ajoutés à son cottage rendraient le travailleur trop indépendant[6]. »

La Réforme, et la spoliation des biens d'église qui en fut la suite, vint donner une nouvelle et terrible impulsion à l'expropriation violente du peuple au XVIe siècle. L'Eglise catholique était à cette époque propriétaire féodale de la plus grande partie du sol anglais. La suppression des cloîtres, etc., en jeta les habitants dans le prolétariat. Les biens mêmes du clergé tombèrent entre les griffes des favoris royaux ou furent vendus à vil prix à des citadins, à des fermiers spéculateurs, qui commencèrent par chasser en masse les vieux tenanciers héréditaires. Le droit de propriété des pauvres gens sur une partie des dîmes ecclésiastiques fut tacitement confisqué[7]. « *Pauper ubique jacet* », s'écriait la reine Elisabeth après avoir fait le tour de l'Angleterre. Dans la quarante-troisième année de son règne, on se voit enfin forcé de reconnaître le paupérisme comme institution nationale et d'établir la taxe des pauvres. Les auteurs de cette loi eurent honte d'en déclarer les motifs et la publièrent sans aucun préambule, contre l'usage traditionnel[8]. Sous Charles Ier, le Parlement la déclara perpétuelle, et elle ne fut modifiée qu'en 1834. Alors, de ce qui leur avait été originellement accordé comme indemnité de l'expropriation subie on fit aux pauvres un châtiment.

Le protestantisme est essentiellement une religion bourgeoise. Pour en faire ressortir « l'esprit » un seul exemple suffira. C'était encore au temps d'Elisabeth : quelques propriétaires fonciers et quelques riches fermiers de l'Angleterre méridionale se réunirent en conciliabule pour approfondir la loi sur les pauvres récemment promulguée. Puis ils résumèrent le résultat de leurs études communes dans un écrit, contenant dix questions raisonnées, qu'ils soumirent ensuite à l'avis d'un célèbre jurisconsulte d'alors, le sergent Snigge, élevé au rang de juge sous le règne de Jacques Ier. En voici un extrait :

« *Neuvième question :* Quelques-uns des riches fermiers de la paroisse ont projeté un plan fort sage au moyen duquel on peut éviter toute espèce de trouble dans l'exécution de la loi. Ils proposent de faire bâtir dans la paroisse une prison. Tout pauvre qui ne voudra pas s'y laisser enfermer se verra refuser l'assistance. On fera ensuite savoir dans les environs que, si quelque individu désire louer les pauvres de cette paroisse, il aura à remettre, à un terme fixé d'avance, des propositions cachetées indiquant le plus bas prix auquel il voudra nous en débarrasser. Les auteurs de ce plan supposent qu'il y a dans les comtés voisins des gens qui n'ont aucune envie de travailler, et qui sont sans fortune ou sans crédit pour se procurer soit ferme, soit vaisseau, afin de pouvoir vivre sans travail *(so as to live without labour)*. Ces gens-là seraient tout disposés à faire à la paroisse des propositions très avantageuses. Si çà et là des pauvres venaient à mourir sous la garde du contractant, la faute en retomberait sur lui, la paroisse ayant rempli à l'égard de ces pauvres tous ses devoirs. Nous craignons pourtant que la loi dont il s'agit ne permette pas des mesures de prudence (prudential measures) de ce genre. Mais il vous faut savoir que le reste des *freeholders* (francs tenanciers) de ce comté et des comtés voisins se joindra à nous pour engager leurs représentants à la Chambre des communes à proposer une loi qui permette d'emprisonner les pauvres et de les contraindre au travail, afin que tout individu qui se refuse à l'emprisonnement perde son droit à l'assistance. Ceci, nous l'espérons, va empêcher les misérables d'*avoir besoin* d'être assistés (*will prevent persons in distress* from wanting relief)[9]. »

Cependant ces conséquences immédiates de la réformation n'en furent pas les plus importantes. La propriété ecclésiastique faisait à l'ordre traditionnel de la propriété foncière comme un boulevard sacré. La première emportée d'assaut, la seconde n'était plus tenable[10].

Dans les dernières années du XVIIe siècle, la *Yeomanry*, classe de paysans indépendants, la « *Proud Peasantry* » de Shakespeare, dépassait encore en nombre l'état des fermiers. C'est elle qui avait constitué la force principale de la république anglaise. Ses mœurs et ses habitudes formaient, de l'aveu même de Macaulay, le contraste le plus frappant avec celles des hobereaux contemporains, Nemrods grotesques, grossiers, ivrognes, et de leurs valets, les curés de village, épouseurs empressés des « servantes favorites » de la gentilhommerie campagnarde. Vers 1750 la *yeomanry* avait disparu[11].

Laissant de côté les influences purement économiques qui préparaient l'expropriation des cultivateurs, nous ne nous occupons ici que des leviers appliqués pour en précipiter violemment la marche.

Sous la restauration des Stuarts, les propriétaires fonciers vinrent à bout de commettre légalement une usurpation, accomplie ensuite sur le continent sans le moindre détour parlementaire. Ils abolirent la constitution féodale du sol, c'est-à-dire qu'ils le déchargèrent des servitudes qui le grevaient, en dédommageant l'Etat par des impôts à lever sur les paysans et le reste du peuple, revendiquèrent à titre de propriété privée, dans le sens moderne, des biens possédés en vertu des titres féodaux, et couronnèrent l'œuvre en octroyant aux travailleurs ruraux ces lois sur le domicile légal *(laws of settlement)* qui faisaient d'eux une appartenance de la paroisse, tout comme le fameux édit du Tartare Boris Godunof avait fait des paysans russes une appartenance de la glèbe.

La glorieuse révolution *(glorious revolution)* amena au pouvoir avec Guillaume III, prince d'Orange[12], faiseurs d'argent, nobles terriens et capitalistes roturiers. Ils inaugurèrent l'ère nouvelle par un gaspillage vraiment colossal du trésor public. Les domaines de l'Etat que l'on n'avait pillés jusque-là qu'avec modestie, dans des limites conformes aux bienséances, furent alors extorqués de vive force au roi parvenu comme pots-de-vin dus à ses anciens complices, ou vendus à des prix dérisoires, ou enfin sans formalité aucune simplement annexés à des propriétés privées[13]. Tout cela à découvert, bruyamment, effrontément, au mépris même des semblants de légalité. Cette appropriation frauduleuse du domaine public et le pillage des biens ecclésiastiques, voilà, si l'on en excepte ceux que la révolution républicaine jeta dans la circulation, la base sur laquelle repose la puissance domaniale de l'oligarchie anglaise actuelle[14]. Les bourgeois capitalistes favorisèrent l'opération dans le but de faire de la terre un article de commerce, d'augmenter leur approvisionnement de prolétaires campagnards, d'étendre le champ de la grande agriculture, etc. Du reste, la nouvelle aristocratie foncière était l'alliée naturelle de la nouvelle bancocratie, de la haute finance fraîche éclose et des gros manufacturiers, alors fauteurs du système protectionniste. La bourgeoisie anglaise agissait conformément à ses intérêts, tout comme le fit la bourgeoisie suédoise en se ralliant au contraire aux paysans, afin d'aider les rois à ressaisir par des mesures terroristes les terres de la couronne escamotées par l'aristocratie.

La propriété communale, tout à fait distincte de la propriété publique dont nous venons de parler, était une vieille institution germanique restée en vigueur au milieu de la société féodale. On a vu que les empiétements violents sur les communes, presque toujours suivis de la conversion des terres arables en pâturages, commencèrent au dernier tiers du XVe siècle et se prolongèrent au-delà du XVIe. Mais ces actes de rapine ne constituaient alors que des attentats individuels combattus, vainement, il est vrai, pendant cent cinquante ans par la législature. Mais au XVIIIe siècle, — voyez le progrès! — la loi même devint l'instrument de spoliation, ce qui d'ailleurs n'empêcha pas les grands fermiers d'avoir aussi recours à de petites pratiques particulières et pour ainsi dire extra-légales[15].

La forme parlementaire du vol commis sur les communes est celle de « lois sur la clôture des terres communales » *(Bills for inclosures of commons)*. Ce sont en réalité des décrets au moyen desquels les propriétaires fonciers se font eux-mêmes cadeau des biens communaux, des décrets d'expropriation du peuple. Dans un plaidoyer d'avocat retors, Sir F. M. Eden cherche à présenter la propriété communale comme propriété privée, bien qu'indivise encore, les landlords modernes ayant pris la place de leurs prédécesseurs, les seigneurs féodaux, mais il se réfute lui-même en demandant que le Parlement vote un statut général sanctionnant une fois pour toutes l'enclos des communaux. Et, non content d'avoir ainsi avoué qu'il faudrait un coup d'Etat parlementaire pour légaliser le transfert des biens communaux aux landlords, il consomme sa déroute en insistant, par acquit de conscience, sur l'indemnité due aux pauvres cultivateurs[16]. S'il n'y avait pas d'expropriés, il n'y avait évidemment personne à indemniser.

En même temps que la classe indépendante des yeomen était supplantée par celle des *tenants at will*, des petits fermiers dont le bail peut être résilié chaque année, race timide, servile, à la merci du bon plaisir seigneurial, — le vol systématique des terres communales, joint au pillage des domaines de l'Etat, contribuait à enfler les grandes fermes appelées au XVIIIe siècle « fermes à capital[17] » ou « fermes de marchands[18] », et à transformer la population des campagnes en prolétariat « disponible » pour l'industrie.

Cependant, le XVIIIe siècle ne comprit pas aussi bien que le XIXe l'identité de ces deux termes : richesse de la nation, pauvreté du peuple. De là la polémique virulente sur l'enclos des communes que l'on rencontre dans la littérature économique de cette époque. Des matériaux immenses qu'elle nous a laissés sur ce sujet il suffit d'extraire quelques passages qui feront fortement ressortir la situation d'alors.

Dans un grand nombre de paroisses de Hertfordshire, écrit une plume indignée, vingt-quatre fermes renfermant chacune en moyenne de cinquante à cent cinquante acres ont été réunies en trois[19]. « Dans le Northamptonshire et le Lincolnshire il a été procédé en grand à la clôture des terrains communaux; et la plupart des nouvelles seigneuries issues de cette opération ont été converties en pâturages, si bien que là où on labourait mille cinq cents acres de terre on n'en laboure plus que cinquante... Des ruines de maisons, de granges, d'étables, etc., voilà les seules traces laissées par les anciens habitants. En maint endroit des centaines de demeures et de familles ont été réduites à huit ou dix. Dans la plupart des paroisses où les clôtures ne datent que des quinze ou vingt dernières années, il n'y a qu'un petit nombre de propriétaires, comparé à celui qui cultivait le sol alors que les champs étaient ouverts. Il n'est pas rare de voir quatre ou cinq riches éleveurs de bétail usurper des domaines, naguère enclos, qui se trouvaient auparavant entre les mains de vingt ou trente fermiers et d'un grand nombre de petits propriétaires et de manants. Tous ces derniers et leurs familles sont expulsés de leurs possessions avec nombre d'autres familles qu'ils occupaient et entretenaient[20]. » Ce n'est pas seulement les terres en friche, mais souvent même celles qu'on avait cultivées, soit en commun, soit en payant une certaine redevance à la commune, que les propriétaires limitrophes s'annexèrent sous prétexte d'*enclosure*. « Je parle ici de la clôture de terrains et de champs déjà cultivés. Les écrivains mêmes qui soutiennent les clôtures conviennent que, dans ce cas, elles réduisent la culture, font hausser le prix des subsistances et amènent la dépopulation... Et, lors même qu'il ne s'agit que de terres incultes, l'opération telle qu'elle se pratique aujourd'hui enlève au pauvre une partie de ses moyens de subsistance et active le développement de fermes qui sont déjà trop grandes[21]. » « Quand le sol, dit le Dr Price, tombe dans les mains d'un petit nombre de grands fermiers, les petits fermiers [qu'il a en un autre endroit désignés comme autant *de petits propriétaires et tenanciers vivant eux et leurs familles du produit de la terre qu'ils cultivent, des moutons, de la volaille, des porcs*, etc., *qu'ils envoient paître sur les communaux*] — les petits fermiers seront transformés en autant de gens forcés de gagner leur subsistance en travaillant pour autrui et d'aller acheter au marché ce qui leur est nécessaire. Il se fera plus de travail peut-être, parce qu'il y aura plus de contrainte... Les villes et les manufactures grandiront, parce que l'on y chassera plus de gens en quête d'occupation. C'est en ce sens que la concentration des fermes opère spontanément et qu'elle a opéré depuis nombre d'années dans ce royaume[22]. En somme, et c'est ainsi qu'il résume l'effet général des enclos, la situation des classes inférieures du peuple a empiré sous tous les rapports : les petits propriétaires et fermiers ont été réduits à l'état de journaliers et de mercenaires, et en même temps il est devenu plus difficile de gagner sa vie dans cette condition[23]. » Par le fait, l'usurpation des communaux et la révolution agricole dont elle fut suivie se firent sentir si durement chez les travailleurs des campagnes, que d'après Eden lui-même, de 1765 à 1780, leur salaire commença à tomber au-dessous du minimum et dut être complété au moyen de secours officiels. « Leur salaire ne suffisait plus, dit-il, aux premiers besoins de la vie. »

Ecoutons encore un instant un apologiste des *inclosures*, adversaire du docteur Price : « On aurait absolument tort de conclure que le pays se dépeuple parce qu'on ne voit plus dans les campagnes tant de gens perdre leur temps et leur peine. S'il y en a moins dans les champs, il y en a davantage dans les villes... Si, après la conversion des petits paysans en journaliers obligés de travailler pour autrui, il se fait plus de travail, n'est-ce pas là un avantage que la nation (dont les susdits « convertis » naturellement ne font pas partie) ne peut que désirer ?... Le produit sera plus considérable, si l'on emploie dans une seule ferme leur travail combiné : il se formera ainsi un excédent de produit pour les manufactures, et celles-ci, vraies mines d'or de notre pays, s'accroîtront proportionnellement à la quantité de grains fournie[24]. »

Quant à la sérénité d'esprit, au stoïcisme imperturbable, avec lesquels l'économiste envisage la profanation la plus éhontée du « droit sacré de la propriété » et les attentats les plus scandaleux contre les personnes, dès qu'ils aident à établir le mode de production capitaliste, on en peut juger par l'exemple de Sir F. M. Eden, tory et philanthrope. Les actes de rapine, les atrocités, les souffrances qui, depuis le dernier tiers du XVe siècle jusqu'à la fin du XVIIIe, forment le cortège de l'expropriation violente des cultivateurs, le conduisent tout simplement à cette conclusion réconfortante : « Il fallait établir une juste proportion *(due proportion)* entre les terres de labour et les terres de pacage. Pendant tout le XIVe siècle et la plus grande partie du XVe, il y avait encore deux, trois et même quatre acres de terre arable contre un acre de pacage. Vers le milieu du XVIe siècle, cette proportion vint à changer : il y eut d'abord trois acres de pacage sur deux de sol cultivé, puis deux de celui-là sur un seul de celui-ci, jusqu'à ce qu'on arrivât enfin à la juste proportion de trois acres de terres de pacage sur un seul acre arable. »

Au XIXe siècle, on a perdu jusqu'au souvenir du lien intime qui rattachait le cultivateur au sol communal. Le peuple des campagnes a-t-il, par exemple, jamais obtenu un liard d'indemnité pour les trois millions cinq cent onze mille sept cent soixante-dix acres qu'on lui a arrachés de 1801 à 1831, et que les landlords se sont donnés les uns aux autres par des bills de clôture ?

Le dernier procédé d'une portée historique qu'on emploie pour exproprier les cultivateurs s'appelle *clearing of estates*, littéralement : « éclaircissement de biens-fonds ». En français on dit : « éclaircir une forêt », mais « éclaircir des biens-fonds », dans le sens anglais, ne signifie par une opération technique d'agronomie; c'est l'ensemble des actes de violence au moyen desquels on se débarrasse et des cultivateurs et de leurs demeures, quand elles se trouvent sur des biens-fonds destinés à passer au régime de la grande culture ou à l'état de pâturage. C'est bien à cela que toutes les méthodes d'expropriation considérées jusqu'ici ont abouti en dernier lieu, et maintenant en Angleterre, là où il n'y a plus de paysans à supprimer, on fait raser, comme nous l'avons vu plus haut, jusqu'aux cottages des salariés agricoles dont la présence déparerait le sol qu'ils cultivent. Mais le « clearing of estates », que nous allons aborder, a pour théâtre propre la contrée de prédilection des romanciers modernes, les Highlands d'Ecosse.

Là l'opération se distingue par son caractère systématique, par la grandeur de l'échelle sur laquelle elle s'exécute — en Irlande souvent un landlord fit raser plusieurs villages d'un seul coup; mais dans la haute Ecosse il s'agit de superficies aussi étendues que plus d'une principauté allemande, — et par la forme particulière de la propriété escamotée.

Le peuple des Highlands se composait de clans dont chacun possédait en propre le sol sur lequel il s'était établi. Le représentant du clan, son chef ou « grand homme », n'était que le propriétaire titulaire de ce sol, de même que la reine d'Angleterre est propriétaire titulaire du sol national. Lorsque le gouvernement anglais parvint à supprimer définitivement les guerres intestines de ces grands hommes et leurs incursions continuelles dans les plaines limitrophes de la basse Ecosse, ils n'abandonnèrent point leur ancien métier de brigand; ils n'en changèrent que la forme. De leur propre autorité ils convertirent leur droit de propriété titulaire en droit de propriété privée, et, ayant trouvé que les gens du clan dont ils n'avaient plus à répandre le sang faisaient obstacle à leurs projets d'enrichissement, ils résolurent de les chasser de vive force. « Un roi d'Angleterre eût pu tout aussi bien prétendre avoir le droit de chasser ses sujets dans la mer », dit le professeur Newman[25].

On peut suivre les premières phases de cette révolution, qui commence après la dernière levée de boucliers du prétendant, dans les ouvrages de James Anderson[26] et de James Stuart. Celui-ci nous informe qu'à son époque, au dernier tiers du XVIIIe siècle, la haute Ecosse présentait encore en raccourci un tableau de l'Europe d'il y a quatre cents ans. « La rente (il appelle ainsi à tort le tribut payé au chef de clan) de ces terres est très petite par rapport à leur étendue, mais, si vous la considérez relativement au nombre des bouches que nourrit la ferme, vous trouverez qu'une terre dans les montagnes d'Ecosse nourrit peut-être deux fois plus de monde qu'une terre de même valeur dans une province fertile. Il en est de certaines terres comme de certains couvents de moines mendiants : plus il y a de bouches à nourrir, mieux ils vivent[27]. »

Lorsque l'on commença, au dernier tiers du XVIIIe siècle, à chasser les Gaëls, on leur interdit en même temps l'émigration à l'étranger, afin de les forcer ainsi d'affluer à Glasgow et autres villes manufacturières[28].

Dans ses Observations sur la richesse des Nations d'Adam Smith, publiées en 1814, David Buchanan nous donne une idée des progrès faits par le « clearing of estates ». « Dans les Highlands », dit-il, « le propriétaire foncier, sans égards pour les tenanciers héréditaires (il applique erronément ce mot aux gens du clan qui en possédaient conjointement le sol), offre la terre au plus fort enchérisseur, lequel, s'il est améliorateur (improver), n'a rien de plus pressé que d'introduire un système nouveau. Le sol, parsemé antérieurement de petits paysans, était très peuplé par rapport à son rendement. Le nouveau système de culture perfectionnée et de rentes grossissantes fait obtenir le plus grand produit net avec le moins de frais possible, et dans ce but on se débarrasse des colons devenus désormais inutiles. Rejetés ainsi du sol natal, ceux-ci vont chercher leur subsistance dans les villes manufacturières, etc.[29]. »

George Ensor dit dans un livre publié en 1818 : « Les Grands d'Ecosse ont exproprié des familles comme ils feraient sarcler de mauvaises herbes; ils ont traité des villages et leurs habitants comme les Indiens ivres de vengeance traitent les bêtes féroces et leurs tanières. Un homme est vendu pour une toison de brebis, pour un gigot de mouton et pour moins encore... Lors de l'invasion de la Chine septentrionale, le grand conseil des Mongols discuta s'il ne fallait pas extirper du pays tous les habitants et le convertir en un vaste pâturage. Nombre de landlords écossais ont mis ce dessein à exécution dans leur propre pays, contre leurs propres compatriotes[30]. »

Mais à tout seigneur tout honneur. L'initiative la plus mongolique revient à la duchesse de Sutherland. Cette femme, dressée de bonne main, avait à peine pris les rênes de l'administration qu'elle résolut d'avoir recours aux grands moyens et de convertir en pâturage tout le comté, dont la population, grâce à des expériences analogues, mais faites sur une plus petite échelle, se trouvait déjà réduite au chiffre de quinze mille. De 1814 à 1820, ces quinze mille individus, formant environ trois mille familles, furent systématiquement expulsés. Leurs villages furent détruits et brûlés, leurs champs convertis en pâturages. Des soldats anglais, commandés pour prêter main-forte, en vinrent aux prises avec les indigènes. Une vieille femme qui refusait d'abandonner sa hutte périt dans les flammes. C'est ainsi que la noble dame accapara sept cent quatre-vingt-quatorze mille acres de terres qui appartenaient au clan de temps immémorial.

Une partie des dépossédés fut absolument chassée; à l'autre on assigna environ six mille acres sur le bord de la mer, terres jusque-là incultes et n'ayant jamais rapporté un denier. Madame la duchesse poussa la grandeur d'âme jusqu'à les affermer, à une rente moyenne de deux shillings six pence par acre, aux membres du clan qui avait depuis des siècles versé son sang au service des Sutherland. Le terrain ainsi conquis, elle le partagea en vingt-neuf grosses fermes à moutons, établissant sur chacune une seule famille composée presque toujours de valets de ferme anglais. En 1825, les quinze mille proscrits avaient déjà fait place à cent trente et un mille moutons. Ceux qu'on avait jetés sur le rivage de la mer s'adonnèrent à la pêche et devinrent, d'après l'expression d'un écrivain anglais, de vrais amphibies, vivant à demi sur terre, à demi sur eau, mais, avec tout cela, ne vivant qu'à moitié[31].

Mais il était écrit que les braves Gaëls auraient à expier plus sévèrement encore leur idolâtrie romantique et montagnarde pour les « grands hommes de clan ». L'odeur de leur poisson vint chatouiller les narines de ces grands hommes, qui y flairèrent des profits à réaliser, et ne tardèrent pas à affermer le rivage aux gros mareyeurs de Londres. Les Gaëls furent une seconde fois chassés[32].

Enfin une dernière métamorphose s'accomplit. Une portion des terres converties en pâturages va être reconvertie en réserves de chasse.

On sait que l'Angleterre n'a plus de forêts sérieuses. Le gibier élevé dans les parcs des Grands n'est qu'une sorte de bétail domestique et constitutionnel, gras comme les aldermen de Londres. L'Ecosse est donc forcément le dernier asile de la noble passion de la chasse.

« Dans les Highlands », dit Robert Somers, « on a beaucoup étendu les forêts réservées aux fauves *(deer forests)*[33]. Ici, du côté de Gaick, vous avez la nouvelle forêt de Glenfeshie, et là, de l'autre côté, la nouvelle forêt d'Ardverikie. Sur la même ligne, vous rencontrez le Bleak-Mount, immense désert de création nouvelle. De l'est à l'ouest, depuis les environs d'Aberdeen jusqu'aux rochers d'Oban, il y a maintenant une longue file de forêts, tandis que dans d'autres parties des Highlands se trouvent les forêts nouvelles de Loch Archaig, de Glengarry, de Glenmoriston, etc. La conversion de leurs champs en pâturages a chassé les Gaëls vers des terres moins fertiles; maintenant que le gibier fauve commence à remplacer le mouton, leur misère devient plus écrasante. Ce genre de forêts improvisées et le peuple ne peuvent point exister côte à côte; il faut que l'un des deux cède la place à l'autre. Qu'on laisse croître le chiffre et l'étendue des réserves de chasse dans le prochain quart de siècle comme cela s'est fait dans le dernier, et l'on ne trouvera plus un seul Gaël sur sa terre natale. D'un côté cette dévastation artificielle des Highlands est une affaire de mode qui flatte l'orgueil aristocratique des landlords et leur passion pour la chasse, mais de l'autre, ils se livrent au commerce du gibier dans un but exclusivement mercantile. Il n'y a pas de doute que souvent un espace de pays montagneux rapporte bien moins comme pacage que comme réserve de chasse. L'amateur à la recherche d'une chasse ne met, en général, d'autre limite à ses offres que la longueur de sa bourse[34]... Les Highlands ont subi des souffrances tout aussi cruelles que celles dont la politique des rois normands a frappé l'Angleterre. Les bêtes fauves ont eu le champ de plus en plus libre, tandis que les hommes ont été refoulés dans un cercle de plus en plus étroit... Le peuple s'est vu ravir toutes ses libertés l'une après l'autre... Aux yeux des landlords, c'est un principe fixe, une nécessité agronomique que de purger le sol de ses indigènes comme l'on extirpe arbres et broussailles dans les contrées sauvages de l'Amérique ou de l'Australie, et l'opération va son train tout tranquillement et régulièrement[35]. »

Le livre de M. Robert Somers, dont nous venons de citer quelques extraits, parut d'abord dans les colonnes du *Times* sous forme de lettres sur la famine que les Gaëls, succombant devant la concurrence du gibier, eurent à subir en 1847. De savants économistes anglais en tirèrent la sage conclusion qu'il y avait trop de Gaëls, ce qui faisait qu'ils ne pouvaient qu'exercer une « pression » malsaine sur leurs moyens de subsistance.

Vingt ans après cet état de choses avait bien empiré, comme le constate entre autres le professeur Leone Levi dans un discours prononcé en avril 1866 devant la Société des Arts. « Dépeupler le pays », dit-il, « et convertir les terres arables en pacages, c'était en premier lieu le moyen le plus commode d'avoir des revenus sans avoir de frais... Bientôt la substitution des *deer forests* aux pacages devint un événement ordinaire dans les Highlands. Le daim en chassa le mouton comme le mouton en avait jadis chassé l'homme. En partant des domaines du comte de Dalhousie dans le Forfarshire, on peut monter jusqu'au John O'Groats sans jamais quitter les prétendues forêts. Le renard, le chat sauvage, la martre, le putois, la fouine, la belette et le lièvre des Alpes, s'y sont naturalisés il y a longtemps; le lapin ordinaire, l'écureuil et le rat, en ont récemment trouvé le chemin. D'énormes districts, qui figuraient dans la statistique de l'Ecosse comme des prairies d'une fertilité et d'une étendue exceptionnelles, sont maintenant rigoureusement exclus de toute sorte de culture et d'amélioration, et consacrés aux plaisirs d'une poignée de chasseurs, et cela ne dure que quelques mois de l'année. »

Vers la fin de mai 1866, une feuille écossaise rappelait le fait suivant dans ses nouvelles du jour : « Une des meilleures fermes à moutons du Sutherlandshire, pour laquelle, à l'expiration du bail courant, on avait tout récemment offert une rente de douze cent mille livres sterling, va être convertie en *deer forest*. L'*Economist* de Londres, du 2 juin 1866, écrit à cette occasion :

« Les instincts féodaux se donnent libre carrière aujourd'hui comme au temps où le conquérant normand détruisait trente-six villages pour créer la Forêt Nouvelle *(New Forest)*... Deux millions d'acres, comprenant les terres les plus fertiles de l'Ecosse, sont tout à fait dévastés. Le fourrage naturel de Glen Tilt passait pour un des plus succulents du comté de Perth; la *deer forest* de Ben Aulden était la meilleure prairie naturelle dans les vastes touffes de Badenoch; une partie de la forêt de Black-Mount était le meilleur pâturage d'Ecosse pour les moutons à laine noire. Le sol ainsi sacrifié au plaisir de la chasse s'étend sur une superficie plus grande que le comté de Perth de beaucoup. La perte en sources de production, que cette dévastation artificielle a causée au pays, peut s'apprécier par le fait que le sol de la forêt de Ben Aulden, capable de nourrir quinze mille moutons, ne forme que le trentième du territoire de chasse écossais. Tout ce terrain est devenu improductif... On l'aurait pu tout aussi bien engloutir au fond de la mer du Nord. Il faut que le bras de la loi intervienne pour donner le coup de grâce à ces solitudes, à ces déserts improvisés. Toutefois, ce même *Economist* de Londres publie aussi des plaidoyers en faveur de cette fabrication de déserts. On y prouve, à l'aide de calculs rigoureux, que le revenu net des landlords s'en est accru, et, partant, la richesse nationale des Highlands[36].

La spoliation des biens d'église, l'aliénation frauduleuse des domaines de l'Etat, le pillage des terrains communaux, la transformation usurpatrice et terroriste de la propriété féodale ou même patriarcale en propriété moderne privée, la guerre aux chaumières, voilà les procédés idylliques de l'accumulation primitive. Ils ont conquis la terre à l'agriculture capitaliste, incorporé le sol au capital et livré à l'industrie des villes les bras dociles d'un prolétariat sans feu ni lieu.

CHAPITRE XXVIII

LÉGISLATION SANGUINAIRE CONTRE LES EXPROPRIÉS A PARTIR DE LA FIN DU XVe SIÈCLE. — LOIS SUR LES SALAIRES

La création du prolétariat sans feu ni lieu — licenciés des grands seigneurs féodaux et cultivateurs victimes d'expropriations violentes et répétées — allait nécessairement plus vite que son absorption par les manufactures naissantes. D'autre part, ces hommes brusquement arrachés à leurs conditions de vie habituelles ne pouvaient se faire aussi subitement à la discipline du nouvel ordre social. Il en sortit donc une masse de mendiants, de voleurs, de vagabonds. De là vers la fin du xve siècle et pendant tout le xvie, dans l'ouest de l'Europe, une législation sanguinaire contre le vagabondage. Les pères de la classe ouvrière actuelle furent châtiés d'avoir été réduits à l'état de vagabonds et de pauvres. La législation les traita en criminels volontaires; elle supposa qu'il dépendait de leur libre arbitre de continuer à travailler comme par le passé et comme s'il n'était survenu aucun changement dans leur condition.

En Angleterre, cette législation commence sous le règne de Henri VII.

Henri VIII, 1530 : les mendiants âgés et incapables de travail obtiennent des licences pour demander la charité. Les vagabonds robustes sont condamnés au fouet et à l'emprisonnement. Attachés derrière une charrette, ils doivent subir la fustigation jusqu'à ce que le sang ruisselle de leur corps; puis ils ont à s'engager par serment à retourner, soit au lieu de leur naissance, soit à l'endroit qu'ils ont habité dans les trois dernières années, et à « se remettre au travail » *(to put himself to labour)*. Cruelle ironie! Ce même statut fut encore trouvé trop doux dans la vingt-septième année du règne d'Henri VIII. Le Parlement aggrava les peines par des clauses additionnelles. En cas de première récidive, le vagabond doit être fouetté de nouveau et avoir la moitié de l'oreille coupée; à la deuxième récidive il devra être traité en félon et exécuté comme ennemi de l'Etat.

Dans son Utopie, le chancelier Thomas Morus dépeint vivement la situation des malheureux qu'atteignaient ces lois atroces. « Ainsi il arrive », dit-il, « qu'un glouton avide et insatiable, un vrai fléau pour son pays natal, peut s'emparer de milliers d'arpents de terre en les entourant de pieux ou de haies, ou en tourmentant leurs propriétaires par des injustices qui les contraignent à tout vendre. De façon ou d'autre, de gré ou de force, « il faut qu'ils déguerpissent tous, pauvres gens, cœurs simples, hommes, femmes, époux, orphelins, veuves, mères avec leurs nourrissons et tout leur avoir; peu de ressources, mais beaucoup de têtes, car l'agriculture a besoin de beaucoup de bras. Il faut, dis-je, qu'ils traînent leurs pas loin de leurs anciens foyers, sans trouver un lieu de repos. Dans d'autres circonstances, la vente de leur mobilier et de leurs ustensiles domestiques eût pu les aider, si peu qu'ils valent; mais, jetés subitement dans le vide, ils sont forcés de les donner pour une bagatelle. Et, quand ils ont erré çà et là et mangé jusqu'au dernier liard, que peuvent-ils faire autre chose que de voler, et alors, mon Dieu! d'être pendus avec toutes les formes légales, ou d'aller mendier ? Et alors encore on les jette en prison comme des vagabonds, parce qu'ils mènent une vie errante et ne travaillent pas, eux auxquels personne au monde ne veut donner de travail, si empressés qu'ils soient à s'offrir pour tout genre de besogne. » De ces malheureux fugitifs, dont Thomas Morus, leur contemporain, dit qu'on les força à vagabonder et à voler, « soixante-douze mille furent exécutés sous le règne de Henri VIII[1]. »

Edouard VI : un statut de la première année de son règne (1547) ordonne que tout individu réfractaire au travail sera adjugé pour esclave à la personne qui l'aura dénoncé comme truand. (Ainsi, pour avoir à son profit le travail d'un pauvre diable, on n'avait qu'à le dénoncer comme réfractaire au travail.)

Le maître doit nourrir cet esclave au pain et à l'eau, et lui donner de temps en temps quelque boisson faible et les restes de viande qu'il jugera convenable. Il a le droit de l'astreindre aux besognes les plus dégoûtantes à l'aide du fouet et de la chaîne. Si l'esclave s'absente une quinzaine de jours, il est condamné à l'esclavage à perpétuité et sera marqué au fer rouge de la lettre *S* sur la joue et le front; s'il a fui pour la troisième fois, il sera exécuté comme félon. Le maître peut le vendre, le léguer par testament, le louer à autrui à l'instar de tout autre bien meuble ou du bétail. Si les esclaves machinent quelque chose contre les maîtres, ils doivent être punis de mort. Les juges de paix ayant reçu information sont tenus à suivre les mauvais garnements à la piste. Quand on attrape un de ces va-nu-pieds, il faut le marquer au fer rouge du signe *V* sur la poitrine et le ramener à son lieu de naissance où, chargé de fers, il aura à travailler sur les places publiques. Si le vagabond a indiqué un faux lieu de naissance, il doit devenir, pour punition, l'esclave à vie de ce lieu, de ses habitants ou de sa corporation; on le marquera d'une *S*. Le premier venu a le droit de s'emparer des enfants des vagabonds et de les retenir comme apprentis, les garçons jusqu'à vingt-quatre ans, les filles jusqu'à vingt. S'ils prennent la fuite, ils deviennent jusqu'à cet âge les esclaves des patrons, qui ont le droit de les mettre aux fers, de leur faire subir le fouet, etc., à volonté. Chaque maître peut passer un anneau de fer autour du cou, des bras ou des jambes de son esclave, afin de mieux le reconnaître et d'être plus sûr de lui[2]. La dernière partie de ce statut prévoit le cas où certains pauvres seraient occupés par des gens ou des localités qui veuillent bien leur donner à boire et à manger et les mettre au travail. Ce genre d'esclaves de paroisse s'est conservé en Angleterre jusqu'au milieu du XIXe siècle sous le nom de roundsmen (hommes qui font les rondes).

Elisabeth, 1572 : Les mendiants sans permis et âgés de plus de quatorze ans devront être sévèrement fouettés et marqués au fer rouge à l'oreille gauche, *si personne ne veut les prendre en service pendant deux ans*. En cas de récidive, ceux âgés de plus de dix-huit ans doivent être exécutés, *si personne ne veut les employer pendant deux années*. Mais, pris une troisième fois, ils doivent être mis à mort sans miséricorde comme félons. On trouve d'autres statuts semblables : 18 Elizabeth, 13 ch., et en 1597. Sous le règne aussi maternel que virginal de « Queen Bess », on pendit les vagabonds par fournées, rangés en longues files. Il ne se passait pas d'année qu'il n'y en eût trois ou quatre cents d'accrochés à la potence dans un endroit ou dans l'autre, dit *Strype* dans ses Annales; d'après lui, le Somersetshire seul en compta en une année quarante d'exécutés, trente-cinq de marqués au fer rouge, trente-sept de fouettés et cent quatre-vingt-trois — « vauriens incorrigibles » — de relâchés. Cependant, ajoute ce philanthrope, « ce grand nombre d'accusés ne comprend pas le cinquième des crimes commis, grâce à la nonchalance des juges de paix et à la sotte compassion du peuple... Dans les autres comtés de l'Angleterre, la situation n'était pas meilleure et, dans plusieurs, elle était pire[3]. »

Jacques Ier : tous les individus qui courent le pays et vont mendier sont déclarés vagabonds, gens sans aveu. Les juges de paix (tous, bien entendu, propriétaires fonciers, manufacturiers, pasteurs, etc., investis de la juridiction criminelle), à leurs sessions ordinaires, sont autorisés à les faire fouetter publiquement et à leur infliger six mois de prison à la première récidive et deux ans à la seconde. Pendant toute la durée de l'emprisonnement ils peuvent être fouettés aussi souvent et aussi fort que les juges de paix le trouveront à propos... Les coureurs de pays rétifs et dangereux doivent être marqués d'une *R* sur l'épaule gauche, et, si on les reprend à mendier, exécutés sans miséricorde et privés de l'assistance du prêtre. Ces statuts ne furent abolis qu'en 1714.

En France, où vers la moitié du XVIIe siècle les *truands* avaient établi leur *royaume* et fait de Paris leur capitale, on trouve des lois semblables. Jusqu'au commencement du règne de Louis XVI (ordonnance du 13 juillet 1777), tout homme sain et bien constitué, âgé de seize à soixante ans, et trouvé sans moyens d'existence et sans profession, devait être envoyé aux galères. Il en est de même du statut de Charles Quint pour les Pays-Bas, du mois d'octobre 1537, du premier édit des Etats et des villes de Hollande, du 19 mars 1694, de celui des Provinces-Unies, du 25 juin 1649, etc.

C'est ainsi que la population des campagnes, violemment expropriée et réduite au vagabondage, a été rompue à la discipline qu'exige le système du salariat par des lois d'un terrorisme grotesque, par le fouet, la marque au fer rouge, la torture et l'esclavage.

Ce n'est pas assez que d'un côté se présentent les conditions matérielles du travail, sous forme de capital, et de l'autre des hommes qui n'ont rien à vendre, sauf leur puissance de travail. Il ne suffit pas non plus qu'on les contraigne par la force à se vendre volontairement. Dans le progrès de la production capitaliste il se forme une classe de plus en plus nombreuse de travailleurs, qui, grâce à l'éducation, la tradition, l'habitude, subissent les exigences du régime aussi spontanément que le changement des saisons. Dès que ce mode de production a acquis un certain développement, son mécanisme brise toute résistance; la présence constante d'une surpopulation relative maintient la loi de l'offre et la demande du travail, et partant le salaire, dans des limites conformes aux besoins du capital, et la sourde pression des rapports économiques achève le despotisme du capitaliste sur le travailleur. Parfois on a bien encore recours à la contrainte, à l'emploi de la force brutale, mais ce n'est que par exception. Dans le cours ordinaire des choses le travailleur peut être abandonné à l'action des « lois naturelles » de la société, c'est-à-dire à la dépendance du capital, engendrée, garantie et perpétuée par le mécanisme même de la production. Il en est autrement pendant la genèse historique de la production capitaliste. La bourgeoisie naissante ne saurait se passer de l'intervention constante de l'Etat; elle s'en sert pour « régler » le salaire, c'est-à-dire pour le déprimer au niveau convenable, pour prolonger la journée de travail et maintenir le travailleur lui-même au degré de dépendance voulu. C'est là un moment essentiel de l'accumulation primitive.

La classe salariée, qui surgit dans la dernière moitié du XIVe siècle, ne formait alors, ainsi que dans le siècle suivant, qu'une très faible portion de la population. Sa position était fortement protégée, à la campagne par les paysans indépendants, à la ville par le régime corporatif des métiers; à la campagne comme à la ville, maîtres et ouvriers étaient socialement rapprochés. Le mode de production technique ne possédant encore aucun caractère spécifiquement capitaliste, la subordination du travail au capital n'était que dans la forme. L'élément variable du capital l'emportait de beaucoup sur son élément constant. La demande de travail salarié grandissait donc rapidement avec chaque nouvelle accumulation du capital, tandis que l'offre de travailleurs ne suivait que lentement. Une grande partie du produit national, transformée plus tard en fonds d'accumulation capitaliste, entrait alors encore dans le fonds de consommation du travailleur.

La législation sur le travail salarié, marquée dès l'origine au coin de l'exploitation du travailleur et désormais toujours dirigée contre lui[4], fut inaugurée en Angleterre en 1349 par le *Statute of Labourers* d'Edouard III. Ce statut a pour pendant en France l'ordonnance de 1350, promulguée au nom du roi Jean. La législlation anglaise et la législation française suivent une marche parallèle, et leur contenu est identique. Je n'ai pas à revenir sur ces statuts en tant qu'ils concernent la prolongation forcée de la journée de travail, ce point ayant été traité précédemment (chap. X).

Le *Statute of Labourers* fut promulgué sur les instances pressantes de la Chambre des communes, c'est-à-dire des acheteurs de travail. « Autrefois », dit naïvement un tory, « les pauvres demandaient un salaire si élevé, que c'était une menace pour l'industrie et la richesse. Aujourd'hui leur salaire est si bas qu'il menace également l'industrie et la richesse, et peut-être plus dangereusement que par le passé[5]. » Un tarif légal des salaires fut établi pour la ville et la campagne, pour le travail à la tâche et le travail à la journée. Les ouvriers agricoles durent se louer à l'année, ceux des villes faire leurs conditions « sur le marché public ». Il fut interdit sous peine d'emprisonnement de payer au-delà du salaire légalement fixé : mais celui qui touche le salaire supérieur encourt une punition plus sévère que celui qui le donne. De plus, les sections 18 et 19 du statut d'apprentissage d'Elisabeth punissent de dix jours de prison le patron qui paye un trop fort salaire et de vingt et un jours l'ouvrier qui l'accepte. Non content de n'imposer aux patrons individuellement que des restrictions qui tournent à leur avantage collectif, on traite en cas de contravention le patron en compère et l'ouvrier en rebelle. Un statut de 1630 établit des peines encore plus dures et autorisa même le maître à extorquer du travail au tarif légal, à l'aide de la contrainte corporelle. Tous contrats, serments, etc., par lesquels les maçons et les charpentiers s'engageaient réciproquement, furent déclarés nuls et non avenus. Les coalitions ouvrières furent mises au rang des plus grands crimes, et y restèrent depuis le XIVe siècle jusqu'en 1824.

L'esprit du statut de 1349, et de ceux auxquels il servit de modèle, éclate surtout en ceci que l'on y fixe un maximum légal au-dessus duquel le salaire ne doit point monter, mais que l'on se garde bien de prescrire un minimum légal au-dessous duquel il ne devrait pas tomber.

Au XVIe siècle la situation des travailleurs s'était, on le sait, fort empirée. Le salaire nominal s'était élevé, mais point en proportion de la dépréciation de l'argent et de la hausse correspondante du prix des marchandises. En réalité il avait donc baissé. Toutefois les lois sanctionnées en vue de sa réduction n'en restèrent pas moins en vigueur, en même temps que l'on continuait à couper l'oreille et à marquer au fer rouge ceux que « personne ne voulait prendre à son service ». Par le statut d'apprentissage d'Elisabeth (5 Elis. 3), les juges de paix — et, il faut toujours y revenir, ce ne sont pas des juges dans le sens propre du mot, mais des landlords, des manufacturiers, des pasteurs et autres membres de la classe nantie faisant fonction de juges — furent autorisés à fixer certains salaires et à les modifier suivant les saisons et le prix des marchandises. Jacques Ier étendit cette réglementation du travail aux tisserands, aux fileurs et à une foule d'autres catégories de travailleurs[6]. George II étendit les lois contre les coalitions ouvrières à toutes les manufactures.

Pendant la période manufacturière proprement dite, le mode de production capitaliste avait assez grandi pour rendre la réglementation légale du salaire aussi impraticable que superflue : mais on était bien aise d'avoir sous la main, pour des cas imprévus, le vieil arsenal d'ukases. Sous George II, le Parlement adopte un bill défendant aux compagnons tailleurs de Londres et des environs de recevoir aucun salaire quotidien supérieur à deux shillings sept pence et demi sauf les cas de deuil général ; sous George III (13 Geo. III, c. 68), les juges de paix sont autorisés à régler le salaire des tisseurs en soie. En 1796 il faut même deux arrêts de cours supérieures pour décider si les ordonnances des juges de paix sur le salaire s'appliquent également aux travailleurs non agricoles; en 1789, un acte du Parlement déclare encore que le salaire des mineurs d'Ecosse devra être réglé d'après un statut du temps d'Elisabeth et deux actes écossais de 1661 et de 1671. Mais, sur ces entrefaites, les circonstances économiques avaient subi une révolution si radicale qu'il se produisit un fait inouï dans la Chambre des communes. Dans cette enceinte où depuis plus de quatre cents ans on ne cessait de fabriquer des lois pour fixer au mouvement des salaires le maximum qu'il ne devait en aucun cas dépasser, Whitbread vint proposer, en 1796, d'établir un minimum légal pour les ouvriers agricoles. Tout en combattant la mesure, Pitt convint cependant que « les pauvres étaient dans une situation cruelle ». Enfin, en 1813, on abolit les lois sur la fixation des salaires; elles n'étaient plus, en effet, qu'une anomalie ridicule, à une époque où le fabricant régissait de son autorité privée ses ouvriers par des édits qualifiés de règlements de fabrique, où le fermier complétait à l'aide de la taxe des pauvres le minimum de salaire nécessaire à l'entretien de ses hommes de peine. Les dispositions des statuts sur les contrats entre patrons et salariés, d'après lesquelles, en cas de rupture, l'action civile est seule recevable contre les premiers, tandis que l'action criminelle est admise contre les seconds, sont encore aujourd'hui en vigueur.

Les lois atroces contre les coalitions tombèrent en 1825 devant l'attitude menaçante du prolétariat; cependant on n'en fit point table rase. Quelques beaux restes des statuts ne disparurent qu'en 1859. Enfin, par la loi du 29 juin 1871, on prétendit effacer les derniers vestiges de cette législation de classe en reconnaissant l'existence légale des Trades Unions (sociétés ouvrières de résistance); mais par une loi supplémentaire de la même date — « *An Act to amend the criminal Law relating to violence, threats and molestation* » — les lois contre la coalition se trouvèrent de fait rétablies sous une nouvelle forme. Les moyens auxquels en cas de grève ou de *lock-out* (on appelle ainsi la grève des patrons qui se coalisent pour fermer tous à la fois leurs fabriques) les ouvriers peuvent recourir dans l'entraînement de la lutte, soustraits par cet escamotage parlementaire au droit commun, tombèrent sous le coup d'une législation pénale d'exception interprétée par les patrons en leur qualité de juges de paix. Deux ans auparavant, cette même Chambre des communes et ce même M. Gladstone qui, par l'édit supplémentaire de 1871, ont inventé de nouveaux délits propres aux travailleurs, avaient honnêtement fait passer en seconde lecture un bill pour mettre fin, en matière criminelle, à toutes lois d'exception contre la classe ouvrière. Pendant deux ans nos fins compères s'en tinrent à la seconde lecture; on traîna l'affaire en longueur jusqu'à ce que « le grand parti libéral » eût trouvé dans une alliance avec les tories le courage de faire volte-face contre le prolétariat qui l'avait porté au pouvoir. Et, non content de cet acte de trahison, le grand parti libéral, toujours sous les auspices de son onctueux chef, permit aux juges anglais, toujours empressés à servir les classes régnantes d'exhumer les lois surannées sur la conspiration pour les appliquer à des faits de coalition. Ce n'est, on le voit, qu'à contrecœur, et sous la pression menaçante des masses, que le Parlement anglais renonce aux loix contre les coalitions et les Trades Unions, après avoir lui-même, avec un cynisme effronté, fait pendant cinq siècles l'office d'une Trade Union permanente des capitalistes contre les travailleurs.

Dès le début de la tourmente révolutionnaire, la bourgeoisie française osa dépouiller la classe ouvrière du droit d'association que celle-ci venait à peine de conquérir. Par une loi organique du 14 juin 1791, tout concert entre les travailleurs pour la défense de leurs intérêts communs fut stigmatisé « d'attentat contre la liberté et la déclaration des droits de l'homme », punissable d'une amende de cinq cents livres, jointe à la privation pendant un an des droits de citoyen actif[7]. Ce décret qui, à l'aide du Code pénal et de la police, trace à la concurrence entre le capital et le travail des limites agréables aux capitalistes, a survécu aux révolutions et aux changements de dynasties. Le régime de la Terreur lui-même n'y a pas touché. Ce n'est que tout récemment qu'il a été effacé du Code pénal; et encore avec quel luxe de ménagements! Rien qui caractérise ce coup d'Etat bourgeois comme le prétexte allégué. Le rapporteur de la loi, Chapelier, que Camille Desmoulins qualifie « d'ergoteur misérable[8] », veut bien avouer que « le salaire de la journée de travail devrait être un peu plus considérable qu'il ne l'est à présent... car dans une nation libre les salaires doivent être assez considérables pour que celui qui les reçoit soit *hors de cette dépendance absolue* que produit la privation des besoins de première nécessité, *et qui est presque celle de l'esclavage* ». Néanmoins il est, d'après lui, « instant de prévenir le progrès de ce désordre », savoir : « les coalitions que forment les ouvriers pour faire augmenter le prix de la journée de travail », et pour mitiger *cette dépendance absolue qui est presque celle de l'esclavage*. Il faut absolument le réprimer, et pourquoi ? Parce que les ouvriers portent ainsi atteinte à « la liberté *des entrepreneurs de travaux, les ci-devant maîtres* », et qu'en empiétant sur le despotisme de ces ci-devant maîtres de corporation — on ne l'aurait jamais deviné — ils « *cherchent à recréer les corporations anéanties* par la révolution[9] ».

CHAPITRE XXIX

GENÈSE DES FERMIERS CAPITALISTES

Après avoir considéré la création violente d'un prolétariat sans feu ni lieu, la discipline sanguinaire qui le transforme en classe salariée, l'intervention honteuse de l'Etat favorisant l'exploitation du travail, et partant l'accumulation du capital, du renfort de sa police, nous ne savons pas encore d'où viennent, originairement, les capitalistes. Car il est clair que l'expropriation de la population des campagnes n'engendre directement que de grands propriétaires fonciers.

Quant à la genèse du fermier capitaliste, nous pouvons pour ainsi dire la faire toucher du doigt, parce que c'est un mouvement qui se déroule lentement et embrasse des siècles. Les serfs, de même que les propriétaires libres, grands ou petits, occupaient leurs terres à des titres de tenure très divers : ils se trouvèrent donc, après leur émancipation, placés dans des circonstances économiques très différentes.

En Angleterre, le fermier apparaît d'abord sous la forme du *bailiff* (bailli), serf lui-même. Sa position ressemble à celle du *villicus* de l'ancienne Rome, mais dans une sphère d'action plus étroite. Pendant la seconde moitié du XIVe siècle il est remplacé par le fermier libre, que le propriétaire pourvoit de tout le capital requis, semences, bétail et instruments de labour. Sa condition diffère peu de celle des paysans, si ce n'est qu'il exploite plus de journaliers. Il devient bientôt métayer, colon partiaire. Une partie du fonds de culture est alors avancée par lui, l'autre par le propriétaire; tous deux se partagent le produit total suivant une proportion déterminée par contrat. Ce mode de fermage, qui s'est maintenu si longtemps en France, en Italie, etc., disparaît rapidement en Angleterre pour faire place au fermage proprement dit, où le fermier avance le capital, le fait valoir, en employant des salariés, et paie au propriétaire à titre de rente foncière une partie du produit net annuel, à livrer en nature ou en argent, suivant les stipulations du bail.

Tant que le paysan indépendant et le journalier cultivant en outre pour son propre compte s'enrichissent par leur travail personnel, la condition du fermier et son champ de production restent également médiocres. La révolution agricole des trente dernières années du xve siècle, prolongée jusqu'au dernier quart du xvie, l'enrichit aussi vite qu'elle appauvrit la population des campagnes[1]. L'usurpation des pâtures communales, etc., lui permet d'augmenter rapidement et presque sans frais son bétail, dont il tire dès lors de gros profits par la vente, par l'emploi comme bêtes de somme et enfin par une fumure plus abondante du sol.

Au xvie siècle il se produisit un fait considérable qui rapporta des moissons d'or aux fermiers, comme aux autres capitalistes-entrepreneurs. Ce fut la dépréciation progressive des métaux précieux et, par conséquent, de la monnaie. Cela abaissa à la ville et à la campagne le taux des salaires, dont le mouvement ne suivit que de loin la hausse de toutes les autres marchandises. Une portion du salaire des ouvriers ruraux entra dès lors dans les profits de la ferme. L'enchérissement continu du blé, de la laine, de la viande, en un mot, de tous les produits agricoles, grossit le capital-argent du fermier, sans qu'il y fût pour rien, tandis que la rente foncière qu'il avait à payer diminua en raison de la dépréciation de l'argent survenue pendant la durée du bail. Et il faut bien remarquer qu'au xvie siècle les baux de ferme étaient encore, en général, à long terme, souvent à quatre-vingt-dix-neuf ans. Le fermier s'enrichit donc à la fois aux dépens de ses salariés et aux dépens de ses propriétaires[2]. Dès lors rien d'étonnant que l'Angleterre possédât à la fin du xvie siècle une classe de *fermiers capitalistes*, très riches pour l'époque[3].

CHAPITRE XXX

CONTRECOUP DE LA RÉVOLUTION AGRICOLE SUR L'INDUSTRIE. — ÉTABLISSEMENT DU MARCHÉ INTÉRIEUR POUR LE CAPITAL INDUSTRIEL

L'expropriation et l'expulsion, par secousses toujours renouvelées, des cultivateurs, fournit, comme on l'a vu, à l'industrie des villes, des masses de prolétaires recrutés entièrement en dehors du milieu corporatif, circonstance heureuse qui fait croire au vieil Anderson (qu'il ne faut pas confondre avec James Anderson), dans son *Histoire du commerce*, à une intervention directe de la Providence. Il nous faut nous arrêter un instant encore à cet élément de l'accumulation primitive. La raréfaction de la population campagnarde composée de paysans indépendants, cultivant leurs propres champs, n'entraîna pas seulement la condensation du prolétariat industriel, de même que, suivant l'hypothèse de Geoffroy Saint-Hilaire, la raréfaction de la matière cosmique sur un point en entraîne la condensation sur un autre[1]. Malgré le nombre décroissant de ses cultivateurs le sol rapporta autant et même plus de produits qu'auparavant, parce que la révolution dans les conditions de la propriété foncière était accompagnée du perfectionnement des méthodes de culture, de la coopération sur une plus grande échelle, de la concentration des moyens de production, etc. En outre, les salariés agricoles furent astreints à un labeur plus intense[2], tandis que le champ qu'ils exploitaient pour leur propre compte et à leur propre bénéfice se rétrécissait progressivement, le fermier s'appropriant ainsi de plus en plus tout leur temps de travail libre. C'est de cette manière que les moyens de subsistance d'une grande partie de la population rurale se trouvèrent disponibles en même temps qu'elle et qu'ils durent figurer à l'avenir comme élément matériel du capital variable. Désormais le paysan dépossédé dut en acheter la valeur, sous forme de salaire, de son nouveau maître, le capitaliste manufacturier. Et il en fut des matières premières de l'industrie provenant de l'agriculture comme des subsistances : elles se transformèrent en élément du capital constant.

Figurons-nous, par exemple, une partie des paysans westphaliens, qui du temps de Frédéric II filaient tout le lin, brusquement expropriée du sol, et la partie restante convertie en journaliers de grandes fermes. En même temps s'établissent des filatures et des tissanderies de dimensions plus ou moins considérables où les ci-devant paysans sont embauchés comme salariés.

Le lin ne paraît pas autre que jadis, pas une de ses fibres n'est changée, mais une nouvelle âme sociale s'est, pour ainsi dire, glissée dans son corps. Il fait désormais partie du capital constant du maître manufacturier. Réparti autrefois entre une multitude de petits producteurs qui le cultivaient eux-mêmes et le filaient en famille par petites fractions, il est aujourd'hui concentré dans les mains d'un capitaliste pour qui d'autres filent et tissent. Le travail supplémentaire dépensé dans le filage se convertissait autrefois en un supplément de revenu pour d'innombrables familles de paysans, ou, si l'on veut, puisque nous sommes au temps de Frédéric, en impôts « pour le roi de Prusse ». Il se convertit maintenant en profit pour un petit nombre de capitalistes. Les rouets et les métiers, naguère dispersés sur la surface du pays, sont à présent rassemblés dans quelques grands ateliers casernes, ainsi que les travailleurs et les matières premières. Et rouets, métiers et matières premières, ayant cessé de servir de moyens d'existence indépendante à ceux qui les manœuvrent, sont désormais métamorphosés en moyens de commander des fileurs et des tisserands et d'en pomper du travail gratuit[3].

Les grandes manufactures ne trahissent pas à première vue leur origine comme les grandes fermes. Ni la concentration des petits ateliers dont elles sont sorties, ni le grand nombre de petits producteurs indépendants qu'il a fallu exproprier pour les former, ne laissent de traces apparentes.

Néanmoins l'intuition populaire ne s'y laisse point tromper. Du temps de Mirabeau, le lion révolutionnaire, les grandes manufactures portaient encore le nom de « manufactures réunies », comme on parle à présent de « terres réunies ». Mirabeau dit : « On ne fait attention qu'aux grandes manufactures, où des centaines d'hommes travaillent sous un directeur, et que l'on nomme communément *manufactures réunies.* Celles où un très grand nombre d'ouvriers travaillent chacun séparément, et chacun pour son propre compte, sont à peine considérées; on les met à une distance infinie des autres. C'est une très grande erreur, car les dernières font seules un objet de prospérité nationale vraiment importante... La fabrique réunie enrichira prodigieusement un ou deux entrepreneurs, mais les ouvriers ne seront que des journaliers plus ou moins payés, et ne participeront en rien au bien de l'entreprise. Dans la fabrique séparée, au contraire, personne ne deviendra riche, mais beaucoup d'ouvriers seront à leur aise; les économes et les industrieux pourront amasser un petit capital, se ménager quelque ressource pour la naissance d'un enfant, pour une maladie, pour eux-mêmes ou pour quelqu'un des leurs. Le nombre des ouvriers économes et industrieux augmentera, parce qu'ils verront dans la bonne conduite, dans l'activité, un moyen d'améliorer essentiellement leur situation, et non d'obtenir un petit rehaussement de gages qui ne peut jamais être un objet important pour l'avenir, et dont le seul produit est de mettre les hommes en état de vivre un peu mieux, mais seulement au jour le jour... Les manufactures réunies, les entreprises de quelques particuliers qui soldent des ouvriers au jour la journée, pour travailler à leur compte, peuvent mettre ces particuliers à leur aise, mais elles ne feront jamais un objet digne de l'attention des gouvernements[4]. » Ailleurs il désigne les manufactures séparées, pour la plupart combinées avec la petite culture, comme « les seules *libres* ». S'il affirme leur supériorité comme économie et productivité sur les « fabriques réunies », et ne voit dans celles-ci que des fruits de serre gouvernementale, cela s'explique par l'état où se trouvaient alors la plupart des manufactures continentales.

Les événements qui transforment les cultivateurs en salariés, et leurs moyens de subsistance et de travail en éléments matériels du capital, créent à celui-ci son marché intérieur. Jadis la même famille paysanne façonnait d'abord, puis consommait directement — du moins en grande partie — les vivres et les matières brutes, fruits de son travail. Devenus maintenant marchandises, ils sont vendus en gros par le fermier, auquel les manufactures fournissent le marché. D'autre part, les ouvrages tels que fils, toiles, laineries ordinaires, etc., — dont les matériaux communs se trouvaient à la portée de toute famille de paysans — jusque-là produits à la campagne, se convertissent dorénavant en articles de manufacture auxquels la campagne sert de débouché, tandis que la multitude de chalands dispersés, dont l'approvisionnement local se tirait en détail de nombreux petits producteurs travaillant tous à leur compte, se concentre dès lors et ne forme plus qu'un grand marché pour le capital industriel[5]. C'est ainsi que l'expropriation des paysans, leur transformation en salariés, amène l'anéantissement de l'industrie domestique des campagnes, le divorce de l'agriculture d'avec toute sorte de manufacture. Et en effet, cet anéantissement de l'industrie domestique du paysan peut seul donner au marché intérieur d'un pays l'étendue et la constitution qu'exigent les besoins de la production capitaliste.

Pourtant la période manufacturière proprement dite ne parvient point à rendre cette révolution radicale. Nous avons vu qu'elle ne s'empare de l'industrie nationale que d'une manière fragmentaire, sporadique, ayant toujours pour base principale les métiers des villes et l'industrie domestique des campagnes. Si elle détruit celle-ci sous certaines formes, dans certaines branches particulières et sur certains points, elle la fait naître sur d'autres, car elle ne saurait s'en passer pour la première façon des matières brutes. Elle donne ainsi lieu à la formation d'une nouvelle classe de petits laboureurs pour lesquels la culture du sol devient l'accessoire, et le travail industriel, dont l'ouvrage se vend aux manufactures, soit directement, soit par l'intermédiaire du commerçant, l'occupation principale. Il en fut ainsi, par exemple, de la culture du lin sur la fin du règne d'Elisabeth. C'est là une des circonstances qui déconcertent lorsqu'on étudie de près l'histoire de l'Angleterre. En effet, dès le dernier tiers du XVe siècle, les plaintes contre l'extension croissante de l'agriculture capitaliste et la destruction progressive des paysans indépendants ne cessent d'y retenir que pendant de courts intervalles, et en même temps on retrouve constamment ces paysans, quoique en nombre toujours moindre et dans des conditions de plus en plus empirées. Exceptons pourtant le temps de Cromwell : tant que la république dura, toutes les couches de la population anglaise se relevèrent de la dégradation où elles étaient tombées sous le règne des Tudor.

Cette réapparition des petits laboureurs est en partie, comme nous venons de le voir, l'effet du régime manufacturier lui-même, mais la raison première en est que l'Angleterre s'adonne de préférence tantôt à la culture des grains, tantôt à l'élève du bétail, et que ses périodes d'alternance embrassent les unes un demi-siècle, les autres à peine une vingtaine d'années. Le nombre des petits laboureurs travaillant à leur compte varie aussi conformément à ces fluctuations.

C'est la grande industrie seule qui, au moyen des machines, fonde l'exploitation agricole capitaliste sur une base permanente, qui fait radicalement exproprier l'immense majorité de la population rurale, et consomme la séparation de l'agriculture d'avec l'industrie domestique des campagnes, en en extirpant les racines — le filage et le tissage. Par exemple : « Des manufactures proprement dites et de la destruction des manufactures rurales ou domestiques sort, à l'avènement des machines, la grande industrie lainière[6]. » « La charrue, le joug », s'écrie M. David Urquhart, « furent l'invention des dieux et l'occupation des héros : le métier à tisser, le fuseau et le rouet ont-ils une moins noble origine ? Vous séparez le rouet de la charrue, le fuseau du joug, et vous obtenez des fabriques et des workhouses, du crédit et des paniques, deux nations hostiles, l'une agricole, l'autre commerciale[7]. » Mais de cette séparation fatale date le développement nécessaire des pouvoirs collectifs du travail et la transformation de la production morcelée, routinière, en production combinée, scientifique. L'industrie mécanique consommant cette séparation, c'est elle aussi qui la première conquiert au capital tout le marché intérieur.

Les philanthropes de l'économie anglaise, tels que J. St. Mill, Rogers, Goldwin Smith, Fawcett, etc., les fabricants libéraux, les John Bright et consorts, interpellent les propriétaires fonciers de l'Angleterre comme Dieu interpella Caïn sur son frère Abel. Où s'en sont-ils allés, s'écrient-ils, ces milliers de francs-tenanciers *(free-holders) ?* Mais vous-mêmes, d'où venez-vous, sinon de la destruction de ces *free-holders?* Pourquoi ne demandez-vous pas aussi ce que sont devenus les tisserands, les fileurs et tous les gens de métiers indépendants ?

CHAPITRE XXXI

GENÈSE DU CAPITALISTE INDUSTRIEL

La genèse du capitaliste industriel[1] ne s'accomplit pas petit à petit comme celle du fermier. Nul doute que maint chef de corporation, beaucoup d'artisans indépendants et même d'ouvriers salariés, ne soient devenus d'abord des capitalistes en herbe, et que peu à peu, grâce à une exploitation toujours plus étendue de travail salarié, suivie d'une accumulation correspondante, ils ne soient enfin sortis de leur coquille capitalistes de pied en cap. L'enfance de la production capitaliste offre, sous plus d'un aspect, les mêmes phases que l'enfance de la cité au Moyen Age, où la question de savoir lequel des serfs évadés serait maître et lequel serviteur était en grande partie décidée par la date plus ou moins ancienne de leur fuite. Cependant cette marche à pas de tortue ne répondait aucunement aux besoins commerciaux du nouveau marché universel, créé par les grandes découvertes de la fin du XVe siècle. Mais le Moyen Age avait transmis deux espèces de capital, qui poussent sous les régimes d'économie sociale les plus divers, et même qui, avant l'ère moderne, monopolisent à eux seuls le rang de capital. C'est le *capital usuraire* et le *capital commercial*. A présent, dit un écrivain anglais qui, du reste, ne prend pas garde au rôle joué par le capital commercial, « à présent toute la richesse de la société passe en premier lieu par les mains du capitaliste... il paie au propriétaire foncier la rente, au travailleur le salaire, au percepteur l'impôt et la dîme, et retient pour lui-même une forte portion du produit annuel du travail, en fait la partie la plus grande et qui grandit encore jour par jour. Aujourd'hui le capitaliste peut être considéré comme propriétaire en première main de toute la richesse sociale, bien qu'aucune loi ne lui ait conféré de droit à cette propriété... Ce changement dans la propriété a été effectué par les opérations de l'usure, et le curieux de l'affaire, c'est que les législateurs de toute l'Europe ont voulu empêcher cela par des lois contre l'usure... La puissance du capitaliste sur toute la richesse nationale implique une révolution radicale dans le droit de propriété, et par quelle loi ou par quelle série de lois a-t-elle été opérée[2] ? » L'auteur cité aurait dû se dire que les révolutions ne se font pas de par la loi.

La constitution féodale des campagnes et l'organisation corporative des villes empêchaient le capital-argent, formé par la double voie de l'usure et du commerce, de se convertir en capital industriel. Ces barrières tombèrent avec le licenciement des suites seigneuriales, avec l'expropriation et l'expulsion partielle des cultivateurs, mais on peut juger de la résistance que rencontrèrent les marchands, sur le point de se transformer en producteurs marchands, par le fait que les petits fabricants de draps de Leeds envoyèrent encore en 1794 une députation au Parlement pour demander une loi qui interdît à tout marchand de devenir fabricant[3]. Aussi les manufactures nouvelles s'établirent-elles de préférence dans les ports de mer centres d'exportation, ou aux endroits de l'intérieur situés hors du contrôle du régime municipal et de ses corps de métiers. De là, en Angleterre, lutte acharnée entre les vieilles villes privilégiées *(Corporate towns)* et ces nouvelles pépinières d'industrie. Dans d'autres pays, en France, par exemple, celles-ci furent placées sous la protection spéciale des rois.

La découverte des contrées aurifères et argentifères de l'Amérique, la réduction des indigènes en esclavage, leur enfouissement dans les mines ou leur extermination, les commencements de conquête et de pillage aux Indes orientales, la transformation de l'Afrique en une sorte de varenne commerciale pour la chasse aux peaux noires, voilà les procédés idylliques d'accumulation primitive qui signalent l'ère capitaliste à son aurore. Aussitôt après éclate la guerre mercantile; elle a le globe entier pour théâtre. S'ouvrant par la révolte de la Hollande contre l'Espagne, elle prend des proportions gigantesques dans la croisade de l'Angleterre contre la révolution française, et se prolonge, jusqu'à nos jours, en expéditions de pirates, comme les fameuses *guerres d'opium* contre la Chine.

Les différentes méthodes d'accumulation primitive que l'ère capitaliste fait éclore se partagent d'abord, par ordre plus ou moins chronologique, le Portugal, l'Espagne, la Hollande, la France et l'Angleterre, jusqu'à ce que celle-ci les combine toutes, au dernier tiers du XVIIe siècle, dans un ensemble systématique embrassant à la fois le régime colonial, le crédit public, la finance moderne et le système protectionniste. Quelques-unes de ces méthodes reposent sur l'emploi de la force brutale, mais toutes sans exception exploitent le pouvoir de l'Etat, la force concentrée et organisée de la société, afin de précipiter violemment le passage de l'ordre économique féodal à l'ordre économique capitaliste et d'abréger les phases de transition. Et en effet, la Force est l'accoucheuse de toute vieille société en travail. La Force est un agent économique.

Un homme dont la ferveur chrétienne a fait tout le renom, M. W. Howitt, s'exprime ainsi sur la colonisation chrétienne : « Les barbaries et les atrocités exécrables perpétrées par les races soi-disant chrétiennes, dans toutes les régions du monde et contre tous les peuples qu'elles ont pu subjuguer, n'ont de parallèle dans aucune autre ère de l'histoire universelle, chez aucune race si sauvage, si grossière, si impitoyable, si éhontée qu'elle fût[4]. »

L'histoire de l'administration coloniale des Hollandais — et la Hollande était au XVIIe siècle la nation capitaliste par excellence — « déroule un tableau de meurtres, de trahisons, de corruption et de bassesse, qui ne sera jamais égalé[5] ».

Rien de plus caractéristique que leur système d'enlèvement des naturels des Célèbes, à l'effet de se procurer des esclaves pour la Java. Ils avaient tout un personnel spécialement dressé à ce rapt d'un nouveau genre. Les principaux agents de ce commerce étaient le ravisseur, l'interprète et le vendeur, et les principaux vendeurs étaient des princes indigènes. La jeunesse enlevée était enfouie dans les cachots secrets de Célèbes jusqu'à ce qu'on l'entassât sur les navires d'esclaves.

« La seule ville de Makassar, par exemple, dit un rapport officiel, fourmille de prisons secrètes, toutes plus horribles les unes que les autres, remplies de malheureux, victimes de l'avidité et de la tyrannie, chargés de fers, violemment arrachés à leurs familles. » Pour s'emparer de Malacca, les Hollandais corrompirent le gouverneur portugais. Celui-ci les fit entrer dans la ville en 1641. Ils coururent aussitôt à sa maison et l'assassinèrent, *s'abstenant* ainsi... de lui payer la somme de vingt et un mille huit cent soixante-quinze livres sterling, prix de sa trahison. Partout où ils mettaient le pied, la dévastation et la dépopulation marquaient leur passage. Une province de Java, Banyuwangi, comptait en 1750 plus de quatre-vingt mille habitants. En 1811 elle n'en avait plus que huit mille. Voilà *le doux Commerce!*

La Compagnie anglaise des Indes orientales obtint, outre le pouvoir politique, le monopole exclusif du commerce du thé et du commerce chinois en général, ainsi que celui du transport des marchandises d'Europe en Asie et d'Asie en Europe. Mais le cabotage et la navigation entre les îles, de même que le commerce à l'intérieur de l'Inde, furent concédés exclusivement aux employés supérieurs de la compagnie. Les monopoles du sel, de l'opium, du bétel et d'autres denrées, étaient des mines inépuisables de richesse. Les employés, fixant eux-mêmes les prix, écorchaient à discrétion le malheureux Hindou. Le gouvernement général prenait part à ce commerce privé. Ses favoris obtenaient des adjudications telles que, plus forts que les alchimistes, ils faisaient de l'or avec rien. De grandes fortunes poussaient en vingt-quatre heures comme des champignons; l'accumulation primitive s'opérait sans un liard d'avance. Le procès de Warren Hastings fourmille d'exemples de ce genre. Citons-en un seul. Un certain Sullivan obtient un contrat pour une livraison d'opium, au moment de son départ en mission officielle pour une partie de l'Inde tout à fait éloignée des districts producteurs. Sullivan cède son contrat pour quarante mille livres sterling à un certain Binn; Binn, de son côté, le revend le même jour pour soixante mille livres sterling, et l'acheteur définitif, exécuteur du contrat, déclare après cela avoir réalisé un bénéfice énorme. D'après une liste présentée au Parlement, la Compagnie et ses employés extorquèrent aux Indiens, de 1757 à 1760, sous la seule rubrique de dons gratuits, une somme de six millions de livres sterling! De 1769 à 1770, les Anglais provoquèrent une famine artificielle en achetant tout le riz et en ne consentant à le revendre qu'à des prix fabuleux[6].

Le sort des indigènes était naturellement le plus affreux dans les plantations destinées au seul commerce d'exportation, telles que les Indes occidentales, et dans les pays riches et populeux, tels que les Indes orientales et le Mexique, tombés entre les mains d'aventuriers européens âpres à la curée. Cependant, même dans les colonies proprement dites, le caractère chrétien de l'accumulation primitive ne se démentait point. Les austères intrigants du protestantisme, les puritains, allouèrent en 1703, par décret de leur assemblée, une prime de quarante livres sterling par *scalp* d'Indien et autant par chaque Peau-Rouge fait prisonnier; en 1720, une prime de cent livres sterling; en 1744, Massachusetts-Bay ayant déclaré rebelle une certaine tribu, les primes suivantes furent offertes : cent livres sterling par *scalp* d'individu mâle de douze ans et plus, cent cinq livres sterling par prisonnier mâle, cinquante-cinq livres sterling par femme ou enfant pris, et cinquante livres sterling pour leurs *scalps!* Trente ans après, les atrocités du régime colonial retombèrent sur les descendants de ces pieux pèlerins *(pilgrim fathers)*, devenus à leur tour des rebelles. Les limiers dressés à la chasse des colons en révolte et les Indiens payés pour livrer leurs scalps furent proclamés par le Parlement « des moyens que Dieu et la nature avaient mis entre ses mains ».

Le régime colonial donna un grand essor à la navigation et au commerce. Il enfanta les sociétés mercantiles, dotées par les gouvernements de monopoles et de privilèges et servant de puissants leviers à la concentration des capitaux. Il assurait des débouchés aux manufactures naissantes, dont la facilité d'accumulation redoubla, grâce au monopole du marché colonial. Les trésors directement extorqués hors de l'Europe par le travail forcé des indigènes réduits en esclavage, par la concussion, le pillage et le meurtre, refluaient à la mère-patrie pour y fonctionner comme capital. La vraie initiatrice du régime colonial, la Hollande, avait déjà, en 1648, atteint l'apogée de sa grandeur. Elle était en possession presque exclusive du commerce des Indes orientales et des communications entre le sud-ouest et le nord-est de l'Europe. Ses pêcheries, sa marine, ses manufactures, dépassaient celles des autres pays. Les capitaux de la République étaient peut-être plus importants que tous ceux du reste de l'Europe pris ensemble.

De nos jours, la suprématie industrielle implique la suprématie commerciale, mais à l'époque manufacturière proprement dite, c'est la suprématie commerciale qui donne la suprématie industrielle. De là le rôle prépondérant que joua alors le régime colonial. Il fut « le dieu étranger » qui « se place sur l'autel, à côté » des vieilles idoles de l'Europe; « un beau jour il pousse du coude ses camarades, et patatras! voilà toutes les idoles à bas! »

Le système du Crédit Public, c'est-à-dire des dettes publiques, dont Venise et Gênes avaient, au Moyen Age, posé les premiers jalons, envahit l'Europe définitivement pendant l'époque manufacturière. Le régime colonial, avec son commerce maritime et ses guerres commerciales, lui servant de serre chaude, il s'installa d'abord en Hollande. La dette publique, en d'autres termes, l'aliénation de l'Etat, qu'il soit despotique, constitutionnel ou républicain, marque de son empreinte l'ère capitaliste. La seule partie de la soi-disant richesse nationale qui entre réellement dans la possession collective des peuples modernes, c'est leur dette publique[7]. Il n'y a donc pas à s'étonner de la doctrine moderne que plus un peuple s'endette, plus il s'enrichit. Le crédit public, voilà le *credo* du capital. Aussi le manque de foi en la dette publique vient-il, dès l'incubation de celle-ci, prendre la place du péché contre le Saint-Esprit, jadis le seul impardonnable[8].

La dette publique opère comme un des agents les plus énergiques de l'accumulation primitive. Par un coup de baguette, elle doue l'argent improductif de la vertu reproductive et le convertit ainsi en capital, sans qu'il ait pour cela à subir les risques, les troubles inséparables de son emploi industriel et même de l'usure privée. Les créditeurs publics, à vrai dire, ne donnent rien, car leur principal, métamorphosé en effets publics d'un transfert facile, continue à fonctionner entre leurs mains comme autant de numéraire. Mais, à part la classe de rentiers oisifs ainsi créée, à part la fortune improvisée des financiers intermédiaires entre le gouvernement et la nation, — de même que celle des traitants, marchands, manufacturiers particuliers, auxquels une bonne partie de tout emprunt rend le service d'un capital tombé du ciel... la dette publique a donné le branle aux sociétés par actions, au commerce de toute sorte de papiers négociables, aux opérations aléatoires, à l'agiotage, en somme, aux jeux de bourse et à la bancocratie moderne.

Dès leur naissance les grandes banques, affublées de titres nationaux, n'étaient que des associations de spéculateurs privés s'établissant à côté des gouvernements et, grâce aux privilèges qu'ils en obtiennent, à même de leur prêter l'argent du public. Aussi l'accumulation de la dette publique n'a-t-elle pas de gradimètre plus infaillible que la hausse successive des actions de ces banques, dont le développement intégral date de la fondation de la Banque d'Angleterre, en 1794. Celle-ci commença par prêter tout son capital-argent au gouvernement à un intérêt de huit pour cent; en même temps elle était autorisée par le Parlement à battre monnaie du même capital en le prêtant de nouveau au public sous forme de billets qu'on lui permit de jeter en circulation, en escomptant avec eux des billets d'échange, en les avançant sur des marchandises et en les employant à l'achat de métaux précieux. Bientôt après, cette monnaie de crédit de sa propre fabrique devint l'argent avec lequel la Banque d'Angleterre effectua ses prêts à l'Etat et paya pour lui les intérêts de la dette publique. Elle donnait d'une main, non seulement pour recevoir davantage, mais tout en recevant elle restait créancière de la nation à perpétuité, jusqu'à concurrence du dernier liard donné. Peu à peu elle devint nécessairement le réceptacle des trésors métalliques du pays et le grand centre autour duquel gravita dès lors le crédit commercial. Dans le même temps qu'on cessait en Angleterre de brûler les sorcières, on commença à y pendre les falsificateurs de billets de banque.

Il faut avoir parcouru les écrits de ce temps-là, ceux de Bolingbroke, par exemple, pour comprendre tout l'effet que produisit sur les contemporains l'apparition soudaine de cette engeance de bancocrates, financiers, rentiers, courtiers, agents de change, brasseurs d'affaires et loups-cerviers[9].

Avec les dettes publiques naquit un système de crédit international qui cache souvent une des sources de l'accumulation primitive chez tel ou tel peuple. C'est ainsi, par exemple, que les rapines et les violences vénitiennes forment une des bases de la richesse en capital de la Hollande, à qui Venise en décadence prêtait des sommes considérables. A son tour, la Hollande, déchue vers la fin du XVIIe siècle de sa suprématie industrielle et commerciale, se vit contrainte à faire valoir des capitaux énormes en les prêtant à l'étranger, et, de 1701 à 1776, spécialement à l'Angleterre, sa rivale victorieuse. Et il en est de même à présent de l'Angleterre et des Etats-Unis. Maint capital, qui fait aujourd'hui son apparition aux Etats-Unis sans extrait de naissance, n'est que du sang d'enfants de fabrique capitalisé hier en Angleterre.

Comme la dette publique est assise sur le revenu public, qui en doit payer les redevances annuelles, le système moderne des impôts était le corollaire obligé des emprunts nationaux. Les emprunts, qui mettent les gouvernements à même de faire face aux dépenses extraordinaires sans que les contribuables s'en ressentent sur-le-champ, entraînent à leur suite un surcroît d'impôts; de l'autre côté la surcharge d'impôts causée par l'accumulation des dettes successivement contractées contraint les gouvernements, en cas de nouvelles dépenses extraordinaires, d'avoir recours à de nouveaux emprunts. La fiscalité moderne, dont les impôts sur les objets de première nécessité — et partant l'enchérissement de ceux-ci, formaient de prime abord le pivot, renferme donc en soi un germe de progression automatique. La surcharge des taxes n'en est pas un incident, mais le principe. Aussi en Hollande, où ce système a été d'abord inauguré, le grand patriote de Witt l'a-t-il exalté dans ses *Maximes* comme le plus propre à rendre le salarié soumis, frugal, industrieux et... exténué de travail. Mais l'influence délétère qu'il exerce sur la situation de la classe ouvrière doit moins nous occuper ici que l'expropriation forcée qu'il implique du paysan, de l'artisan, et des autres éléments de la petite classe moyenne. Là-dessus il n'y a pas deux opinions, même parmi les économistes bourgeois. Et son action expropriatrice est encore renforcée par le système protectionniste, qui constitue une de ses parties intégrantes.

La grande part qui revient à la dette publique, et au système de fiscalité correspondant, dans la capitalisation de la richesse et l'expropriation des masses, a induit une foule d'écrivains, tels que William Cobbett, Doubleday et autres, à y chercher à tort la cause première de la misère des peuples modernes.

Le *système protectionniste* fut un moyen artificiel de fabriquer des fabricants, d'exproprier des travailleurs indépendants, de convertir en capital les instruments et conditions matérielles du travail, d'abréger de vive force la transition du mode traditionnel de production au mode moderne. Les Etats européens se disputèrent la palme du protectionnisme, et, une fois entrés au service des faiseurs de plus-value, ils ne se contentèrent pas de saigner à blanc leur propre peuple, indirectement par les droits protecteurs, directement par les primes d'exportation, les monopoles de vente à l'intérieur, etc. Dans les pays voisins placés sous leur dépendance, ils extirpèrent violemment toute espèce d'industrie : c'est ainsi que l'Angleterre tua la manufacture de laine en Irlande, à coups d'ukases parlementaires. Le procédé de fabrication des fabricants fut encore simplifié sur le continent, où Colbert avait fait école. La source enchantée d'où le capital primitif arrivait tout droit aux faiseurs, sous forme d'avance et même de don gratuit, y fut souvent le trésor public. « Pourquoi! » s'écrie Mirabeau, « pourquoi aller chercher si loin la cause de l'éclat manufacturier de la Saxe avant la guerre! Cent quatre-vingts millions de dettes faites par les souverains[10]. »

Régime colonial, dettes publiques, exactions fiscales, protection industrielle, guerres commerciales, etc., tous ces rejetons de la période manufacturière proprement dite prennent un développement gigantesque pendant la première jeunesse de la grande industrie. Quant à sa naissance, elle est dignement célébrée par une sorte de massacre des innocents — le vol d'enfants exécuté en grand. Le recrutement des fabriques nouvelles se fait comme celui de la marine royale — au moyen de la *presse!*

Si blasé que F. M. Eden se soit montré au sujet de l'expropriation du cultivateur, dont l'horreur remplit trois siècles; quel que soit son air de complaisance en face de ce drame historique, « nécessaire », pour établir l'agriculture capitaliste et « la vraie proportion entre les terres de labour et celles de pacage », cette sereine intelligence des fatalités économiques lui fait défaut dès qu'il s'agit de la nécessité du vol des enfants, de la nécessité de les asservir, afin de pouvoir transformer l'exploitation manufacturière en exploitation mécanique et d'établir le vrai rapport entre le capital et la force ouvrière. « Le public, dit-il, ferait peut-être bien d'examiner si une manufacture dont la réussite exige qu'on arrache aux chaumières et aux workhouses de pauvres enfants qui, se relevant par troupes, peineront la plus grande partie de la nuit et seront privés de leur repos, — laquelle, en outre, agglomère pêle-mêle des individus différents de sexe, d'âge et de penchants, en sorte que la contagion de l'exemple entraîne nécessairement la dépravation et le libertinage, — si une telle manufacture peut jamais augmenter la somme du bonheur individuel et national[11]. »

« Dans le Derbyshire, le Nottinghamshire et surtout le Lancashire », dit Fielden, qui était lui-même filateur, « les machines récemment inventées furent employées dans de grandes fabriques, tout près de cours d'eau assez puissants pour mouvoir la roue hydraulique. Il fallut tout à coup des milliers de bras dans ces endroits éloignés des villes, et le Lancashire en particulier, jusqu'alors relativement très peu peuplé et stérile, eut avant tout besoin d'une population. Des doigts petits et agiles, tel était le cri général, et aussitôt naquit la coutume de se procurer de soi-disant *apprentis* des workhouses appartenant aux diverses paroisses de Londres, de Birmingham et d'ailleurs. Des milliers de ces pauvres petits abandonnés, de sept à treize et quatorze ans, furent ainsi expédiés vers le nord. Le maître [le voleur d'enfants] se chargeait de vêtir, nourrir et loger ses apprentis dans une maison *ad hoc* tout près de la fabrique. Pendant le travail, ils étaient sous l'œil des surveillants. C'était l'intérêt de ces gardes-chiourme de faire trimer les enfants à outrance, car, selon la quantité de produits qu'ils en savaient extraire, leur propre paye diminuait ou augmentait. Les mauvais traitements, telle fut la conséquence naturelle... Dans beaucoup de districts manufacturiers, principalement dans le Lancashire, ces êtres innocents, sans amis ni soutiens, qu'on avait livrés aux maîtres de fabrique, furent soumis aux tortures les plus affreuses. Epuisés par l'excès de travail, ils furent fouettés, enchaînés, tourmentés avec les raffinements les plus étudiés. Souvent, quand la faim les tordait le plus fort, le fouet les maintenait au travail. Le désespoir les porta, en quelques cas, au suicide!... Les belles et romantiques vallées du Derbyshire devinrent de noires solitudes où se commirent impunément des atrocités sans nom et même des meurtres!... Les profits énormes réalisés par les fabricants ne firent qu'aiguiser leurs dents. Ils imaginèrent la pratique du travail nocturne, c'est-à-dire qu'après avoir épuisé un groupe de travailleurs par la besogne de jour, ils tenaient un autre groupe tout prêt pour la besogne de nuit. Les premiers se jetaient dans les lits que les seconds venaient de quitter au moment même, et *vice versa*. C'est une tradition populaire dans le Lancashire que les lits ne refroidissaient jamais![12] »

Avec le développement de la production capitaliste pendant la période manufacturière, l'opinion publique européenne avait dépouillé son dernier lambeau de conscience et de pudeur. Chaque nation se faisait une gloire cynique de toute infamie propre à accélérer l'accumulation du capital. Qu'on lise, par exemple, les naïves Annales du Commerce de l'honnête Anderson. Ce brave homme admire comme un trait de génie de la politique anglaise que, lors de la paix d'Utrecht, l'Angleterre ait arraché à l'Espagne, par le traité d'Asiento, le privilège de faire, entre l'Afrique et l'Amérique espagnole, la traite des nègres qu'elle n'avait faite jusque-là qu'entre l'Afrique et ses possessions de l'Inde orientale. L'Angleterre obtint ainsi de fournir jusqu'en 1743 quatre mille huit cents nègres par an à l'Amérique espagnole. Cela lui servait en même temps à couvrir d'un voile officiel les prouesses de sa contrebande. Ce fut la traite des nègres qui jeta les fondements de la grandeur de Liverpool; pour cette ville orthodoxe le trafic de chair humaine constitua toute la méthode d'accumulation primitive. Et, jusqu'à nos jours, les notabilités de Liverpool ont chanté les vertus spécifiques du commerce d'esclaves, « lequel développe l'esprit d'entreprise jusqu'à la passion, forme des marins sans pareils et rapporte énormément d'argent[13] ». Liverpool employait à la traite : quinze navires en 1730, cinquante-trois en 1751, soixante-quatorze en 1760, quatre-vingt-seize en 1770, et cent trente-deux en 1792.

Dans le même temps que l'industrie cotonnière introduisait en Angleterre l'esclavage des enfants, aux Etats-Unis elle transformait le traitement plus ou moins patriarcal des noirs en un système d'exploitation mercantile. En somme, il fallait pour piédestal à l'esclavage dissimulé des salariés en Europe l'esclavage sans phrase dans le Nouveau Monde[14].

Tantæ molis erat! Voilà de quel prix nous avons payé nos conquêtes; voilà ce qu'il en a coûté pour dégager les « lois éternelles et naturelles » de la production capitaliste, pour consommer le divorce du travailleur d'avec les conditions du travail, pour transformer celles-ci en capital et la masse du peuple en salariés, en *pauvres industrieux (labouring poor)*, chef-d'œuvre de l'art, création sublime de l'histoire moderne[15]. Si, d'après Augier, c'est « avec des taches naturelles de sang sur une de ses faces » que « l'argent est venu au monde[16] », le capital y arrive suant le sang et la boue par tous les pores[17].

CHAPITRE XXXII

TENDANCE HISTORIQUE DE L'ACCUMULATION CAPITALISTE

Ainsi donc ce qui gît au fond de l'accumulation primitive du capital, au fond de sa genèse historique, c'est l'expropriation du producteur immédiat, c'est la dissolution de la propriété fondée sur le travail personnel de son possesseur.

La propriété privée, comme antithèse de la propriété collective, n'existe que là où les instruments et les autres conditions extérieures du travail appartiennent à des particuliers. Mais selon que ceux-ci sont les travailleurs ou les non-travailleurs, la propriété privée change de face. Les formes infiniment nuancées qu'elle affecte à première vue ne font que réfléchir les états intermédiaires entre ces deux extrêmes.

La propriété privée du travailleur sur les moyens de son activité productive est le corollaire de la petite industrie, agricole ou manufacturière, et celle-ci constitue la pépinière de la production sociale, l'école où s'élaborent l'habileté manuelle, l'adresse ingénieuse et la libre individualité du travailleur. Certes, ce mode de production se rencontre au milieu de l'esclavage, du servage et d'autres états de dépendance. Mais il ne prospère, il ne déploie toute son énergie, il ne revêt sa forme intégrale et classique, que là où le travailleur est le propriétaire libre des conditions de travail qu'il met lui-même en œuvre, le paysan du sol qu'il cultive, l'artisan de l'outillage qu'il manie, comme le virtuose de son instrument.

Ce régime industriel de petits producteurs indépendants, travaillant à leur compte, présuppose le morcellement du sol et l'éparpillement des autres moyens de production. Comme il en exclut la concentration, il exclut aussi la coopération sur une grande échelle, la subdivision de la besogne dans l'atelier et aux champs, le machinisme, la domination savante de l'homme sur la nature, le libre développement des puissances sociales du travail, le concert et l'unité dans les fins, les moyens et les efforts de l'activité collective. Il n'est compatible qu'avec un état de la production et de la société étroitement borné. L'éterniser, ce serait, comme le dit pertinemment Pecqueur, « décréter la médiocrité en tout ». Mais, arrivé à un certain degré, il engendre de lui-même les agents matériels de sa dissolution. A partir de ce moment, des forces et des passions qu'il comprime commencent à s'agiter au sein de la société. Il doit être, il est anéanti. Son mouvement d'élimination transformant les moyens de production individuels et épars en moyens de production socialement concentrés, faisant de la propriété naine du grand nombre la propriété colossale de quelques-uns, cette douloureuse, cette épouvantable expropriation du peuple travailleur, voilà les origines, voilà la genèse du capital. Elle embrasse toute une série de procédés violents, dont nous n'avons passé en revue que les plus marquants sous le titre de méthodes d'accumulation primitive.

L'expropriation des producteurs immédiats s'exécute avec un vandalisme impitoyable qu'aiguillonnent les mobiles les plus infâmes, les passions les plus sordides et les plus haïssables dans leur petitesse. La propriété privée, fondée sur le travail personnel, cette propriété qui soude pour ainsi dire le travailleur isolé et autonome aux conditions extérieures du travail, va être supplantée par la propriété privée capitaliste, fondée sur l'exploitation du travail d'autrui, sur le salariat[1].

Dès que ce procès de transformation a décomposé suffisamment et de fond en comble la vieille société, que les producteurs sont changés en prolétaires et leurs conditions de travail en capital, qu'enfin le régime capitaliste se soutient par la seule force économique des choses, alors la socialisation ultérieure du travail, ainsi que la métamorphose progressive du sol et des autres moyens de production en instruments socialement exploités, communs, en un mot, l'élimination ultérieure des propriétés privées — va revêtir une nouvelle forme. Ce qui est maintenant à exproprier, ce n'est plus le travailleur indépendant, mais le capitaliste, le chef d'une armée ou d'une escouade de salariés.

Cette expropriation s'accomplit par le jeu des lois immanentes de la production capitaliste, lesquelles aboutissent à la concentration des capitaux. Corrélativement à cette centralisation, à l'expropriation du grand nombre des capitalistes par le petit, se développent sur une échelle toujours croissante l'application de la science à la technique, l'exploitation de la terre avec méthode et ensemble, la transformation de l'outil en instruments puissants seulement par l'usage commun, partant l'économie des moyens de production, l'entrelacement de tous les peuples dans le réseau du marché universel, d'où le caractère international imprimé au régime capitaliste. A mesure que diminue le nombre des potentats du capital qui usurpent et monopolisent tous les avantages de cette période d'évolution sociale, s'accroît la misère, l'oppression, l'esclavage, la dégradation, l'exploitation, mais aussi la résistance de la classe ouvrière sans cesse grossissante et de plus en plus disciplinée, unie et organisée par le mécanisme même de la production capitaliste. Le monopole du capital devient une entrave pour le mode de production qui a grandi et prospéré avec lui et sous ses auspices. La socialisation du travail et la centralisation de ses ressorts matériels arrivent à un point où elles ne peuvent plus tenir dans leur enveloppe capitaliste. Cette enveloppe se brise en éclats. L'heure de la propriété capitaliste a sonné. Les expropriateurs sont à leur tour expropriés.

L'appropriation capitaliste, conforme au mode de production capitaliste, constitue la première négation de cette propriété privée qui n'est que le corollaire du travail indépendant et individuel. Mais la production capitaliste engendre elle-même sa propre négation avec la fatalité qui préside aux métamorphoses de la nature. C'est la négation de la négation. Elle rétablit non la propriété privée du travailleur, mais sa propriété individuelle, fondée sur les acquêts de l'ère capitaliste, sur la coopération et la possession commune de tous les moyens de production, y compris le sol.

Pour transformer la propriété privée et morcelée, objet du travail individuel, en propriété capitaliste, il a naturellement fallu plus de temps, d'efforts et de peines, que n'en exigera la métamorphose en propriété sociale de la propriété capitaliste, qui de fait repose déjà sur un mode de production collectif. Là il s'agissait de l'expropriation de la masse par quelques usurpateurs; ici il s'agit de l'expropriation de quelques usurpateurs par la masse[2].

CHAPITRE XXXIII

LA THÉORIE MODERNE DE LA COLONISATION

L'économie politique cherche, en principe, à entretenir une confusion des plus commodes entre deux genres de propriété privée bien distincts, la propriété privée fondée sur le travail personnel et la propriété capitaliste fondée sur le travail d'autrui, oubliant, à dessein, que celle-ci non seulement forme l'antithèse de celle-là, mais qu'elle ne croît que sur sa tombe. Dans l'Europe occidentale, mère-patrie de l'économie politique, l'accumulation primitive, c'est-à-dire l'expropriation des travailleurs, est en partie consommée, soit que le régime capitaliste se soit directement inféodé toute la production nationale, soit que — là où les conditions économiques sont moins avancées — il dirige au moins indirectement les couches sociales qui persistent à côté de lui et déclinent peu à peu avec le mode de production suranné qu'elles comportent. A la société capitaliste déjà faite l'économiste applique les notions de droit et de propriété léguées par une société précapitaliste, avec d'autant plus de zèle et d'onction, que les faits protestent plus haut contre son idéologie. Dans les colonies il en est tout autrement[1].

Là le mode de production et d'appropriation capitaliste se heurte partout contre la propriété corollaire du travail personnel, contre le producteur qui, disposant des conditions extérieures du travail, s'enrichit lui-même au lieu d'enrichir le capitaliste. L'antithèse de ces deux modes d'appropriation, diamétralement opposés s'affirme ici d'une façon concrète, par la lutte. Si le capitaliste se sent appuyé par la puissance de la mère-patrie, il cherche à écarter violemment de son chemin la pierre d'achoppement. Le même intérêt qui pousse le sycophante du capital, l'économiste, à soutenir chez lui l'identité théorique de la propriété capitaliste et de son contraire, le détermine aux colonies à entrer dans la voie des aveux, à proclamer bien haut l'incompatibilité de ces deux ordres sociaux. Il se met donc à démontrer qu'il faut ou renoncer au développement des puissances collectives du travail, à la coopération, à la division manufacturière, à l'emploi en grand des machines, etc., ou trouver des expédients pour exproprier les travailleurs et transformer leurs moyens de production en capital. Dans l'intérêt de ce qu'il lui plaît d'appeler *la richesse de la nation*, il cherche des artifices pour assurer *la pauvreté du peuple*. Dès lors, sa cuirasse de sophismes apologétiques se détache fragment par fragment, comme un bois pourri.

Si Wakefield n'a rien dit de neuf sur les colonies[2], on ne saurait lui disputer le mérite d'y avoir découvert la vérité sur les rapports capitalistes en Europe. De même qu'à ses origines le système protecteur[3] tendait à fabriquer des fabricants dans la mère-patrie, de même la théorie de la colonisation de Wakefield que, pendant des années, l'Angleterre s'est efforcée de mettre légalement en pratique, avait pour objectif la fabrication de salariés dans les colonies. C'est ce qu'il nomme la *colonisation systématique*.

Tout d'abord Wakefield découvrit dans les colonies que la possession d'argent, de subsistances, de machines et d'autres moyens de production, ne fait point d'un homme un capitaliste, à moins d'un certain complément, qui est — le salarié, un autre homme, en un mot, forcé de se vendre volontairement. Il découvrit ainsi qu'au lieu d'être une chose, le capital est un rapport social entre personnes, lequel rapport s'établit par l'intermédiaire des choses[4]. M. Peel, nous raconte-t-il d'un ton lamentable, emporta avec lui d'Angleterre pour Swan River, (Nouvelle-Hollande) des vivres et des moyens de production d'une valeur de cinquante mille livres sterling. M. Peel eut en outre la prévoyance d'emmener trois mille individus de la classe ouvrière, hommes, femmes et enfants. Une fois arrivé à destination, « M. Peel resta sans un domestique pour faire son lit ou lui puiser de l'eau à la rivière[5] ». Infortuné M. Peel qui avait tout prévu! Il n'avait oublié que d'exporter au Swan River les rapports de production anglais.

Pour l'intelligence des découvertes ultérieures de Wakefield, deux remarques préliminaires sont nécessaires. On le sait : des moyens de production et de subsistance appartenant au producteur immédiat, au travailleur même, ne sont pas du capital. Ils ne deviennent capital qu'en servant de moyens d'exploiter et de dominer le travail. Or, cette propriété, leur âme capitaliste, pour ainsi dire, se confond si bien dans l'esprit de l'économiste avec leur substance matérielle, qu'il les baptise *capital* en toutes circonstances, lors même qu'ils sont précisément le contraire. C'est ainsi que procède Wakefield. De plus, le morcellement des moyens de production constitués en propriété privée d'un grand nombre de producteurs, indépendants les uns des autres, et travaillant tous à leur compte, il l'appelle *égale division du capital*. Il en est de l'économiste politique comme du légiste du Moyen Age qui affublait d'étiquettes féodales même des rapports purement pécuniaires.

Supposez, dit Wakefield, « le capital divisé en portions égales entre tous les membres de la société, et que personne n'eût intérêt à accumuler plus de capital qu'il n'en pourrait employer de ses propres mains. C'est ce qui, jusqu'à un certain degré, arrive actuellement dans les nouvelles colonies américaines, où la passion pour la propriété foncière empêche l'existence d'une classe de salariés[6] ».

Donc, quand le travailleur peut accumuler pour lui-même, et il le peut tant qu'il reste propriétaire de ses moyens de production, l'accumulation et la production capitalistes sont impossibles. La classe salariée, dont elles ne sauraient se passer, leur fait défaut. Mais alors comment donc, dans la pensée de Wakefield, le travailleur a-t-il été exproprié de ses moyens de travail dans l'ancien monde, de telle sorte que capitalisme et salariat aient pu s'y établir ? Grâce à un contrat social d'une espèce tout à fait originale. L'humanité « adopta une méthode bien simple pour activer l'accumulation du capital », laquelle accumulation hantait naturellement l'imagination de ladite humanité depuis Adam et Eve comme but unique et suprême de son existence; « elle se divisa en propriétaires de capital et en propriétaires de travail... Cette division fut le résultat d'une entente et d'une combinaison faites de bon gré et d'un commun accord[7]. » En un mot, la masse de l'humanité s'est expropriée elle-même en l'honneur de l'*accumulation du capital!* Après cela, ne serait-on pas fondé à croire que cet instinct d'abnégation fanatique dût se donner libre carrière précisément dans les colonies, le seul lieu où se rencontrent des hommes et des circonstances qui permettraient de faire passer le contrat social du pays des rêves dans celui de la réalité! Mais alors pourquoi, en somme, une *colonisation systématique* par opposition à la colonisation naturelle ? Hélas! c'est que « dans les Etats du nord de l'Union américaine il est douteux qu'un dixième de la population appartienne à la catégorie des salariés... En Angleterre ces derniers composent presque toute la masse du peuple[8] ».

En fait, le penchant de l'humanité laborieuse à s'exproprier à la plus grande gloire du capital est si imaginaire que, d'après Wakefield lui-même, la richesse coloniale n'a qu'un seul fondement naturel — l'esclavage. La colonisation systématique est un simple pis-aller, attendu que c'est à des hommes libres et non à des esclaves qu'on a affaire. « Sans l'esclavage, le capital aurait été perdu dans les établissements espagnols, ou du moins se serait divisé en fractions minimes telles qu'un individu peut en employer dans sa petite sphère. Et c'est ce qui a eu lieu réellement dans les dernières colonies fondées par les Anglais, où un grand capital en semences, bétail et instruments, s'est perdu faute de salariés, et où chaque colon possède plus de capital qu'il n'en peut manier personnellement[9]. »

La première condition de la production capitaliste, c'est que la propriété du sol soit déjà arrachée d'entre les mains de la masse. L'essence de toute colonie libre consiste, au contraire, en ce que la masse du sol y est encore la propriété du peuple, et que chaque colon peut s'en approprier une partie, qui lui servira de moyen de production individuel, sans empêcher par là les colons arrivant après lui d'en faire autant[10]. C'est là le secret de la prospérité des colonies, mais aussi celui de leur mal invétéré — la résistance à l'établissement du capital chez elles. « Là où la terre ne coûte presque rien et où tous les hommes sont libres, chacun pouvant acquérir à volonté un morceau de terrain, non seulement le travail est très cher, considérée la part qui revient au travailleur dans le produit de son travail, mais la difficulté est d'obtenir à n'importe quel prix du travail combiné[11]. »

Comme dans les colonies le travailleur n'est pas encore divorcé d'avec les conditions matérielles du travail, ni d'avec leur souche, le sol — ou ne l'est que çà et là, ou enfin sur une échelle trop restreinte — l'agriculture ne s'y trouve pas non plus séparée d'avec la manufacture, ni l'industrie domestique des campagnes détruite, et alors où trouver pour le capital le marché intérieur ?

« Aucune partie de la population de l'Amérique n'est exclusivement agricole, sauf les esclaves et leurs maîtres qui combinent travail et capital pour de grandes entreprises. Les Américains libres qui cultivent le sol se livrent en même temps à beaucoup d'autres occupations. Ils confectionnent eux-mêmes ordinairement une partie des meubles et des instruments dont ils font usage. Ils construisent souvent leurs propres maisons et portent le produit de leur industrie aux marchés les plus éloignés. Ils filent et tissent, ils fabriquent le savon et la chandelle, les souliers et les vêtements nécessaires à leur consommation. En Amérique, le forgeron, le boutiquier, le menuisier, etc., sont souvent en même temps cultivateurs[12]. » Quel champ de tels drôles laissent-ils au capitaliste pour pratiquer son abstinence ?

La suprême beauté de la production capitaliste consiste en ceci, que non seulement elle reproduit constamment le salarié comme salarié, mais que proportionnellement à l'accumulation du capital, elle fait toujours naître des salariés *surnuméraires*. La loi de l'offre et la demande de travail est ainsi maintenue dans l'ornière convenable, les oscillations du salaire se meuvent entre les limites les plus favorables à l'exploitation, et enfin la subordination si indispensable du travailleur au capitaliste est garantie; ce rapport de dépendance absolue, qu'en Europe l'économiste menteur travestit en le décorant emphatiquement du nom de libre contrat entre deux marchands également indépendants, l'un aliénant la marchandise capital, l'autre la marchandise travail, est perpétué. Mais dans les colonies cette douce erreur s'évanouit. Le chiffre absolu de la population ouvrière y croît beaucoup plus rapidement que dans la métropole, attendu que nombre de travailleurs y viennent au monde tout faits, et cependant le marché du travail ést toujours insuffisamment garni. La loi de l'offre et la demande est à vau-l'eau. D'une part, le vieux monde importe sans cesse des capitaux avides d'exploitation et âpres à l'abstinence, et d'autre part, la reproduction régulière des salariés se brise contre des écueils fatals. Et combien il s'en faut, à plus forte raison, que, proportionnellement à l'accumulation du capital, il se produise un *surnumérariat* de travailleurs! Tel salarié d'aujourd'hui devient demain artisan ou cultivateur indépendant. Il disparaît du marché du travail, mais non pour reparaître au Workhouse. Cette métamorphose incessante de salariés en producteurs libres travaillant pour leur propre compte et non pour celui du capital, et s'enrichissant au lieu d'enrichir M. le capitaliste, réagit d'une manière funeste sur l'état du marché et partant sur le taux du salaire. Non seulement le degré d'exploitation reste outrageusement bas, mais le salarié perd encore, avec la dépendance réelle, tout sentiment de sujétion vis-à-vis du capitaliste. De là tous les inconvénients dont notre excellent Wakefield nous fait la peinture avec autant d'émotion que d'éloquence.

« L'offre de travail salarié, dit-il, n'est ni constante, ni régulière, ni suffisante. Elle est toujours non seulement trop faible, mais encore incertaine[13]... Bien que le produit à partager entre le capitaliste et le travailleur soit considérable, celui-ci en prend une portion si large qu'il devient bientôt capitaliste. Par contre, il n'y en a qu'un petit nombre qui puissent accumuler de grandes richesses, lors même que la durée de leur vie dépasse de beaucoup la moyenne[14]. » Les travailleurs ne permettent absolument point au capitaliste de renoncer au payement de la plus grande partie de leur travail. Et lors même qu'il a l'excellente idée d'importer d'Europe avec son propre capital ses propres salariés, cela ne lui sert de rien. « Ils cessent bientôt d'être des salariés pour devenir des paysans indépendants, ou même pour faire concurrence à leurs anciens patrons en leur enlevant sur le marché les bras qui viennent s'offrir[15]. » Peut-on s'imaginer rien de plus révoltant ? Le brave capitaliste a importé d'Europe, au prix de son cher argent, ses propres concurrents en chair et en os ! C'est donc la fin du monde ! Rien d'étonnant que Wakefield se plaigne du manque de discipline chez les ouvriers des colonies et de l'absence du sentiment de dépendance. « Dans les colonies, dit son disciple Merivale, l'élévation des salaires a porté jusqu'à la passion le désir d'un travail moins cher et plus soumis, d'une classe à laquelle le capitaliste puisse dicter les conditions au lieu de se les voir imposer par elle... Dans les pays de vieille civilisation le travailleur est, quoique libre, dépendant du capitaliste en vertu d'une loi naturelle (!) ; dans les colonies cette dépendance *doit* être créée par des moyens artificiels[16]. »

Quel est donc dans les colonies le résultat du système régnant de propriété privée, fondée sur le travail propre de chacun, au lieu de l'être sur l'exploitation du travail d'autrui ? « Un système barbare qui disperse les producteurs et morcelle la richesse nationale[17]. » L'éparpillement des moyens de production entre les mains d'innombrables producteurs-propriétaires travaillant à leur compte anéantit, en même temps que la concentration capitaliste, la base capitaliste de toute espèce de travail combiné.

Toutes les entreprises de longue haleine, qui embrassent des années et nécessitent des avances considérables de capital fixe, deviennent problématiques. En Europe, le capital n'hésite pas un instant en pareil cas, car la classe ouvrière est son appartenance vivante, toujours disponible et toujours surabondante. Dans les pays coloniaux... mais Wakefield nous raconte à ce propos une anecdote touchante. Il s'entretenait avec quelques capitalistes du Canada et de l'Etat de New-York, où les flots de l'émigration restent souvent stagnants et déposent un sédiment de travailleurs. « Notre capital, soupire un des personnages du mélodrame, notre capital était déjà prêt pour bien des opérations dont l'exécution exigeait une grande période de temps : mais le moyen de rien entreprendre avec des ouvriers qui, nous le savons, nous auraient bientôt tourné le dos! Si nous avions été certains de pouvoir fixer ces émigrants, nous les aurions avec joie engagés sur-le-champ, et à des prix élevés. Et malgré la certitude où nous étions de les perdre, nous les aurions cependant embauchés, si nous avions pu compter sur des remplaçants au fur et à mesure de nos besoins[18]. »

Après avoir fait pompeusement ressortir le contraste de l'agriculture capitaliste anglaise, à « travail combiné », avec l'exploitation parcellaire des paysans américains, Wakefield laisse voir malgré lui le revers de la médaille. Il nous dépeint la masse du peuple américain comme indépendante, aisée, entreprenante et comparativement cultivée, tandis que « l'ouvrier agricole anglais est un misérable en haillons, un *pauper*... Dans quel pays, excepté l'Amérique du Nord et quelques colonies nouvelles, les salaires du travail libre employé à l'agriculture dépassent-ils tant soit peu les moyens de subsistance absolument indispensables au travailleur ?... En Angleterre, les chevaux de labour, qui constituent pour leurs maîtres une propriété de beaucoup de valeur, sont assurément beaucoup mieux nourris que les ouvriers ruraux[19] ». Mais, *never mind!* encore une fois, richesse de la nation et misère du peuple, c'est, par la nature des choses, inséparable.

Et maintenant, quel remède à cette gangrène anticapitaliste des colonies ? Si l'on voulait convertir à la fois toute la terre coloniale de propriété publique en propriété privée, on détruirait, il est vrai, le mal à sa racine, mais aussi, du même coup, — la colonie. Tout l'art consiste à faire d'une pierre deux coups. Le gouvernement doit donc vendre cette terre vierge à un *prix artificiel*, officiellement fixé par lui, sans nul égard à la loi de l'offre et la demande. L'immigrant sera ainsi forcé de travailler comme salarié assez longtemps, jusqu'à ce qu'il parvienne à gagner assez d'argent pour être à même d'acheter un champ et de devenir cultivateur indépendant[20]. Les fonds réalisés par la vente des terres à un prix presque prohibitoire pour le travailleur immigrant, ces fonds qu'on prélève sur le salaire en dépit de la loi sacrée de l'offre et la demande, seront, à mesure qu'ils s'accroissent, employés par le gouvernement à importer des gueux d'Europe dans les colonies, afin que monsieur le capitaliste y trouve le marché de travail toujours copieusement garni de bras. Dès lors, tout sera pour le mieux dans la meilleure des colonies possibles. Voilà le grand secret de la « colonisation systématique! »

Wakefield s'écrie triomphalement : « Avec ce plan l'offre du travail sera nécessairement constante et régulière : premièrement, en effet, aucun travailleur n'étant capable de se procurer de la terre avant d'avoir travaillé pour de l'argent, tous les émigrants, par cela même qu'ils travailleront comme salariés en groupes combinés, vont produire à leur patron un capital qui le mettra en état d'employer encore plus de travailleurs; secondement, tous ceux qui changent leur condition de salariés en celle de paysans doivent fournir du même coup, par l'achat des terres publiques, un fonds additionnel destiné à l'importation de nouveaux travailleurs dans les colonies[21]. »

Le prix du sol octroyé par l'Etat devra naturellement être *suffisant (sufficient price)*, c'est-à-dire assez élevé « pour empêcher les travailleurs de devenir des paysans indépendants, avant que d'autres soient venus prendre leur place au marché du travail[22] ». Ce « prix suffisant » n'est donc après tout qu'un euphémisme, qui dissimule la rançon payée par le travailleur au capitaliste pour obtenir licence de se retirer du marché du travail et de s'en aller à la campagne. Il lui faut d'abord produire *du capital* à son gracieux patron, afin que celui-ci puisse exploiter plus de travailleurs, et puis il lui faut fournir sur le marché un *remplaçant*, expédié à ses frais par le gouvernement à ce haut et puissant seigneur.

Un fait vraiment caractéristique, c'est que pendant nombre d'années le gouvernement anglais mit en pratique cette méthode d'accumulation primitive recommandée par Wakefield à l'usage spécial des colonies. Le *fiasco* fut aussi complet et aussi honteux que celui du *Bank Act* de Sir Robert Peel. Le courant de l'émigration se détourna tout bonnement des colonies anglaises vers les Etats-Unis. Depuis lors le progrès de la production capitaliste en Europe, accompagné qu'il est d'une pression gouvernementale toujours croissante, a rendu superflue la panacée de Wakefield. D'une part le courant humain qui se précipite tous les ans, immense et continu, vers l'Amérique, laisse des dépôts stagnants dans l'est des Etats-Unis, la vague d'émigration partie d'Europe y jetant sur le marché de travail plus d'hommes que la seconde vague d'émigration n'en peut emporter vers le *Far West*. D'autre part, la guerre civile américaine a entraîné à sa suite une énorme dette nationale, l'exaction fiscale, la naissance de la plus vile aristocratie financière, l'inféodation d'une grande partie des terres publiques à des sociétés de spéculateurs, exploitant les chemins de fer, les mines, etc., en un mot, la centralisation la plus rapide du capital. La grande république a donc cessé d'être la terre promise des travailleurs émigrants. La production capitaliste y marche à pas de géant, surtout dans les Etats de l'Est, quoique l'abaissement des salaires et la servitude des ouvriers soient loin encore d'y avoir atteint le niveau normal européen.

Les donations de terres coloniales en friche, si largement prodiguées par le gouvernement anglais à des aristocrates et des capitalistes, ont été hautement dénoncées par Wakefield lui-même. Jointes au flot incessant des chercheurs d'or et à la concurrence que l'importation des marchandises anglaises fait au moindre artisan colonial, elles ont doté l'Australie d'une surpopulation relative, beaucoup moins consolidée qu'en Europe, mais assez considérable pour qu'à certaines périodes chaque paquebot apporte la fâcheuse nouvelle d'un encombrement du marché de travail australien *(glut of the Australian labour-market)*, et que la prostitution s'y étale en certains endroits aussi florissante que sur le Hay-market de Londres[23].

Mais ce qui nous occupe ici, ce n'est pas la situation actuelle des colonies : c'est le secret que l'économie politique de l'ancien monde a découvert dans le nouveau, et naïvement trahi par ses élucubrations sur les colonies. Le voici : le mode de production et d'accumulation capitaliste, et partant la propriété privée capitaliste, présuppose l'anéantissement de la propriété privée fondée sur le travail personnel; sa base, c'est l'expropriation du travailleur.

[illegible] exécution désirable pour qu'à certaines périodes chaque paquebot apporte la fâcheuse nouvelle d'un encombrement du marché de travail australien (*glut of the Australian labour-market*), et que la prostitution s'y étale en certains endroits aussi florissante que sur le Hay-market de Londres.

Mais ce qui nous occupe ici, ce n'est pas la situation actuelle des colonies, c'est le secret que l'économie politique de l'ancien monde a découvert dans le nouveau, et naïvement trahi par ses élucubrations sur les colonies. Le voici : le mode de production et d'accumulation capitaliste, et partant la propriété privée capitaliste, présuppose l'anéantissement de la propriété privée fondée sur le travail personnel ; sa base, c'est l'expropriation du travailleur.

AVIS AU LECTEUR

M. J. Roy s'était engagé à donner une traduction aussi exacte et même littérale que possible; il a scrupuleusement rempli sa tâche. Mais ses scrupules mêmes m'ont obligé à modifier la rédaction, dans le but de la rendre plus accessible au lecteur. Ces remaniements faits au jour le jour, puisque le livre se publiait par livraisons, ont été exécutés avec une attention inégale et ont dû produire des discordances de style.

Ayant une fois entrepris ce travail de révision, j'ai été conduit à l'appliquer aussi au fond du texte original (la seconde édition allemande), à simplifier quelques développements, à en compléter d'autres, à donner des matériaux historiques ou statistiques additionnels, à ajouter des aperçus critiques, etc. Quelles que soient donc les imperfections littéraires de cette édition française, elle possède une valeur scientifique indépendante de l'original et doit être consultée même par les lecteurs familiers avec la langue allemande.

Je donne ci-après les parties de la postface de la deuxième édition allemande, qui ont trait au développement de l'économie politique en Allemagne et à la méthode employée dans cet ouvrage.

Karl MARX.
Londres, 28 avril 1875.

EXTRAITS DE LA POSTFACE DE LA SECONDE ÉDITION ALLEMANDE

En Allemagne l'économie politique reste, jusqu'à cette heure, une science étrangère. — Des circonstances historiques, particulières, déjà en grande partie mises en lumière par Gustave de Gülich dans son *Histoire du commerce, de l'industrie*, etc., ont longtemps arrêté chez nous l'essor de la production capitaliste, et, partant, le développement de la société moderne, de la société bourgeoise. Aussi l'économie politique n'y fut-elle pas un fruit du sol; elle nous vint toute faite d'Angleterre et de France comme un article d'importation. Nos professeurs restèrent des écoliers; bien mieux, entre leurs mains l'expression théorique de sociétés plus avancées se transforma en un recueil de dogmes, interprétés par eux dans le sens d'une société arriérée, donc interprétés à rebours. Pour dissimuler leur fausse position, leur manque d'originalité, leur impuissance scientifique, nos pédagogues dépaysés étalèrent un véritable luxe d'érudition historique et littéraire; ou encore ils mêlèrent à leur denrée d'autres ingrédients empruntés à ce salmigondis de connaissances hétérogènes que la bureaucratie allemande a décoré du nom de *Kameral-wissenschaften* (Sciences administratives).

Depuis 1848, la production capitaliste s'est de plus en plus enracinée en Allemagne, et aujourd'hui elle a déjà métamorphosé ce ci-devant pays de rêveurs en pays de faiseurs. Quant à nos économistes, ils n'ont décidément pas de chance. Tant qu'ils pouvaient faire de l'économie politique sans arrière-pensée, le milieu social qu'elle présuppose leur manquait. En revanche, quand ce milieu fut donné, les circonstances qui en permettent l'étude impartiale même sans franchir l'horizon bourgeois, n'existaient déjà plus. En effet, tant qu'elle est bourgeoise, c'est-à-dire qu'elle voit dans l'ordre capitaliste non une phase transitoire du progrès historique, mais bien la forme absolue et définitive de la production sociale, l'économie politique ne peut rester une science qu'à condition que la lutte des classes demeure latente ou ne se manifeste que par des phénomènes isolés.

Prenons l'Angleterre. La période où cette lutte n'y est pas encore développée, y est aussi la période classique de l'économie politique. Son dernier grand représentant, Ricardo, est le premier économiste qui fasse délibérément de l'antagonisme des intérêts de classe, de l'opposition entre salaire et profit, profit et rente, le point de départ de ses recherches. Cet antagonisme, en effet inséparable de l'existence même des classes dont la société bourgeoise se compose, il le formule naïvement comme la loi naturelle, immuable de la société humaine. C'était atteindre la limite que la science bourgeoise ne franchira pas. La Critique se dressa devant elle, du vivant même de Ricardo, en la personne de Sismondi.

La période qui suit, de 1820 à 1830, se distingue, en Angleterre, par une exubérance de vie dans le domaine de l'économie politique. C'est l'époque de l'élaboration de la théorie ricardienne, de sa vulgarisation et de sa lutte contre toutes les autres écoles issues de la doctrine d'Adam Smith. De ces brillantes passes d'armes on sait peu de choses sur le continent, la polémique étant presque tout entière éparpillée dans des articles de revue, dans des pamphlets et autres écrits de circonstance. La situation contemporaine explique l'ingénuité de cette polémique, bien que quelques écrivains non enrégimentés se fissent déjà de la théorie ricardienne une arme offensive contre le capitalisme. D'un côté la grande industrie sortait à peine de l'enfance, car ce n'est qu'avec la crise de 1825 que s'ouvre le cycle périodique de sa vie moderne. De l'autre côté, la guerre de classe entre le capital et le travail était rejetée à l'arrière-plan; dans l'ordre politique, par la lutte des gouvernements et de la féodalité, groupés autour de la sainte alliance, contre la masse populaire, conduite par la bourgeoisie; dans l'ordre économique, par les démêlés du capital industriel avec la propriété terrienne aristocratique qui, en France, se cachaient sous l'antagonisme de la petite et de la grande propriété, et qui, en Angleterre, éclatèrent ouvertement après les lois sur les céréales. La littérature économique anglaise de cette période rappelle le mouvement de fermentation qui suivit, en France, la mort de Quesnay, mais comme l'été de la Saint-Martin rappelle le printemps.

C'est en 1830 qu'éclate la crise décivive.

En France et en Angleterre la bourgeoisie s'empare du pouvoir politique. Dès lors, dans la théorie comme dans la pratique, la lutte des classes revêt des formes de plus en plus accusées, de plus en plus menaçantes. Elle sonne le glas de l'économie bourgeoise scientifique. Désormais il ne s'agit plus de savoir, si tel ou tel théorème est vrai, mais s'il est bien ou mal sonnant, agréable ou non à la police, utile ou nuisible au capital. La recherche désintéressée fait place au pugilat payé, l'investigation consciencieuse à la mauvaise conscience, aux misérables subterfuges de l'apologétique. Toutefois, les petits traités, dont l'*Anticornlaw-league*, sous les auspices des fabricants Bright et Cobden, importuna le public, offrent encore quelque intérêt, sinon scientifique, du moins historique, à cause de leurs attaques contre l'aristocratie foncière. Mais la législation libre-échangiste de Robert Peel arrache bientôt à l'économie vulgaire, avec son dernier grief, sa dernière griffe.

Vint la Révolution continentale de 1848-49. Elle réagit sur l'Angleterre; les hommes qui avaient encore des prétentions scientifiques et désiraient être plus que de simples sophistes et sycophantes des classes supérieures, cherchèrent alors à concilier l'économie politique du capital avec les réclamations du prolétariat qui entraient désormais en ligne de compte. De là un éclectisme édulcoré, dont John Stuart Mill est le meilleur interprète. C'était tout bonnement, comme l'a si bien montré le grand savant et critique russe N. Tschernishewsky, la déclaration de faillite de l'économie bourgeoise.

Ainsi, au moment où en Allemagne la production capitaliste atteignit sa maturité, des luttes de classe avaient déjà, en Angleterre et en France, bruyamment manifesté son caractère antagonique; de plus, le prolétariat allemand était déjà plus ou moins imprégné de socialisme. A peine une science bourgeoise de l'économie politique semblait-elle donc devenir possible chez nous, que déjà elle était redevenue impossible. Ses coryphées se divisèrent alors en deux groupes : les gens avisés, ambitieux, pratiques, accoururent en foule sous le drapeau de Bastiat, le représentant le plus plat, partant le plus réussi, de l'économie apologétique; les autres, tout pénétrés de la dignité professorale de leur science, suivirent John Stuart Mill dans sa tentative de conciliation des inconciliables. Comme à l'époque classique de l'économie bourgeoise, les Allemands restèrent, au temps de sa décadence, de purs écoliers, répétant la leçon, marchant dans les souliers des maîtres, de pauvres colporteurs au service de grandes maisons étrangères.

La marche propre à la société allemande excluait donc tout progrès original de l'économie bourgeoise, mais non de sa critique. En tant qu'une telle critique représente une classe, elle ne peut représenter que celle dont la mission historique est de révolutionner le mode de production capitaliste, et finalement d'abolir les classes — le prolétariat.

. . . .
. . . .

La *méthode* employée dans *le Capital* a été peu comprise, à en juger par les notions contradictoires qu'on s'en est faites. Ainsi, la *Revue positive* de Paris me reproche à la fois d'avoir fait de l'économie politique, métaphysique et — devinez quoi ? — de m'être borné à une simple analyse critique des éléments donnés, au lieu de formuler des recettes (comtistes ?) pour les *marmites* de l'avenir. Quant à l'accusation de métaphysique, voici ce qu'en pense M. Sieber, professeur d'économie politique à l'Université de Kiew : « En ce qui concerne la théorie, proprement dite, la méthode de Marx est celle de toute l'école anglaise, c'est la méthode déductive dont les avantages et les inconvénients sont communs aux plus grands théoriciens de l'économie politique[1]. »

M. Maurice Block[2], lui, trouve que ma méthode est analytique, et dit même : « Par cet ouvrage, M. Marx se classe parmi les esprits analytiques les plus éminents. » Naturellement, en Allemagne, les faiseurs de comptes rendus crient à la sophistique hégélienne. Le *Messager européen*, revue russe, publiée à Saint-Pétersbourg[3], dans un article entièrement consacré à la méthode du *Capital*, déclare que mon procédé d'investigation est rigoureusement réaliste, mais que ma méthode d'exposition est malheureusement dans la manière dialectique. « A première vue, dit-il, si l'on juge d'après la forme extérieure de l'exposition, Marx est un idéaliste renforcé, et cela dans le sens allemand, c'est-à-dire dans le mauvais sens du mot. En fait, il est infiniment plus réaliste qu'aucun de ceux qui l'ont précédé dans le champ de l'économie critique... On ne peut en aucune façon l'appeler idéaliste. »

Je ne saurais mieux répondre à l'écrivain russe que par des extraits de sa propre critique, qui peuvent d'ailleurs intéresser le lecteur. Après une citation tirée de ma préface à la « Critique de l'économie politique » (Berlin, 1859, p. IV-VII), où je discute la base matérialiste de ma méthode, l'auteur continue ainsi :

« Une seule chose préoccupe Marx : trouver la loi des phénomènes qu'il étudie; non seulement la loi qui les régit sous leur forme arrêtée et dans leur liaison observable pendant une période de temps donnée. Non, ce qui lui importe, par-dessus tout, c'est la loi de leur changement, de leur développement, c'est-à-dire la loi de leur passage d'une forme à l'autre, d'un ordre de liaison dans un autre. Une fois qu'il a découvert cette loi, il examine en détail les effets par lesquels elle se manifeste dans la vie sociale... Ainsi donc, Marx ne s'inquiète que d'une chose; démontrer par une recherche rigoureusement scientifique, la nécessité d'ordres déterminés de rapports sociaux, et, autant que possible, vérifier les faits qui lui ont servi de point de départ et de point d'appui. Pour cela il suffit qu'il démontre, en même temps que la nécessité de l'organisation actuelle, la nécessité d'une autre organisation dans laquelle la première doit inévitablement passer, que l'humanité y croie ou non, qu'elle en ait ou non conscience. Il envisage le mouvement social comme un enchaînement naturel de phénomènes historiques, enchaînement soumis à des lois qui, non seulement sont indépendantes de la volonté, de la conscience et des desseins de l'homme, mais qui, au contraire, déterminent sa volonté, sa conscience et ses desseins... Si l'élément conscient joue un rôle aussi secondaire dans l'histoire de la civilisation, il va de soi que la critique, dont l'objet est la civilisation même, ne peut avoir pour base aucune forme de la conscience ni aucun fait de la conscience. Ce n'est pas l'idée, mais seulement le phénomène extérieur qui peut lui servir de point de départ. La critique se borne à comparer, à confronter un fait, non avec l'idée, mais avec un autre fait; seulement elle exige que les deux faits aient été observés aussi exactement que possible, et que dans la réalité ils constituent vis-à-vis l'un de l'autre deux phases de développement différentes; par-dessus tout elle exige que la série des phénomènes, l'ordre dans lequel ils apparaissent comme phases d'évolution successives, soient étudiés avec non moins de rigueur. Mais, dira-t-on, les lois générales de la vie économique sont unes, toujours les mêmes, qu'elles s'appliquent au présent ou au passé. C'est précisément ce que Marx conteste; pour lui ces lois abstraites n'existent pas... Dès que la vie s'est retirée d'une période de développement donnée, dès qu'elle passe d'une phase dans une autre, elle commence aussi à être régie par d'autres lois. En un mot, la vie économique présente dans son développement historique les mêmes phénomènes que l'on rencontre en d'autres branches de la biologie... Les vieux économistes se trompaient sur la nature des lois économiques, lorsqu'ils les comparaient aux lois de la physique et de la chimie. Une analyse plus approfondie des phénomènes a montré que les organismes sociaux se distinguent autant les uns des autres que les organismes animaux et végétaux. Bien plus, un seul et même phénomène obéit à des lois absolument différentes, lorsque la structure totale de ces organismes diffère, lorsque leurs organes particuliers viennent à varier, lorsque les conditions dans lesquelles ils fonctionnent viennent à changer, etc. Marx nie, par exemple, que la loi de la population soit la même en tout temps et en tout lieu. Il affirme, au contraire, que chaque époque économique a sa loi de population propre... Avec différents développements de la force productive, les rapports sociaux changent de même que leurs lois régulatrices... En se plaçant à ce point de vue pour examiner l'ordre économique capitaliste, Marx ne fait que formuler d'une façon rigoureusement scientifique la tâche imposée à toute étude exacte de la vie économique. La valeur scientifique particulière d'une telle étude, c'est de mettre en lumière les lois qui régissent la naissance, la vie, la croissance et la mort d'un organisme social donné, et son remplacement par un autre supérieur; c'est cette valeur-là que possède l'ouvrage de Marx. »

En définissant ce qu'il appelle ma méthode d'investigation avec tant de justesse, et en ce qui concerne l'application que j'en ai faite, tant de bienveillance, qu'est-ce donc que l'auteur a défini, si ce n'est la méthode dialectique ? Certes, le procédé d'exposition doit se distinguer *formellement* du procédé d'investigation. A l'investigation de faire la matière sienne dans tous ses détails, d'en analyser les diverses formes de développement, et de découvrir leur lien intime. Une fois cette tâche accomplie, mais seulement alors, le mouvement réel peut être exposé dans son ensemble. Si l'on y réussit, de sorte que la vie de la matière se réfléchisse dans sa reproduction idéale, ce mirage peut faire croire à une construction *a priori*.

Ma méthode dialectique, non seulement diffère par la base de la méthode hégélienne, mais elle en est même l'exact opposé. Pour Hegel le mouvement de la pensée, qu'il personnifie sous le nom de l'Idée, est le démiurge de la réalité, laquelle n'est que la forme phénoménale de l'Idée. Pour moi, au contraire, le mouvement de la pensée n'est que la réflexion du mouvement réel, transporté et transposé dans le cerveau de l'homme.

J'ai critiqué le côté mystique de la dialectique hégélienne il y a près de trente ans, à une époque où elle était encore à la mode...

Mais bien que, grâce à son quiproquo, Hegel défigure la dialectique par le mysticisme, ce n'en est pas moins lui qui en a le premier exposé le mouvement d'ensemble. Chez lui elle marche sur la tête; il suffit de la remettre sur les pieds pour lui trouver la physionomie tout à fait raisonnable.

Sous son aspect mystique, la dialectique devint une mode en Allemagne, parce qu'elle semblait glorifier les choses existantes. Sous son aspect rationnel, elle est un scandale et une abomination pour les classes dirigeantes, et leurs idéologues doctrinaires, parce que dans la conception positive des choses existantes, elle inclut du même coup l'intelligence de leur négation fatale, de leur destruction nécessaire; parce que saisissant le mouvement même, dont toute forme faite n'est qu'une configuration transitoire, rien ne saurait lui imposer; qu'elle est essentiellement critique et révolutionnaire.

Le mouvement contradictoire de la société capitaliste se fait sentir au bourgeois pratique de la façon la plus frappante, par les vicissitudes de l'industrie moderne à travers son cycle périodique, dont le point culminant est — la crise générale. Déjà nous apercevons le retour de ses prodromes; elle approche de nouveau; par l'universalité de son champ d'action et l'intensité de ses effets, elle va faire entrer la dialectique dans la tête même aux tripoteurs qui ont poussé comme champignons dans le nouveau Saint-Empire prusso-allemand[4].

NOTES

Notes du chapitre XVI.

1. Voy. ch. VII, p. 76-79.
2. « L'existence d'une classe distincte de maîtres capitalistes dépend de la productivité de l'industrie. » (*Ramsay*, l. c., p. 206.) « Si le travail de chaque homme ne suffisait qu'à lui procurer ses propres vivres, il ne pourrait y avoir de propriété. » (*Ravenstone*, l. c., p. 14, 15.)
3. D'après un calcul tout récent, il existe encore au moins quatre millions de cannibales dans les parties du globe qu'on a déjà explorées.
4. « Chez les Indiens sauvages de l'Amérique, il n'est presque pas de chose qui n'appartienne en propre au travailleur; les quatre-vingt-dix-neuf centièmes du produit y échoient au travail. En Angleterre, l'ouvrier ne reçoit pas les deux tiers. » (*The advantages of the East India Trade*, etc., p. 73.)
5. Diod., l. c., l. 1, ch. LXXX.
6. « La première (richesse naturelle), étant de beaucoup la plus libérale et la plus avantageuse, rend la population sans souci, orgueilleuse et adonnée à tous les excès; tandis que la seconde développe et affermit l'activité, la vigilance, les arts, la littérature et la civilisation. » (*England's Treasure by Foreign Trade, or the Balance of our Foreign Trade is the Rule of our Treasure. Written by Thomas Mun, of London, Merchant, and now published for the common good by his son John Mun*. Lond., 1669, p. 181, 182.) « Je ne conçois pas de plus grand malheur pour un peuple, que d'être jeté sur un morceau de terre où les productions qui concernent la subsistance et la nourriture sont en grande proportion spontanées, et où le climat n'exige ou ne réclame que peu de soins pour le vêtement... Il peut y avoir un extrême dans un sens opposé. Un sol incapable de produire, même s'il est travaillé, est tout aussi mauvais qu'un sol qui produit tout en abondance sans le moindre travail. » (*An Inquiry into the present high Price of Provisions*. Lond., 1767, p. 10.)
7. C'est la nécessité de calculer les périodes des débordements du Nil qui a créé l'astronomie égyptienne et en même temps la domination de la caste sacerdotale à titre de directrice de l'agriculture. « Le solstice est le moment de l'année où commence la crue du Nil, et celui que les Egyptiens ont dû observer avec le plus d'attention... C'était cette année tropique qu'il leur importait de marquer pour se diriger dans leurs opérations agricoles. Ils durent donc chercher dans le ciel un signe apparent de son retour. » (*Cuvier : Discours sur les révolutions du globe*, édit. Hœfer. Paris, 1863, p. 141.)
8. La distribution des eaux était aux Indes une des bases matérielles du pouvoir central sur les petits organismes de production communale, sans connexion entre eux. Les conquérants mahométans de l'Inde ont mieux compris cela que les Anglais leurs successeurs. Il suffit de rappeler la famine de 1866, qui a coûté la vie à plus d'un million d'Indiens dans le district d'Orissa, au Bengale.
9. « Il n'y a pas deux contrées qui fournissent un nombre égal de choses nécessaires à la vie, en égale abondance et avec la même quantité de travail. Les besoins de l'homme augmentent ou diminuent en raison de la sévérité ou de la douceur du climat sous lequel il vit. La proportion des travaux de tout genre auxquels les habitants de divers pays sont forcés de se livrer ne peut donc être la même. Et il n'est guère possible de déterminer le degré de cette diffé-

rence autrement que par les degrés de température. On peut donc en conclure généralement que la quantité de travail requise pour une population donnée atteint son maximum dans les climats froids et son minimum dans les climats chauds. Dans les premiers en effet l'homme n'a pas seulement besoin de plus de vêtements mais la terre elle-même a besoin d'y être plus cultivée que dans les derniers. » (*An Essay on the Governing Causes of the Natural Rate of Interest*. Lond., 1750, p. 60.) L'auteur de cet écrit qui a fait époque est *J. Massey*. *Hume* lui a emprunté sa théorie de l'intérêt.

10. « Tout travail doit laisser un excédent. » *Proudhon* (on dirait que cela fait partie des droits et devoirs du citoyen).

11. F. Shouw : « *Die Erde, die Pflanze und der Mensch* », 2e édit. Leipzig, 1854, p. 148.

12. *J. M. Mill : Principles of Pol. Econ.* Lond., 1868, p. 252-53, *passim*.

Notes du chapitre XVII.

1. Nous supposons toujours que la valeur de l'argent reste invariable.

2. Mac Culloch a commis l'absurdité de compléter cette loi à sa façon, en ajoutant que la plus-value peut s'élever sans que la force de travail baisse, si on supprime les impôts que le capitaliste avait à payer auparavant. La suppression de semblables impôts ne change absolument rien à la quantité de surtravail que le capitaliste industriel extorque en première main à l'ouvrier. Elle ne change que la proportion suivant laquelle il empoche la plus-value ou la partage avec des tiers. Elle ne change par conséquent rien au rapport qui existe entre la plus-value et la valeur de la force de travail. L' « exception » de Mac Culloch prouve tout simplement qu'il n'a pas compris la règle, malheur qui lui arrive assez souvent lorsqu'il s'avise de vulgariser Ricardo, ainsi qu'à J. B. Say, quand ce dernier vulgarise Adam Smith.

3. « Quand une altération a lieu dans la productivité de l'industrie, et qu'une quantité donnée de travail et de capital fournit soit plus, soit moins de produits, la proportion des salaires peut sensiblement varier, tandis que la quantité que cette proportion représente reste la même, ou la quantité peut varier tandis que la proportion ne change pas. » (*Outlines of Political Economy*, etc., p. 67.)

4. Voy. p. 93.

5. « A conditions égales, le manufacturier anglais peut dans un temps donné exécuter une bien plus grande somme de travail que le manufacturier étranger, au point de contrebalancer la différence des journées de travail, la semaine comptant ici soixante heures, mais ailleurs soixante-douze ou quatre-vingts. » (*Reports of Insp. of Fact. for 31 st. oct. 1855*, p. 65.)

6. « Il y a des circonstances compensatrices... que l'opération de la loi des dix heures a mises au jour. » (*Reports of Insp. of Fact. for 1 st. dec. 1848*, p. 7.)

7. « On peut estimer approximativement la somme de travail qu'un homme a subie dans le cours de vingt-quatre heures, en examinant les modifications chimiques qui ont eu lieu dans son corps; le changement de forme dans la matière indique l'exercice antérieur de la force dynamique. » (*Grove : On the correlation of physical forces*.)

8. « Pain et travail marchent rarement tout à fait de front; mais il est évidemment une limite au-delà de laquelle ils ne peuvent être séparés. Quant aux efforts extraordinaires faits par les classes ouvrières dans les époques de cherté qui entraînent la baisse des salaires dont il a été question (notamment devant le Comité parlementaire d'enquête de 1814-1815), ils sont assurément très méritoires de la part des individus et favorisent l'accroissement du capital. Mais quel est l'homme ayant quelque humanité qui voudrait les voir se prolonger indéfiniment ? Ils sont un admirable secours pour un temps donné; mais s'ils étaient constamment en action, il en résulterait les mêmes effets que si la population d'un pays était réduite aux limites extrêmes de son alimentation. » (Malthus : *Inquiry into the Nature and Progress of Rent*. Lond., 1815, p. 48, note.) C'est l'honneur de Malthus d'avoir constaté la prolongation de la journée de travail, sur laquelle il attire directement l'attention dans d'autres passages de son pamphlet, tandis que Ricardo et d'autres, en face des faits les plus criants, basaient toutes leurs recherches sur cette donnée que la journée de travail est une grandeur constante. Mais les intérêts conservateurs dont Malthus était l'humble valet, l'empêchèrent de voir que la prolongation démesurée de la journée de travail, jointe au développement extraordinaire du machinisme et à l'exploitation croissante du travail des femmes et des enfants, devait rendre « surnuméraire » une grande partie de la classe ouvrière, une fois la guerre

terminée et le monopole du marché universel enlevé à l'Angleterre. Il était naturellement bien plus commode et bien plus conforme aux intérêts des classes régnantes, que Malthus encense en vrai prêtre qu'il est, d'expliquer cette « surpopulation » par les lois éternelles de la nature que par les lois historiques de la production capitaliste.

9. « Une des causes principales de l'accroissement du capital pendant la guerre provenait des efforts plus grands, et peut-être des plus grandes privations de la classe ouvrière, la plus nombreuse dans toute société. Un plus grand nombre de femmes et d'enfants étaient contraints par la nécessité des circonstances de se livrer à des travaux pénibles, et pour la même cause, les ouvriers mâles étaient obligés de consacrer une plus grande portion de leur temps à l'accroissement de la production. » (*Essays on Political Econ. in which are illustrated the Principal Causes of the present National Distress.* London, 1830, p. 248.)

Notes du chapitre XVIII.

1. Nous mettons la première formule entre parenthèses parce que la notion du surtravail ne se trouve pas explicitement dans l'économie politique bourgeoise.

2. V. par exemple : *Dritter Brief an v. Kirchmann von Rodbertus. Widerlegung der Ricardo'schen Theorie von der Grundrente und Begründung einer neuen Rententheorie.* Berlin, 1851.

3. La partie du produit qui compense simplement le capital constant avancé est mise de côté dans ce calcul. M. Léonce de Lavergne, admirateur aveugle de l'Angleterre, donne ici un rapport plutôt trop bas que trop élevé.

4. Toutes les formes développées du procès de production capitaliste étant des formes de la coopération, rien n'est naturellement plus facile que de faire abstraction de leur caractère antagoniste et de les transformer ainsi d'un coup de baguette en formes d'association libre, comme le fait le comte A. de Laborde dans son ouvrage intitulé : *De l'esprit d'association dans tous les intérêts de la communauté.* Paris, 1818. Le Yankee H. Carey exécute ce tour de force avec le même succès à propos même du système esclavagiste.

5. Quoique les physiocrates n'aient pas pénétré le secret de la plus-value, ils ont au moins reconnu qu'elle est « une richesse indépendante et disponible qu'il (son possesseur) *n'a point achetée et qu'il vend.* » (Turgot, l. c., p. 11.)

Notes du chapitre XIX.

1. « M. Ricardo évite assez ingénieusement une difficulté, qui à première vue menace d'infirmer sa doctrine que la valeur dépend de la quantité de travail employée dans la production. Si l'on prend ce principe à la lettre, il en résulte que la valeur du travail dépend de la quantité de travail employée à le produire, — ce qui est évidemment absurde. Par un détour adroit, M. Ricardo fait dépendre la valeur du travail de la quantité de travail requise pour produire les salaires, par quoi il entend la quantité de travail requise pour produire l'argent ou les marchandises données au travailleur. C'est comme si l'on disait que la valeur d'un habillement est estimée, non d'après la quantité de travail dépensée dans sa production, mais d'après la quantité de travail dépensée dans la production de l'argent contre lequel l'habillement est échangé. » (*Critical Dissertation on the nature*, etc., *of value*, p. 50, 51.)

2. « Si vous appelez le travail une marchandise, ce n'est pas comme une marchandise qui est d'abord produite en vue de l'échange et portée ensuite au marché, où elle doit être échangée contre d'autres marchandises suivant les quantités de chacune qui peuvent se trouver en même temps sur le marché; le travail est créé au moment où on le porte au marché; on peut dire même qu'il est porté au marché avant d'être créé. » (*Observations on some verbal disputes*, etc., p. 75, 76.)

3. « Si l'on traite le travail comme une marchandise, et le capital, le produit du travail, comme une autre, alors si les valeurs de ces deux marchandises sont déterminées par d'égales quantités de travail, une somme de travail donnée s'échangera... pour la quantité de capital qui aura été produite par la même somme de travail. Du travail passé s'échangera pour la même somme de travail présent. Mais la valeur du travail par rapport aux autres marchandises... n'est pas déterminée par des quantités de travail égales. » (E. G. Wake-

field dans son édit. de Adam Smith. *Wealth of Nations*, v. I. Lond., 1836, p. 231, note.)

4. « Il a fallu convenir (encore une édition du « contrat social ») que toutes les fois qu'il échangerait du travail fait contre du travail à faire, le dernier (le capitaliste) aurait une valeur supérieure au premier (le travailleur). » (Sismondi, *De la richesse commerciale*. Genève, 1803, t. I, p. 37.)

5. « Le travail, la mesure exclusive de la valeur... le créateur exclusif de toute richesse, n'est pas marchandise. » (Th. Hodgskin, l. c., p. 186.)

6. Déclarer que ces expressions irrationnelles sont pure licence poétique, c'est tout simplement une preuve de l'impuissance de l'analyse. Aussi ai-je relevé cette phrase de Proudhon : « Le travail est dit *valoir*, non pas en tant que marchandise lui-même, mais en vue des valeurs qu'on suppose renfermées puissanciellement en lui. La valeur du travail est une expression figurée, etc. » Il ne voit, ai-je dit, dans le travail marchandise, qui est d'une réalité effrayante, qu'une ellipse grammaticale. Donc toute la société actuelle, fondée sur le travail marchandise, est désormais fondée sur une licence poétique, sur une expression figurée. La société veut-elle éliminer « tous les inconvénients » qui la travaillent, eh bien! qu'elle élimine les termes malsonnants, qu'elle change de langage; et pour cela elle n'a qu'à s'adresser à l'Académie, pour lui demander une nouvelle édition de son dictionnaire. » (K. Marx, *Misère de la philosophie*, p. 34, 35.) Il est naturellement encore bien plus commode de n'entendre par valeur absolument rien. On peut alors faire entrer sans façon, n'importe quoi dans cette catégorie. Ainsi en est-il chez J. B. Say. Qu'est-ce que la « valeur » ? Réponse : « C'est ce qu'une chose vaut. » Et qu'est-ce que le « prix » ? Réponse : « La valeur d'une chose exprimée en monnaie. » Et pourquoi « le travail de la terre » a-t-il « une valeur » ? Parce qu'on y met un prix. Ainsi la valeur est ce qu'une chose vaut, et la terre a une « valeur » parce qu'on exprime sa valeur en monnaie. Voilà en tout cas une méthode bien simple de s'expliquer le comment et le pourquoi des choses.

7. Comme dans la section V, on suppose que la valeur produite en une heure de travail soit égale à un demi-franc.

8. En déterminant la valeur journalière de la force de travail par la valeur des marchandises qu'exige, par jour moyen, l'entretien normal de l'ouvrier, il est sous-entendu que sa dépense en force soit normale, ou que la journée de travail ne dépasse pas les limites compatibles avec une certaine durée moyenne de la vie du travailleur.

9. Comparez *Zur Kritik der politischen Œkonomie*, p. 40, où j'annonce que l'étude du capital nous fournira la solution du problème suivant : Comment la production basée sur la valeur d'échange déterminée par le seul temps de travail conduit-elle à ce résultat, que la valeur d'échange du travail est plus petite que la valeur d'échange de son produit ?

10. Le *Morning Star*, organe libre-échangiste de Londres, naïf jusqu'à la sottise, ne cessait de déplorer pendant la guerre civile américaine, avec toute l'indignation morale que la nature humaine peut ressentir, que les nègres travaillassent absolument pour rien dans les Etats confédérés. Il aurait mieux fait de se donner la peine de comparer la nourriture journalière d'un de ces nègres avec celle par exemple de l'ouvrier libre dans l'*East End* de Londres.

11. A. Smith ne fait allusion à la variation de la journée de travail qu'accidentellement, quand il lui arrive de parler du salaire aux pièces.

12. A. Smith, *Richesse des Nations*, etc., trad. par G. Garnier, Paris, 1802, t. I, p. 65, 66.

Notes du chapitre XX.

1. La valeur de l'argent est ici toujours supposée constante.

2. « Le prix du travail est la somme payée pour une quantité donnée de travail. » (*Sir Edward West : « Price of Corn and Wages of Labour*. Lond., 1826 », p. 67.) Ce *West* est l'auteur d'un écrit anonyme, qui a fait époque dans l'histoire de l'économie politique : « *Essay on the Application of Capital to Land. By a Fellow of Univ. College of Oxford*. Lond., 1815. »

3. « Le salaire du travail dépend du prix du travail et de la quantité du travail accompli... Une élévation des salaires n'implique pas nécessairement une augmentation des prix du travail. Les salaires peuvent considérablement croître par suite d'une plus grande abondance de besogne, sans que le prix du travail change. » (West, l. c., p. 67, 68 et 112.) Quant à la question principale : Comment détermine-t-on le prix du travail ? West s'en tire avec des banalités.

4. Ceci n'échappe point au représentant le plus fanatique de la bourgeoisie

industrielle du XVIIIe siècle, l'auteur souvent cité de l'*Essay on Trade and Commerce*. Il est vrai qu'il expose la chose d'une manière confuse. « C'est la quantité du travail, dit-il, et non son prix (le salaire nominal du jour ou de la semaine), qui est déterminée par le prix des provisions et autres nécessités; réduisez le prix des choses nécessaires, et naturellement vous réduisez la quantité du travail en proportion... Les maîtres manufacturiers savent qu'il est diverses manières d'élever et d'abaisser le prix du travail, sans s'attaquer à son montant nominal. » (L. c., p. 48 et 61.) *N. W. Senior* dit entre autres dans ses « *Three Lectures on the Rate of Wages* » où il met à profit l'écrit de West sans le citer : « Le travailleur est surtout intéressé au montant de son salaire » (p. 14). Ainsi, ce qui intéresse principalement le travailleur, c'est ce qu'il reçoit, le montant nominal du salaire, et non ce qu'il donne, la quantité du travail!

5. L'effet de cette insuffisance anormale de besogne est complètement différent de celui qui résulte d'une réduction générale de la journée de travail. Le premier n'a rien à faire avec la longueur absolue de la journée de travail, et peut tout aussi bien se produire avec une journée de quinze heures qu'avec une journée de six. Dans le premier cas, le prix normal du travail est calculé sur cette donnée que l'ouvrier travaille quinze heures, dans le second sur cette autre qu'il en travaille six chaque jour en moyenne. L'effet reste donc le même, si dans un cas il ne travaille que sept heures et demie et dans l'autre que trois heures.

6. « Le surplus de la paye pour le temps supplémentaire (dans la manufacture de dentelles) est tellement petit, un demi-penny, etc., par heure, qu'il forme le plus pénible contraste avec le préjudice énorme qu'il cause à la santé et à la force vitale des travailleurs... Le petit supplément gagné de cette manière doit en outre être fort souvent dépensé en rafraîchissements extra. » (*Child. Empl. Comm. II Rep.*, p. XVI, n. 117.)

7. Il en était ainsi dans la fabrique de teintures avant l'introduction du *Factory Act*. « Nous travaillons sans pause pour les repas, si bien que la besogne de la journée de dix heures et demie est terminée vers 4 h 30 de l'après-midi. Tout le reste est temps supplémentaire qui cesse rarement avant 8 heures du soir, de sorte qu'en réalité nous travaillons l'année entière sans perdre une miette du temps extra. » (*Mr. Smith's Evidence* dans *Child. Empl. Comm. I, Rep.*, p. 125.)

8. Dans les blanchisseries écossaises par exemple. « Dans quelques parties de l'Ecosse, cette industrie était exploitée (avant l'introduction de l'acte de fabrique en 1862) d'après le système du temps supplémentaire, c'est-à-dire que dix heures comptaient pour une journée de travail normale dont l'heure était payée deux pence. Chaque journée avait un supplément de trois ou quatre heures, payé à raison de trois pence l'heure. Conséquence de ce système : un homme qui ne travaillait que le temps normal, ne pouvait gagner par semaine que huit shillings, salaire insuffisant. » (*Reports of Insp. of Fact. 30 th. april 1863*, p. 10.) « La paye extra pour le temps extraordinaire est une tentation à laquelle les ouvriers ne peuvent résister. » (*Rep. of Insp. of Fact. 30 th. april 1848*, p. 5.) Les ateliers de reliure de livres dans la cité de Londres emploient un grand nombre de jeunes filles de quatorze à quinze ans et, à vrai dire, sous la garantie du contrat d'apprentissage, qui prescrit des heures de travail déterminées. Elles n'en travaillent pas moins dans la dernière semaine de chaque mois jusqu'à 10, 11 heures, même jusqu'à minuit et 1 heure du matin, avec les ouvriers plus âgés, *en compagnie très mêlée*. Les maîtres les tentent (tempt) par l'appât d'un salaire extra et de quelque argent pour un bon repas de nuit, qu'elles prennent dans les tavernes du voisinage. La débauche et le libertinage ainsi produits parmi ces « young immortals » (*Child Empl. Comm. V. Rep.*, p. 44, n. 191), sont sans doute compensés par ce fait qu'elles relient un grand nombre de bibles et de livres de piété.

9. Voy. *Reports of Insp. of Fact. 30 th. april 1863*, l. c. — Les ouvriers de Londres employés au bâtiment appréciaient fort bien l'état des choses, quand ils déclarèrent dans la grande grève et *lockout* de 1861, qu'ils n'accepteraient le salaire à l'heure qu'aux deux conditions suivantes : 1° qu'on établît en même temps que le prix de l'heure de travail, une journée de travail normale de neuf ou de dix heures, le prix de l'heure de cette dernière journée, devant être supérieur à celui de la première; 2° chaque heure en plus de la journée normale serait proportionnellement payée davantage.

10. « C'est une chose remarquable que là où les longues heures sont de règle, les petits salaires le sont aussi. » (*Rep. of Insp. of Fact. 31 st. oct. 1863*, p. 9.) « Le travail qui ne gagne qu'une maigre pitance est presque toujours excessivement prolongé. » (*Public Health*, *Sixth Report*, 1864, p. 15.)

11. *Rep. of Insp. of Fact. 30 th. april 1860*, p. 31, 32.

12. Les cloutiers anglais à la main sont obligés, par exemple, à cause du bas

prix de leur travail, de travailler quinze heures par jour, pour obtenir au bout de la semaine le plus misérable salaire. « Il y a beaucoup, beaucoup d'heures dans la journée, et pendant tout ce temps il leur faut trimer dur pour attraper onze pence ou un shilling, et de plus il faut en déduire de deux et demi à trois pence pour l'usure des outils, le combustible, le déchet du fer. » (*Child. Empl. Comm. III, Rep.*, p. 136, n. 671.) Les femmes pour le même temps de travail ne gagnent que cinq shillings par semaine. (L. c., p. 137, n. 674.)

13. « Si, par exemple, un ouvrier de fabrique se refusait à travailler le nombre d'heures passé en usage, il serait bientôt remplacé par un autre qui travaillerait n'importe quel temps, et mis ainsi hors d'emploi. » (*Rep. of Insp. of Fact. 31 oct. 1848. — Evidence*, p. 39, n. 58.) « Si un homme fait le travail de deux... le taux du profit s'élèvera généralement... l'offre additionnelle de travail en ayant fait diminuer le prix. » (Senior, l. c., p. 14.)

14. *Child. Empl. Comm. III, Rep. Evidence*, p. 66, n. 22.

15. *Reports*, etc., *relative to the Grievances complained of by the journeymen bakers*. Lond., 1862, p. LII et *Evidence*, p. 479, 359, 27. Comme il en a été fait mention plus haut et comme l'avoue lui-même leur porte-parole *Bennett*, les boulangers *full priced* font aussi commencer le travail de leurs gens à 11 heures du soir ou plus tôt, et le prolongent souvent jusqu'à 7 heures du soir du lendemain. (L. c., p. 27.)

Notes du chapitre XXI.

1. « Le système du travail aux pièces constitue une époque dans l'histoire des travailleurs; il est à mi-chemin entre la position des simples journaliers, qui dépendent de la volonté du capitaliste, et celle des ouvriers coopératifs, qui promettent de combiner dans un avenir assez proche l'artisan et le capitaliste en leur propre personne. Les travailleurs aux pièces sont en réalité leurs propres maîtres, même lorsqu'ils travaillent avec le capital de leur patron et à ses ordres. » (John Watts : *Trade societies and strikes, machinery and cooperative societies*. Manchester, 1865, p. 52, 53.) Je cite cet opuscule parce que c'est un vrai pot-pourri de tous les lieux communs apologétiques usés depuis longtemps. Ce même Watts travailla autrefois dans l'Owenisme, et publia, en 1842, un petit écrit : *Facts and Fictions of Political Economy*, où il déclare, entre autres, que la propriété est un vol. Les temps sont depuis bien changés.

2. T. J. Dunning : *Trades Unions and strikes*. Lond., 1861, p. 22.

3. L'existence côte à côte de ces deux formes du salaire favorise la fraude de la part des fabricants : « Une fabrique emploie quatre cents personnes, dont la moitié travaille aux pièces et a un intérêt direct à travailler longtemps. L'autre moitié est payée à la journée, travaille aussi longtemps et ne reçoit pas un liard pour son temps supplémentaire. Le travail de ces deux cents personnes, une demi-heure par jour, est égal à celui d'une personne pendant cinquante heures ou aux cinq sixièmes du travail d'une personne dans une semaine, ce qui constitue pour l'entrepreneur un gain positif. » (*Rep. of Insp. of Fact. 31 st. october 1860*, p. 9.) « L'excès de travail prédomine toujours à un degré vraiment considérable, et la plupart du temps avec cette sécurité que la loi elle-même assure au fabricant qui ne court aucun risque d'être découvert et puni. Dans un grand nombre de rapports antérieurs... j'ai montré le dommage que subissent ainsi les personnes qui ne travaillent pas aux pièces, mais sont payées à la semaine. » (Leonard Horner dans *Rep. of Insp. of Fact. 30 th. april 1859*, p. 8, 9.)

4. « Le salaire peut se mesurer de deux manières : ou sur la durée du travail, ou sur son produit. » (*Abrégé élémentaire des principes de l'Econ. polit.* Paris, 1796, p. 32.) L'auteur de cet écrit anonyme est G. Garnier.

5. « Le fileur reçoit un certain poids de coton préparé pour lequel il doit rendre, dans un espace de temps donné, une quantité voulue de fil ou de coton filé, et il est payé à raison de tant par livre d'ouvrage rendu. Si le produit pèche en qualité, la faute retombe sur lui; s'il y a moins que la quantité fixée pour le minimum, dans un temps donné, on le congédie et on le remplace par un ouvrier plus habile. » (*Ure*, l. c., t. II, p. 61.)

6. « C'est quand le travail passe par plusieurs mains, dont chacune prend sa part du profit, tandis que la dernière seule fait la besogne, que le salaire que reçoit l'ouvrière est misérablement disproportionné. » (*Child. Empl. Comm. II, Rep.*, p. LXX, n. 424.)

7. En effet, si le prêteur d'argent, selon l'expression française, fait *suer* ses écus, c'est le travail lui-même que le marchandeur fait suer directement.

8. L'apologiste Watts dit lui-même à ce propos : « Ce serait une grande amélioration dans le système du travail aux pièces, si tous les gens employés à un

même ouvrage étaient associés dans le contrat, chacun suivant son habileté, au lieu d'être subordonnés à un seul d'entre eux, qui est intéressé à les faire trimer par son propre bénéfice. » (L. c., p. 53.) Pour voir tout ce que ce système a d'ignoble, consulter *Child. Empl. Comm. Rep. III*, p. 66, n. 22, p. 11, n. 124, p. XI, n. 13, 53, 59 et suiv.

9. Bien que ce résultat se produise de lui-même, on emploie souvent des moyens pour le produire artificiellement. A Londres, par exemple, chez les mécaniciens, l'artifice en usage est « que le capitaliste choisit pour chef d'un certain nombre d'ouvriers, un homme de force physique supérieure et prompt à la besogne. Il lui paye tous les trimestres ou à d'autres termes un salaire supplémentaire, à condition qu'il fera tout son possible pour entraîner ses collaborateurs, qui ne reçoivent que le salaire ordinaire, à rivaliser de zèle avec lui... Ceci explique, sans commentaire, les plaintes des capitalistes, accusant les sociétés de résistance de paralyser l'activité, l'habileté supérieure et la puissance du travail. (*Stinting the action, superior skill and working power*.) Dunning, l. c., p. 22, 23. Comme l'auteur est lui-même ouvrier et secrétaire d'une *Trade's Union*, on pourrait croire qu'il a exagéré. Mais que l'on consulte par exemple la *highly respectable* encyclopédie agronomique de J. Ch. Morton, art., Labourer, on y verra cette méthode recommandée aux fermiers comme excellente.

10. « Tous ceux qui sont payés aux pièces... trouvent leur profit à travailler plus que le temps légal. Quant à l'empressement à accepter ce travail en plus, on le rencontre surtout chez les femmes employées à tisser et à dévider. » (*Rep. of Insp. of Fact. 30 th. april 1858*, p. 9.) « Ce système du salaire aux pièces, si avantageux pour le capitaliste, tend directement à exciter le jeune potier à un travail excessif, pendant les quatre ou cinq ans où il travaille aux pièces, mais à bas prix. C'est là une des grandes causes auxquelles il faut attribuer la dégénérescence des potiers ! » (*Child. Empl. Comm. I, Rep.*, p. XIII.)

11. « Là où le travail est payé à tant la pièce... le montant des salaires peut différer matériellement... Mais dans le travail à la journée, il y a généralement un taux uniforme... reconnu également par l'employé et l'employeur comme l'étalon des salaires pour chaque genre de besogne. » (Dunning, l. c., p. 17.)

12. « Le travail des compagnons artisans sera réglé à la journée ou à la pièce... Ces maîtres artisans savent à peu près combien d'ouvrage un compagnon artisan peut faire par jour dans chaque métier, et les payent souvent à proportion de l'ouvrage qu'ils font; ainsi, ces compagnons travaillent autant qu'ils peuvent, pour leur propre intérêt, sans autre inspection. » (Cantillon : *Essai sur la nature du commerce en général*. Amsterdam, éd. 1756, p. 185 et 202. La première édition parut en 1755.) Cantillon, chez qui Quesnay, Sir James Steuart et Adam Smith ont largement puisé, présente déjà ici le salaire aux pièces comme une forme simplement modifiée du salaire au temps. L'édition française de Cantillon s'annonce sur ce titre comme une traduction de l'anglais; mais l'édition anglaise : *The Analysis of Trade, Commerce*, etc., *by Philippe Cantillon, late of the City of London, Merchant*, n'a pas seulement paru plus tard (1759); elle montre en outre par son contenu qu'elle a été remaniée à une époque ultérieure. Ainsi, par exemple, dans l'édition française, Hume n'est pas encore mentionné, tandis qu'au contraire, dans l'édition anglaise, le nom de Petty ne reparaît presque plus. L'édition anglaise a moins d'importance théorique; mais elle contient une foule de détails spéciaux sur le commerce anglais, le commerce de lingots, etc., qui manquent dans le texte français. Les mots du titre de cette édition, d'après lesquels l'écrit est tiré en grande partie du manuscrit d'un défunt, et arrangés, etc., semblent donc être autre chose qu'une simple fiction, alors fort en usage.

13. « Combien de fois n'avons-nous pas vu, dans certains ateliers, embaucher plus d'ouvriers que ne le demandait le travail à mettre en main ? Souvent, dans la prévision d'un travail aléatoire, quelquefois même imaginaire, on admet des ouvriers : comme on les paye aux pièces, on se dit qu'on ne court aucun risque, parce que toutes les pertes de temps seront à la charge des inoccupés. » (H. Grégoire : *Les Typographes devant le tribunal correctionnel de Bruxelles*. Bruxelles, 1865, p. 9.)

14. *Remarks on the Commercial Policy of Great Britain*. London, 1815, p. 48.

15. *A Defence of the Landowners and Farmers of Great Britain*. Lond., 1814, p. 4. 5.

16. Malthus, l. c.

17. « Les travailleurs aux pièces forment vraisemblablement les quatre cinquièmes de tout le personnel des fabriques. » (*Reports of Insp. of Fact. for 30 april 1858*, p. 9.)

18. « On se rend un compte exact de la force productive de son métier (du fileur), et l'on diminue la rétribution du travail à mesure que la force productive

augmente... sans cependant que cette diminution soit proportionnée à l'augmentation de la force. » (*Ure*, l. c., p. 61.) Ure supprime lui-même cette dernière circonstance atténuante. Il dit, par exemple, à propos d'un allongement de la *mule Jenny :* « quelque surcroît de travail provient de cet allongement ». (L. c. II, p. 34). Le travail ne diminue donc pas dans la même proportion que sa productivité augmente. Il dit encore : « Ce surcroît augmentera la force productive d'un cinquième. Dans ce cas, on baissera le prix du fileur; mais comme on ne le réduira pas d'un cinquième, le perfectionnement augmentera son gain dans le nombre d'heures donné; mais — il y a une modification à faire... C'est que le fileur a des frais additionnels à déduire sur les six pence, attendu qu'il faut qu'il augmente le nombre de ses aides non adultes, ce qui est accompagné d'un déplacement d'une partie des adultes » (l. c., p. 66, 67), et n'a aucune tendance à faire monter le salaire.

19. H. Fawcett : *The Economic Position of the British Labourer*. Cambridge and London, 1865, p. 178.

20. On trouve dans le *Standard* de Londres du 26 octobre 1861, le compte rendu d'un procès intenté par la raison sociale *John Bright et Cie*, devant les magistrats de Rochdale, dans le but de poursuivre, pour intimidation, les agents de la *Carpet Weavers Trades' Union*. « Les associés de Bright ont introduit une machine nouvelle, qui permet d'exécuter deux cent quarante mètres de tapis dans le même temps et avec le même travail (!) auparavant requis pour en produire cent soixante. Les ouvriers n'ont aucun droit de réclamer une part quelconque dans les profits qui résultent pour leur patron de la mise de son capital dans des machines perfectionnées. En conséquence, M. Bright a proposé d'abaisser le taux de la paye de un penny et demi par mètre à un penny, ce qui laisse le gain des ouvriers exactement le même qu'auparavant pour le même travail. Mais c'était là une réduction nominale, dont les ouvriers, comme on l'assure, n'avaient pas reçu d'avance le moindre avertissement. »

21. « Les sociétés de résistance, dont le but constant est de maintenir les salaires, cherchent à prendre part au profit qui résulte du perfectionnement des machines! (Quelle horreur!)... Elles demandent un salaire supérieur, parce que le travail est raccourci... en d'autres termes, elles tendent à établir un impôt sur les améliorations industrielles. » (*On Combination of Trades. New Edit.* Lond., 1834, p. 42.)

Notes du chapitre XXII.

1. C'est-à-dire, sa valeur comparée à la plus-value.

2. Nous examinerons ailleurs les circonstances qui, par rapport à la productivité, peuvent modifier cette loi pour des branches de production particulières.

3. James Anderson : *Observations on the means of exciting a spirit of National Industry*, etc. Edinburgh, 1777, p. 350, 351.) — La Commission royale, chargée d'une enquête sur les chemins de fer, dit au contraire : « Le travail est plus cher en Irlande qu'en Angleterre, parce que les salaires y sont beaucoup plus bas. » (*Royal Commission on Railways*, 1867. Minutes, p. 2074.)

4. *Ure*, l. c., t.II, p. 58.

5. En Russie, les filatures sont dirigées par des Anglais, le capitaliste indigène n'étant pas apte à cette fonction. D'après des détails exacts, fournis à M. Redgrave par un de ces directeurs anglais, le salaire est piteux, l'excès de travail effroyable, et la production continue jour et nuit sans interruption. Néanmoins, ces filatures ne végètent que grâce au système prohibitif.

6. *Reports of Insp. of Fact. 31 st. october 1866*, p. 31, 37. Je pourrais, di tencore M. Redgrave, nommer beaucoup de filatures de mon district, où des mules à deux mille deux cents broches sont surveillées par une seule personne, aidée de deux filles, et où on fabrique par jour deux cent vingt livres de filés, d'une longueur de quatre cents milles (anglais).

7. H. Carey : *Essay on the rate of Wages with an Examination of the causes of the Differences in the conditions of the Labouring Population throughout the World.* Philadelphia, 1835.

Notes du chapitre XXIII.

1. « Mais ces riches, qui consomment le produit du travail des autres, ne peuvent les obtenir que par des échanges. S'ils donnent cependant leur richesse acquise et accumulée en retour contre ces produits nouveaux qui sont l'objet

de leur fantaisie, ils semblent exposés à épuiser bientôt leur fonds de réserve; ils ne travaillent point, avons-nous dit, et ils ne peuvent même travailler; on croirait donc que chaque jour doit voir diminuer leurs vieilles richesses, et que lorsqu'il ne leur en restera plus, rien ne sera offert en échange aux ouvriers qui travaillent exclusivement pour eux... Mais dans l'ordre social, la richesse a acquis la propriété de se reproduire par le travail d'autrui, et sans que son propriétaire y concoure. La richesse, comme le travail, et par le travail, donne un fruit annuel qui peut être détruit chaque année sans que le riche en devienne plus pauvre. Ce fruit est le *revenu* qui naît du *capital.* » (Sismondi, *Nouv. princ. d'Econ. pol.* Paris, 1819, t. I, p. 81, 82.)

2. « Les salaires aussi bien que les profits doivent être considérés chacun comme une portion du produit achevé. » (Ramsay, l. c., p. 142.) « La part au produit qui échoit au travailleur *sous forme* de salaire, etc. » (J. Mill, *Eléments*, etc., trad. de Parissot. Paris, 1823, p. 34.)

3. Le capital variable est ici considéré seulement comme fonds de payement des salariés. On sait qu'en réalité il ne devient variable qu'à partir du moment où la force de travail qu'il a achetée fonctionne déjà dans le procès de production.

4. Les Anglais disent *labour fund*, littéralement *fonds de travail*, expression qui en français serait équivoque.

5. « Quand le capital est employé en avances de salaires pour les ouvriers, cela n'ajoute rien au fonds d'entretien du travail. » (Cazenove, note de son édit. de l'ouvrage de Malthus, *Definitions in Polit. Econ.* Lond., 1853, p. 22.)

6. « Sur la plus grande partie du globe les moyens de subsistance des travailleurs ne leur sont pas avancés par le capitaliste. » (Richard Jones, *Textbook of Lectures on the Polit. Econ. of Nations.* Hertford, 1852, p. 36.)

7. « Quoique le premier (l'ouvrier de manufacture) reçoive des salaires que son maître lui *avance*, il ne lui coûte, dans le fait, *aucune dépense:* la valeur de ces salaires se retrouvant, en général, avec un profit en plus, dans l'augmentation de valeur du sujet auquel ce travail a été appliqué. » (Adam Smith, l. c., l. II, ch. II, p. 311.)

8. « Il est absolument certain qu'une manufacture, dès qu'elle est établie, emploie beaucoup de pauvres; mais ceux-ci ne cessent pas de rester dans le même état et leur nombre s'accroît, si l'établissement dure. » (*Reasons for a limited Exportation of Wool.* Lond., 1677, p. 19.) « Le fermier est assez absurde pour affirmer aujourd'hui qu'il entretient les pauvres. Il les entretient en réalité dans la misère. » (*Reasons for the late Increase of the Poor Rates : or a comparative view of the prices of labour and provisions.* Lond., 1777, p. 37.)

9. « C'est là une propriété particulièrement remarquable de la consommation productive. Ce qui est consommé productivement est capital et devient capital par la consommation. » (James Mill, l. c., p. 242.) Si J. Mill avait compris la consommation productive, il n'aurait trouvé rien d'étonnant dans « cette propriété particulièrement remarquable ».

10. Les économistes qui considèrent comme normale cette coïncidence de consommation individuelle et de consommation productive, doivent nécessairement ranger les subsistances de l'ouvrier au nombre des matières auxiliaires, telles que l'huile, le charbon, etc., qui sont consommées par les instruments de travail et constituent par conséquent un élément du capital productif. Rossi s'emporte contre cette classification, en oubliant fort à propos que si les subsistances de l'ouvrier n'entrent pas dans le capital productif, l'ouvrier lui-même en fait partie.

11. « Les ouvriers des mines de l'Amérique du Sud, dont la besogne journalière (peut-être la plus pénible du monde) consiste à charger sur leurs épaules un poids de cent quatre-vingts à deux cents livres de minerai et à le porter au-dehors d'une profondeur de quatre cent cinquante pieds, ne vivent que de pain et de fèves. Ils prendraient volontiers du pain pour toute nourriture; mais leurs maîtres se sont aperçus qu'ils ne peuvent pas travailler autant s'ils ne mangent que du pain, et les forcent de manger des fèves. Les fèves sont proportionnellement plus riches que le pain en phosphate de chaux. » (Liebig, l. c., 1re partie, p. 194, note.)

12. James Mill, l. c., p. 238 et suiv.

13. « Si le prix du travail s'élevait si haut, que malgré l'accroissement de capital il fût impossible d'employer plus de travail, je dirais alors que cet accroissement de capital est consommé improductivement. » (Ricardo, l. c., p. 163.)

14. « La seule consommation productive dans le sens propre du mot c'est la consommation ou la destruction de richesse (il veut parler de l'usure des moyens de production) effectuée par le capitaliste en vue de la reproduction... L'ouvrier est un consommateur productif pour la personne qui l'emploie et pour l'Etat,

mais, à vrai dire, il ne l'est pas pour lui-même. » (Malthus, *Definitions*, etc., p. 30.)

15. « La seule chose dont on puisse dire qu'elle est réellement accumulée c'est l'habileté du travailleur... L'accumulation de travail habile, cette opération des plus importantes, s'accomplit pour ce qui est de la grande masse des travailleurs, sans le moindre capital. » (Hodgskin, *Labour Defended*, etc., p. 13.)

16. Ferrand. Motion sur la disette cotonnière, séance de la Chambre des communes du 27 avril 1863.

17. On se rappelle que le capital chante sur une autre gamme dans les circonstances ordinaires, quand il s'agit de faire baisser le salaire du travail. Alors « les maîtres » s'écrient tout d'une voix (V, chap. XV) :

« Les ouvriers de fabrique feraient très bien de se souvenir que leur travail est des plus inférieurs; qu'il n'en est pas de plus facile à apprendre et de mieux payé, vu sa qualité, car il suffit du moindre temps et du moindre apprentissage pour y acquérir toute l'adresse voulue. Les machines du maître (lesquelles, au dire d'aujourd'hui, peuvent être améliorées et remplacées avec avantage dans un an) jouent en fait un rôle bien plus important dans la production que le travail et l'habileté de l'ouvrier qui ne réclament qu'une éducation de six mois et qu'un simple paysan peut apprendre » (et aujourd'hui d'après Potter on ne les remplacerait pas dans trente ans).

18. En temps ordinaire le capitaliste dit au contraire que les ouvriers ne seraient pas affamés, démoralisés et mécontents, s'ils avaient la sagesse de diminuer le nombre de leurs bras pour en faire monter le prix.

19. *Times*, 24 mars 1863.

20. Le Parlement ne vota pas un liard pour l'émigration, mais seulement des lois qui autorisaient les municipalités à tenir les travailleurs entre la vie et la mort ou à les exploiter sans leur payer un salaire normal. Mais lorsque, trois ans après, les campagnes furent frappées de la peste bovine, le Parlement rompit brusquement toute étiquette parlementaire et vota en un clin d'œil des millions pour indemniser des landlords millionnaires dont les fermiers s'étaient déjà indemnisés par l'élévation du prix de la viande. Le rugissement bestial des propriétaires fonciers, à l'ouverture du Parlement, en 1866, démontra qu'il n'est pas besoin d'être Indou pour adorer la vache Sabala, ni Jupiter pour se métamorphoser en bœuf.

21. « L'ouvrier demandait de la subsistance pour vivre, le chef demandait du travail pour gagner. » (Sismondi, l. c., éd. de Bruxelles, t. I, p. 91.)

22. Il existe une forme rurale et grossière de cette servitude dans le comté de Durham. C'est un des rares comtés où les circonstances n'assurent pas au fermier un titre de propriété incontesté sur les journaliers agricoles. L'industrie minière permet à ceux-ci de faire un choix. Le fermier, contrairement à la règle, ne prend ici à fermage que les terres où se trouvent des cottages pour les ouvriers. Le prix de location du cottage forme une partie du salaire du travail. Ces cottages portent le nom de « hind's houses ». Ils sont loués aux ouvriers sous certaines obligations féodales et en vertu d'un contrat appelé « bondage », qui oblige par exemple le travailleur, pour le temps pendant lequel il est occupé autre part, de mettre sa fille à sa place, etc. Le travailleur lui-même s'appelle « bondsman », serf. On voit ici par un côté tout nouveau comment la consommation individuelle du travailleur est en même temps consommation pour le capital ou consommation productive. « Il est curieux de voir comment même les excréments de ce bondsman entrent dans le casuel de son maître calculateur... Le fermier ne permet pas dans tout le voisinage d'autres lieux d'aisances que les siens, et ne souffre sous ce rapport aucune infraction à ses droits de suzerain. » (*Public Health VII*, *Rep.* 1865, p. 188.)

23. On se souvient que pour ce qui est du travail des enfants, etc., il n'est même plus besoin de cette formalité de la vente personnelle.

24. « Le capital suppose le travail salarié, le travail salarié suppose le capital; ils sont les conditions l'une de l'autre et se produisent réciproquement. L'ouvrier d'une fabrique de coton produit-il seulement des étoffes de coton ? Non, il produit du capital. Il produit des valeurs qui servent de nouveau à commander son travail et à en tirer des valeurs nouvelles. » (Karl Marx, *Travail salarié et Capital* « *Lohnarbeit und Capital* » dans la *Neue Rhein. Zeit.*, nº 266, 7 avril 1849.) Les articles publiés sous ce titre dans la *Nouvelle Gazette rhénane*, sont des fragments de conférences faites sur ce sujet en 1847, dans la Société des travailleurs allemands à Bruxelles, et dont l'impression fut interrompue par la révolution de Février.

Notes du chapitre XXIV.

1. « Accumulation du capital : l'emploi d'une portion de revenu comme capital. » (Malthus, *Définitions*, etc. éd. Cazenave, p. 11.) « Conversion de revenu en capital. » (Malthus, *Princ. of Pol. Ec.*, 2e éd. London, 1836, p. 319.)
2. On fait ici abstraction du commerce étranger au moyen duquel une nation peut convertir des articles de luxe en moyens de production ou en subsistances de première nécessité, et *vice versa*. Pour débarrasser l'analyse générale d'incidents inutiles, il faut considérer le monde commerçant comme une seule nation, et supposer que la production capitaliste s'est établie partout et s'est emparée de toutes les branches d'industrie.
3. L'analyse que Sismondi donne de l'accumulation a ce grand défaut qu'il se contente trop de la phrase « conversion du revenu en capital » sans assez approfondir les conditions matérielles de cette opération.
4. « Le *travail primitif* auquel son capital a dû sa naissance. » (*Sismondi*, l. c., éd. de Paris, t. I, p. 109.)
5. « Le travail crée le capital avant que le capital emploie le travail. » (*Labour creates capital, before capital employs labour.*) E. G. Wakefield : « *England and America.* » London, 1833, v. II, p. 110.
6. *Sismondi*, l. c., p. 70.
7. L. c., p. 111.
8. L. c., p. 135.
9. La propriété du capitaliste sur le produit du travailleur est une conséquence rigoureuse de la loi de l'appropriation, dont le principe fondamental était au contraire le titre de propriété exclusif de chaque travailleur sur le produit de son propre travail. » Cherbuliez : *Riche ou Pauvre*. Paris, 1844, p. 58. — L'auteur sent le contrecoup dialectique, mais l'explique faussement.
10. « Capital, c'est-à-dire richesse accumulée employée en vue d'un profit. » (*Malthus*, l. c.) « Le capital consiste en richesse économisée sur le revenu et employée dans un but de profit. » (R. Jones : *An Introductory Lecture on Pol. Ec.* London, 1833, p. 16.)
11. « Le possesseur du produit net, c'est-à-dire du capital. » (*The Source and Remedy of the National difficulties*, etc. London, 1821.)
12. *London Economist*, 19 july 1859.
13. Il nous semble que le mot *valorisation* exprimerait le plus exactement le mouvement qui fait d'une valeur le moyen de sa propre multiplication.
14. Aussi chez Balzac, qui a si profondément étudié toutes les nuances de l'avarice, le vieil usurier Gobseck est-il déjà tombé en démence, quand il commence à amasser des marchandises en vue de thésauriser.
15. « Accumulation de marchandises... stagnation dans l'échange... excès de production. » (Th. Corbett, l. c., p. 14.)
16. C'est dans ce sens que Necker parle des « objets de faste et de somptuosité » dont « le temps a grossi *l'accumulation* » et que « les lois de propriété ont rassemblés dans une seule classe de la société ». (*Œuvres de M. Necker*. Paris et Lausanne, 1789, t. II : « *De l'Administration des finances de la France*, p. 291.)
17. « Il n'est pas aujourd'hui d'économiste qui, par *épargner*, entende simplement *thésauriser*, mais, à part ce procédé étroit et insuffisant, on ne saurait imaginer à quoi peut bien servir ce terme, par rapport à la richesse nationale, si ce n'est pas à indiquer le différent emploi fait de ces épargnes selon qu'elles soutiennent l'un ou l'autre genre de travail (productif ou improductif). » (*Malthus*, l. c.)
18. *Ricardo*, l. c., p. 163, note.
19. En dépit de sa « Logique », M. J. St. Mill ne soupçonne jamais les erreurs d'analyse de ses maîtres; il se contente de les reproduire avec un dogmatisme d'écolier. C'est encore ici le cas. « A la longue, dit-il, le capital même se résout entièrement en salaires, et, lorsqu'il a été reconstitué par la vente des produits, il retourne de nouveau en salaires. »
20. On en trouvera la solution dans le deuxième livre de cet ouvrage.
21. *Storch*, l. c., édition de Pétersbourg, 1815, t. I, p. 140, note.
22. Le lecteur remarquera que nous employons le mot revenu dans deux sens différents, d'une part pour désigner la plus-value en tant que fruit périodique du capital; d'autre part pour en désigner la partie qui est périodiquement consommée par le capitaliste ou jointe par lui à son fonds de consommation. Nous conservons ce double sens parce qu'il s'accorde avec le langage usité chez les économistes anglais et français.
23. Luther montre très bien, par l'exemple de l'usurier, ce capitaliste de forme

démodée, mais toujours renaissant, que le désir de dominer est un des mobiles de l'*auri sacra fames*. « La simple raison a permis aux païens de compter l'usurier comme assassin et quadruple voleur. Mais nous, chrétiens, nous le tenons en tel honneur, que nous l'adorons presque à cause de son argent. Celui qui dérobe, vole et dévore la nourriture d'un autre, est tout aussi bien un meurtrier (autant que cela est en son pouvoir) que celui qui le fait mourir de faim ou le ruine à fond. Or c'est là ce que fait l'usurier, et cependant il reste assis en sûreté sur son siège, tandis qu'il serait bien plus juste que, pendu à la potence, il fût dévoré par autant de corbeaux qu'il a volé d'écus; si du moins il y avait en lui assez de chair pour que tant de corbeaux pussent s'y tailler chacun un lopin. On pend les petits voleurs... les petits voleurs sont mis aux fers; les grands voleurs vont se prélassant dans l'or et la soie. Il n'y a pas sur terre (à part le diable) un plus grand ennemi du genre humain que l'avare et l'usurier, car il veut être dieu sur tous les hommes. Turcs, gens de guerre, tyrans, c'est là certes méchante engeance; ils sont pourtant obligés de laisser vivre le pauvre monde et de confesser qu'ils sont des scélérats et des ennemis; il leur arrive même de s'apitoyer malgré eux. Mais un usurier, ce sac à avarice, voudrait que le monde entier fût en proie à la faim, à la soif, à la tristesse et à la misère; il voudrait avoir tout tout seul, afin que chacun dût recevoir de lui comme d'un dieu et rester son serf à perpétuité. Il porte des chaînes, des anneaux d'or, se torche le bec, se fait passer pour un homme pieux et débonnaire. — L'usurier est un monstre énorme, pire qu'un ogre dévorant, pire qu'un Cacus, un Gérion, un Antée. Et pourtant il s'attife et fait la sainte-nitouche, pour qu'on ne voie pas d'où viennent les bœufs qu'il a amenés à reculons dans sa caverne. Mais Hercule entendra les mugissements des bœufs prisonniers et cherchera Cacus à travers les rochers pour les arracher aux mains de ce scélérat. Car Cacus est le nom d'un scélérat, d'un pieux usurier qui vole, pille et dévore tout et veut pourtant n'avoir rien fait, et prend grand soin que personne ne puisse le découvrir, parce que les bœufs amenés à reculons dans sa caverne ont laissé des traces de leurs pas qui font croire qu'ils en sont sortis. L'usurier veut de même se moquer du monde en affectant de lui être utile et de lui donner des bœufs, tandis qu'il les accapare et les dévore tout seul... Et si l'on roue et décapite les assassins et les voleurs de grand chemin, combien plus ne devrait-on pas chasser, maudire, rouer tous les usuriers et leur couper la tête. » (*Martin Luther*, l. c.)

24. Paroles du Faust de Gœthe.

25. Dr. Aikin : *Description of the Country from thirty to forty milles round Manchester*. Lond., 1795, p. 182 et suiv.

26. A. Smith, l. c., l. III, ch. III.

27. Il n'est pas jusqu'à J. B. Say qui ne dise : « Les épargnes des riches se font aux dépens des pauvres. » « Le prolétaire romain vivait presque entièrement aux frais de la société... On pourrait presque dire que la société moderne vit aux dépens des prolétaires, de la part qu'elle prélève sur la rétribution de leur travail. » (Sismondi, *Etudes*, etc., t. I, p. 24.)

28. *Malthus*, l. c., p. 319, 320.

29. *An Inquiry into those Principles respecting the Nature of Demand*, etc., p. 67.

30. L. c., p. 50.

31. Senior : *Principes fondamentaux de l'économie politique*, traduct. Arrivabene. Paris, 1836, p. 308. Ceci sembla par trop fort aux partisans de l'ancienne école. « M. Senior substitue aux mots travail et capital les mots travail et abstinence... Abstinence est une négation pure. Ce n'est pas l'abstinence, mais l'usage du capital employé productivement, qui est la source du profit. » (John Cazenove, l. c., p. 130, note). M. J. St. Mill se contente de reproduire à une page la théorie du profit de Ricardo et d'inscrire à l'autre la « rémunération de l'abstinence » de Senior. — Les économistes vulgaires ne font jamais cette simple réflexion que toute action humaine peut être envisagée comme une « abstention » de son contraire. Manger, c'est s'abstenir de jeûner; marcher, s'abstenir de rester en repos; travailler, s'abstenir de rien faire; ne rien faire, s'abstenir de travailler, etc. Ces Messieurs feraient bien d'étudier une bonne fois la proposition de Spinoza : *Determinatio est negatio*.

32. *Senior*, l. c., p. 342.

33. « Personne... ne sèmera son blé et ne lui permettra de rester enfoui une année dans le sol, ou ne laissera son vin en barriques des années entières, au lieu de consommer ces choses ou leur équivalent une bonne fois, s'il n'espère acquérir une valeur additionnelle. » (Scrope : *Polit. Econ.*, édit. de A. Potter. New York, 1841, p. 133, 134.)

34. « La privation que s'impose le capitaliste en *prêtant* ses instruments de production au travailleur, au lieu d'en consacrer la valeur à son propre usage

en la transformant en objets d'utilité ou d'agrément. » (*G. de Molinari*, l. c., p. 49).

Prêter est un euphémisme consacré par l'économie vulgaire pour identifier le salarié qu'exploite le capitaliste industriel avec ce capitaliste industriel lui-même auquel d'autres capitalistes prêtent leur argent.

35. *Courcelle Seneuil*, l. c., p. 57.

36. « Les classes particulières de revenu qui contribuent le plus abondamment à l'accroissement du capital national changent de place à différentes époques et varient d'une nation à l'autre selon le degré du progrès économique où celles-ci sont arrivées. Le profit..., source d'accumulation sans importance, comparé aux salaires et aux rentes dans les premières étapes de la société... Quand la puissance de l'industrie nationale a fait des progrès considérables, les profits acquièrent une haute importance comme source d'accumulation. » (Richard Jones : « Textbook, etc. », p. 16, 24.)

37. L. c., p. 36 et suiv.

38. Accélérer l'accumulation par un développement supérieur des pouvoirs productifs du travail et l'accélérer par une plus grande exploitation du travailleur, ce sont là deux procédés tout à fait différents que confondent souvent les économistes.

Par exemple, Ricardo dit :

« Dans des sociétés différentes ou dans les phases différentes d'une même société, l'accumulation du capital ou des moyens d'employer le travail est plus ou moins rapide, et doit dans tous les cas dépendre des pouvoirs productifs du travail. En général, les pouvoirs productifs du travail atteignent leur maximum là où le sol fertile surabonde. » Ce qu'un autre économiste commente ainsi : « *Les pouvoirs productifs du travail* signifient-ils, dans cet aphorisme, *la petitesse de la quote-part de chaque produit dévolue à ceux-là qui le fournissent par leur travail manuel?* Alors la proposition est tautologique, car la partie restante est le fonds que son possesseur, si tel est son plaisir, peut accumuler. Mais ce n'est pas généralement le cas dans les pays les plus fertiles. » (*Observations on certain verbal disputes in Pol. Econ.*, p. 74, 75.)

39. J. St. Mill : *Essays on some unsettled questions of Pol. Econ.* Lond., 1814, p. 90.

40. « *An Essay on Trade and Commerce.* » Lond., 1770, p. 44. — Le *Times* publiait, en décembre 1866 et en janvier 1867, de véritables épanchements de cœur de la part de propriétaires de mines anglais. Ces Messieurs dépeignaient la situation prospère et enviable des mineurs belges, qui ne demandaient et ne recevaient rien de plus que ce qu'il leur fallait strictement pour vivre pour leurs « maîtres ». Ceux-ci ne tardèrent pas à répondre à ces félicitations par la grève de Marchiennes, étouffée à coups de fusil.

41. L. c., p. 46.

42. Le fabricant du Northamptonshire commet ici une fraude pieuse que son émotion rend excusable. Il feint de comparer l'ouvrier manufacturier d'Angleterre à celui de France, mais ce qu'il nous dépeint dans les paroles citées, c'est, comme il l'avoue plus tard, la condition des ouvriers agricoles français.

43. L. c., p. 70.

44. *Times*, 3 sept. 1873.

45. Benjamin Thompson : « *Essays political, economical and philosophical*, etc. » (3 vol. Lond., 1796-1802.) Bien entendu, nous n'avons affaire ici qu'à la partie économique de ces « Essais ». Quant aux recherches de Thompson sur la chaleur, etc., leur mérite est aujourd'hui généralement reconnu. — Dans son ouvrage : « *The state of the poor*, etc., » Sir F. M. Eden fait valoir chaleureusement les vertus de cette soupe à la Rumford et la recommande surtout aux directeurs des *workhouses*. Il réprimande les ouvriers anglais, leur donnant à entendre « qu'en Ecosse bon nombre de familles se passent de froment, de seigle et de viande, et n'ont, pendant des mois entiers, d'autre nourriture que du gruau d'avoine et de la farine d'orge mêlée avec de l'eau et du sel, ce qui ne les empêche pas de vivre très convenablement *(to live very comfortably too)*. » (L. c., t. I, liv. II, ch. II). Au XIXe siècle, il ne manque pas de gens de cet avis. « Les ouvriers anglais », dit, par exemple, Charles R. Parry, « ne veulent manger aucun mélange de grains d'espèce inférieure. En Ecosse, ou l'*éducation est meilleure*, ce préjugé est inconnu. » (*The question of the necessity of the existing corn laws considered.* Lond., 1816, p. 69.) Le même Parry se plaint néanmoins de ce que l'ouvrier anglais « soit maintenant (1815) placé dans une position bien inférieure à celle qu'il occupait » à l'époque édénique (1797).

46. Les rapports de la dernière commission d'enquête parlementaire sur la falsification de denrées prouvent qu'en Angleterre la falsification des médicaments forme non l'exception, mais la règle. L'analyse de trente-quatre échantil-

lons d'opium, achetés chez autant de pharmaciens, donne, par exemple, ce résultat que trente et un étaient falsifiés au moyen de la farine de froment, de l'écale de pavot, de la gomme, de la terre glaise, du sable, etc. La plupart ne contenaient pas un atome de morphine.

47. B. G. Newnham (barrister at law) : *A Review of the Evidence before the committees of the two Houses of Parliament on the Cornlaws*. Lond., 1815, p. 20, note.

48. L. c.

49. Ch. H. Parry, l. c., p. 78. De leur côté, les propriétaires fonciers ne s'indemnisèrent pas seulement pour la guerre antijacobine qu'ils faisaient au nom de l'Angleterre. En dix-huit ans, « leurs rentes montèrent au double, triple, quadruple, et, dans certains cas exceptionnels, au sextuple ». (L. c., p. 100, 101.)

50. Nous entendons par « outillage » l'ensemble des moyens de travail, machines, appareils, instruments, bâtiments, constructions, voies de transport et de communication, etc.

51. F. Engels : *Lage der arbeitenden Klasse in England* (p. 20).

52. Faute d'une analyse exacte du procès de production et de valorisation, l'économie politique classique n'a jamais bien apprécié cet élément important de l'accumulation. « Quelle que soit la variation des forces productives », dit Ricardo, par exemple, « un million d'hommes produit dans les fabriques toujours la même valeur. » Ceci est juste, si la durée et l'intensité de leur travail restent constantes. Néanmoins, la valeur de leur produit et l'étendue de leur accumulation varieront indéfiniment avec les variations successives de leurs forces productives. — A propos de cette question, Ricardo a vainement essayé de faire comprendre à J. B. Say la différence qu'il y a entre valeur d'usage (*wealth*, richesse matérielle) et valeur d'échange.

Say lui répond : « Quant à la difficulté qu'élève M. Ricardo en disant que, par des procédés mieux entendus, un million de personnes peuvent produire deux fois, trois fois autant de richesses, sans produire plus de valeurs, cette difficulté n'en est pas une lorsque l'on considère, ainsi qu'on le doit, la production *comme un échange* dans lequel on donne *les services productifs de son travail, de sa terre et de ses capitaux*, pour obtenir des *produits*. C'est par le moyen de ces services productifs que nous acquérons tous les produits qui sont au monde... Or... nous sommes d'autant plus riches, nos services productifs ont d'autant plus de valeur, qu'ils obtiennent *dans l'échange appelé production*, une plus grande quantité de choses utiles. » (J. B. Say : *Lettres à M. Malthus*. Paris, 1820, p. 168, 169.)

La « difficulté » dont Say s'acharne à donner la solution et qui n'existe que pour lui, revient à ceci : comment se fait-il que le travail, à un degré de productivité supérieur, augmente les valeurs d'usage, tout en diminuant leur valeur d'échange ? Réponse : La difficulté disparaît dès qu'on baptise « ainsi qu'on le doit » la valeur d'usage, valeur d'échange. La valeur d'échange est certes une chose qui, de manière ou d'autre, a quelque rapport avec l'échange. Qu'on nomme donc la production un « *échange* », un échange du travail et des moyens de production contre le produit, et il devient clair comme le jour, que l'on obtiendra d'autant plus de valeur d'échange que la production fournira plus de valeurs d'usage. Par exemple : plus une journée de travail produira de chaussettes, plus le fabricant sera riche — en chaussettes. Mais soudainement Say se rappelle la loi de l'offre et la demande, d'après laquelle, à ce qu'il paraît, une plus grande quantité de choses utiles et leur meilleur marché sont des termes synonymes. Il nous révèle donc que « le *prix* des chaussettes (lequel *prix* n'a évidemment rien de commun avec leur *valeur d'échange*) baissera, parce que la concurrence les oblige (les producteurs) de donner les produits pour ce qu'ils leur coûtent ». Mais d'où vient donc le profit du capitaliste, s'il est obligé de vendre les marchandises pour ce qu'elles lui coûtent ? Mais passons outre. Say arrive au bout du compte à cette conclusion : doublez la productivité du travail dans la fabrication des chaussettes, et dès lors chaque acheteur échangera contre le même équivalent deux paires de chaussettes au lieu d'une seule. Par malheur, ce résultat est exactement la proposition de Ricardo qu'il avait promis d'écraser. Après ce prodigieux effort de pensée, il apostrophe Malthus en ces termes modestes : « Telle est, Monsieur, la doctrine bien liée sans laquelle il est impossible, *je le déclare*, d'expliquer les plus grandes difficultés de l'économie politique et notamment comment il se peut qu'une nation soit plus riche lorsque ses produits diminuent de valeur, quoique la richesse soit de la valeur. » (L. c., p. 170.) — Un économiste anglais remarque, à propos de ces tours de force, qui fourmillent dans les « Lettres » de Say : « Ces façons affectées et bavardes *(those affected ways of talking)* constituent en général ce qu'il plaît à M. Say d'appeler *sa doctrine*, doctrine qu'il somme M. Malthus d'enseigner à Hertford, comme cela se fait déjà, à l'en croire, « dans plusieurs parties de l'Europe ». Il ajoute : « Si vous trouvez une physionomie de paradoxe à toutes ces propositions, *voyez les choses qu'elles expriment*, et j'ose croire qu'elles vous paraîtront *fort simples* et fort raisonnables. » Certes, et grâce au même procédé, elles paraîtront tout ce qu'on voudra, mais jamais ni originales ni importantes. » (*An Inquiry into those Principles respecting the Nature of Demand*, etc., p. 116, 110.)

53. Mac Culloch avait pris un brevet d'invention pour « le salaire du travail passé » *(wages of past labour)*, longtemps avant que Senior prît le sien pour « le salaire de l'abstinence ».

54. V. p. ex. « *J. Bentham : Théorie des Peines et des Récompenses* », trad. p. Ed. Dumont, 3e éd. Paris, 1826.

55. Jérémie Bentham est un phénomène anglais. Dans aucun pays, à aucune époque, personne, pas même le philosophe allemand Christian Wolf, n'a tiré autant de parti du lieu commun. Il ne s'y plaît pas seulement, il s'y pavane. Le fameux principe d'utilité n'est pas de son invention. Il n'a fait que reproduire sans esprit l'*esprit* d'Helvétius et d'autres écrivains français du XVIIIe siècle. — Pour savoir, par exemple, ce qui est utile à un chien, il faut étudier la nature canine, mais on ne saurait déduire cette nature elle-même du principe d'utilité. Si l'on veut faire de ce principe le critérium suprême des mouvements et des rapports humains, il s'agit d'abord d'approfondir la nature humaine en général et d'en saisir ensuite les modifications propres à chaque époque historique. Bentham ne s'embarrasse pas de si peu. Le plus sèchement et le plus naïvement du monde, il pose comme homme-type le petit bourgeois moderne, l'épicier, et spécialement l'épicier anglais. Tout ce qui va à ce drôle d'homme-modèle et à son monde est déclaré utile en soi et par soi. C'est à cette aune qu'il mesure le passé, le présent et l'avenir. La religion chrétienne par exemple est utile. Pourquoi ? Parce qu'elle réprouve au point de vue religieux les mêmes méfaits que le Code pénal réprime au point de vue juridique. La critique littéraire au contraire, est nuisible, car c'est un vrai trouble-fête pour les honnêtes gens qui savourent la prose rimée de Martin Tupper. C'est avec de tels matériaux que Bentham, qui avait pris pour devise : *nulla dies sine linea*, a empilé des montagnes de volumes. C'est la sottise bourgeoise poussée jusqu'au génie.

56. « Les économistes politiques sont trop enclins à traiter une certaine quantité de capital et un nombre donné de travailleurs comme des instruments de production d'une efficacité uniforme et d'une intensité d'action à peu près constante... Ceux qui soutiennent que les marchandises sont les seuls agents de la production prouvent qu'en général la production ne peut être étendue, car pour l'étendre il faudrait qu'on eût préalablement augmenté les subsistances, les matières premières et les outils, ce qui revient à dire qu'aucun accroissement de la production ne peut avoir lieu sans son accroissement préalable, ou, en d'autres termes, que tout accroissement est impossible. » (*S. Bailey : Money and its vicissitudes*, p. 26 et 70.)

57. Sismondi, l. c., p. 107, 108.

58. J. St. Mill : « *Principles of Pol. Economy.* »

59. H. Fawcett : *Prof. of Pol. Econ. at Cambridge* : « *The Economic Position of the British Labourer.* » London, 1865, p. 120.

60. L. c., p. 123, 124.

61. On pourrait dire que ce n'est pas seulement du capital que l'on exporte de l'Angleterre, mais encore des ouvriers, sous forme d'émigration. Dans le texte, bien entendu, il n'est point question du pécule des émigrants, dont une grande partie se compose d'ailleurs de fils de fermiers et de membres des classes supérieures. Le capital surnuméraire transporté chaque année de l'Angleterre à l'étranger pour y être placé à intérêts, est bien plus considérable par rapport à l'accumulation annuelle que ne l'est l'émigration annuelle par rapport à l'accroissement annuel de la population.

Notes du chapitre XXV.

1. Karl Marx, l. c. — « A égalité d'oppression des masses, plus un pays a de prolétaires et plus il est riche. » (*Colins : L'économie politique, source des révolutions et des utopies prétendues socialistes*, Paris, 1754, III, p. 331.) — En économie politique il faut entendre par *prolétaire* le salarié qui produit le capital et le fait fructifier, et que M. Capital, comme l'appelle Pecqueur, jette sur le pavé dès qu'il n'en a plus besoin. Quant au « prolétaire maladif de la forêt

primitive », ce n'est qu'une agréable fantaisie Roscherienne. L'habitant de la forêt primitive est aussi le propriétaire d'*icelle*, et il en use à son égard aussi librement que l'orang-outang lui-même. Ce n'est donc pas un prolétaire. Il faudrait pour cela qu'au lieu d'exploiter la forêt, il fût exploité par elle. Pour ce qui est de son état de santé, il peut soutenir la comparaison, non seulement avec celui du prolétaire moderne, mais encore avec celui des notabilités syphilitiques et scrofuleuses. Après cela, par « forêt primitive » M. le professeur entend sans doute ses landes natales de Lunébourg.

2. John Bellers, l. c., p. 2.

3. B. de Mandeville : « *The fable of the Bees* », 5e édition, Lond., 1728, *Remarks*, p. 212, 213, 328. — « Une vie sobre, un travail incessant; tel est pour le pauvre le chemin du bonheur matériel (l'auteur entend par « bonheur matériel » la plus longue journée de travail possible et le minimum possible de subsistances) et c'est en même temps le chemin de la richesse pour l'Etat (l'Etat, c'est-à-dire les propriétaires fonciers, les capitalistes et leurs agents et dignitaires gouvernementaux). » (*An Essay on Trade and Commerce*. Lond., 1770, p. 54.)

4. Eden, l. c., t. I, l. I, ch. I et préface.

5. On m'objectera peut-être « *l'Essai sur la Population* », publié en 1798, mais dans sa première forme ce livre de *Malthus* n'est qu'une déclamation d'écolier sur des textes empruntés à De Foe, Franklin, Wallace, Sir James Stewart, Townsend, etc. Il n'y a ni une recherche ni une idée du cru de l'auteur. La grande sensation que fit ce pamphlet juvénile n'était due qu'à l'esprit de parti. La Révolution française avait trouvé des défenseurs chaleureux de l'autre côté de la Manche, et « le principe de population », peu à peu élaboré dans le XVIIIe siècle, puis, au milieu d'une grande crise sociale, annoncé à coups de grosse caisse comme l'antidote infaillible des doctrines de Condorcet, etc., fut bruyamment acclamé par l'oligarchie anglaise comme l'éteignoir de toutes les aspirations au progrès humain. Malthus, tout étonné de son succès, se mit dès lors à fourrer sans cesse dans l'ancien cadre de nouveaux matériaux superficiellement compilés. — A l'origine l'économie politique a été cultivée par des philosophes comme Hobbes, Locke, Hume, par des gens d'affaires et des hommes d'Etat tels que Thomas Morus, Temple, Sully, de Witt, North, Law, Vanderlint, Cantillon, Franklin et, avec le plus grand succès, par des médecins comme Petty, Barbon, Mandeville, Quesnay, etc. Vers le milieu du XVIIIe siècle le pasteur Tucker, un économiste distingué pour son époque, se croit encore obligé de s'excuser de ce qu'un homme de sa sainte profession se mêle des choses de Mammon. Puis les pasteurs protestants s'établissent dans l'économie politique, à l'enseigne du « principe de population », et alors ils y pullulent. A part le moine vénitien *Ortes*, écrivain spirituel et original, la plupart des docteurs ès population sont des ministres protestants. Citons par exemple *Bruckner* qui dans sa « *Théorie du système animal* », Leyde, 1767, a devancé toute la théorie moderne de la population, le « révérend » Wallace, le « révérend » Townsend, le « révérend » Malthus, et son disciple, l'archi-révérend Th. Chalmers. Malthus, quoique ministre de la Haute Eglise anglicane, avait au moins fait vœu de célibat comme *socius* (fellow) de l'Université de Cambridge : « Socios collegiorum maritos esse non permittimus, sed statim postquam quis uxorem duxerit, socius collegil desinat esse. » (*Reports of Cambridge University Comission*, p. 172.) En général, après avoir secoué le joug du célibat catholique, les ministres protestants revendiquèrent comme leur mission spéciale l'accomplissement du précepte de la Bible : « Croissez et multipliez », ce qui ne les empêche pas de prêcher en même temps aux ouvriers « le principe de population ». Ils ont presque monopolisé ce point de doctrine chatouilleux, ce travestissement économique du péché originel, cette pomme d'Adam, « le pressant appétit » et les obstacles qui tendent à émousser les flèches de Cupidon (« the checks which tend to blunt the shafts of Cupid ») comme dit gaiement le « révérend » Townsend. On dirait que Petty pressentît ces bousilleurs, lorsqu'il écrivait : « La religion fleurit surtout là où les prêtres subissent le plus de macérations, de même que la loi là où les avocats crèvent de faim », mais, si les pasteurs protestants persistent à ne vouloir ni obéir à l'apôtre saint Paul, ni mortifier leur chair par le célibat, qu'ils prennent au moins garde de ne pas engendrer plus de ministres que les bénéfices disponibles n'en comportent. « S'il n'y a que douze mille bénéfices en Angleterre, il est dangereux d'engendrer vingt-quatre mille ministres (« *it will not be safe to breed twenty-four thousand ministers* »), car les douze mille sans-cure chercheront toujours à gagner leur vie, et pour arriver à cette fin ils ne trouveront pas de meilleur moyen que de courir parmi le peuple et de lui persuader que les douze mille bénéficiaires empoisonnent les âmes et les affament, et les éloignent du

vrai sentier qui mène au ciel. » (*William Petty : A Treatise on taxes and contributions*, Lond., 1667, p. 57.) A l'instar de Petty, Adam Smith fut détesté par la prêtraille. On en peut juger par un écrit intitulé : « *A letter to A. Smith, L. L. D. On the Life, Death and Philosophy of his Friend David Hume. By one of the People called Christians* », 4e éd. Oxford, 1784. L'auteur de ce pamphlet, docteur Horne, évêque anglican de Norwich, sermonne A. Smith pour avoir publié une lettre à M. Strahan où « il embaume son ami David » (Hume), où il raconte au monde que « sur son lit de mort Hume s'amusait à lire Lucien et à jouer au whist », et où il pousse l'impudence jusqu'à avouer : « J'ai toujours considéré Hume aussi bien pendant sa vie qu'après sa mort comme aussi près de l'idéal d'un sage parfait et d'un homme vertueux que le comporte la faiblesse de la nature humaine. » L'évêque courroucé s'écrie : « Convient-il donc, monsieur, de nous présenter comme parfaitement sage et vertueux le caractère et la conduite d'un homme, possédé d'une antipathie si incurable contre tout ce qui porte le nom de religion qu'il tourmentait son esprit pour effacer ce nom même de la mémoire des hommes ?... Mais ne vous laissez pas décourager, amis de la vérité, l'athéisme n'en a pas pour longtemps... Vous (A. Smith) avez eu l'atroce perversité (the atrocious wickedness) de propager l'athéisme dans le pays (notamment par la Théorie des Sentiments Moraux)... Nous connaissons vos ruses, maître docteur! ce n'est pas l'intention qui vous manque, mais vous comptez cette fois sans votre hôte. Vous voulez nous faire croire par l'exemple de David Hume, Esquire, qu'il n'y a pas d'autre cordial pour un esprit abattu, pas d'autre contre-poison contre la crainte de la mort que l'athéisme... Riez donc sur les ruines de Babylone, et félicitez Pharaon, le scélérat endurci! » (L. c., p. 8, 17, 21, 22.) — Un autre anglican orthodoxe qui avait fréquenté les cours d'Adam Smith, nous raconte à l'occasion de sa mort : « L'amitié de Smith pour Hume l'a empêché d'être chrétien... Il croyait Hume sur parole; Hume lui aurait dit que la lune est un fromage vert qu'il l'aurait cru. C'est pourquoi il a cru aussi sur parole qu'il n'y avait ni Dieu ni miracle... Dans ses principes politiques il frisait le républicanisme. » (« *The Bee, By James Anderson* », Edimb., 1791-93.) — Enfin le « révérend » Th. Chalmers soupçonne Adam Smith d'avoir inventé la catégorie des « travailleurs improductifs » tout exprès pour les ministres protestants, malgré leur travail fructifère dans la vigne du Seigneur.

6. *A. Smith*, l. c., t. II, p. 189.

7. V. sur les sophismes de cette école : *Karl Marx*, *Zur Kritik der politischen Œkonomie*, p. 165, 299.

8. « Les ouvriers industriels et les ouvriers agricoles se heurtent contre la même limite par rapport à leur occupation, savoir la possibilité pour l'entrepreneur de tirer un certain profit du produit de leur travail... Dès que leur salaire s'élève autant que le gain du maître tombe au-dessous du profit moyen, il cesse de les occuper ou ne consent à les occuper qu'à la condition qu'ils acceptent une réduction de salaire. *John Wade*, l. c., p. 241.

9. « Si nous revenons maintenant à notre première étude, où il a été démontré... que le capital lui-même n'est que le résultat du travail humain, il semble tout à fait incompréhensible que l'*homme puisse tomber sous la domination de son propre produit, le capital, et lui être subordonné!* Et comme c'est là incontestablement le cas dans la réalité, on est obligé de se poser malgré soi la question : comment le travailleur a-t-il pu, de maître du capital qu'il était, en tant que son créateur, devenir l'esclave du capital ? » (*Von Thünen : Der isolirte Staat, Zweiter Theil, Zweite Abtheilung*. Rostock, 1863, p. 5, 6.) C'est le mérite de Thünen de s'être posé ce problème, mais la solution qu'il en donne est simplement sotte.

10. *A. Smith*, l. c., liv. I, ch. VIII.

11. L. c., *trad. Garnier*, t. I, p. 140.

12. « *The Engineering* », 13 june, 1874.

13. V. section IV de cet ouvrage.

14. « Le travail ne peut acquérir cette grande extension de puissance sans une accumulation préalable des capitaux. » (A. Smith, l. c.)

15. V. section IV, ch. XXIV, de cet ouvrage.

16. *Census of England and Wales*, 1861, vol. III, p. 36 et 39. London, 1863.

17. L. c., p. 36.

18. Un exemple frappant de cette augmentation en raison décroissante est fourni par le mouvement de la fabrique de toiles de coton peintes. Que l'on compare ces chiffres : en Angleterre cette industrie exporta en 1851 cinq cent soixante-dix-sept millions huit cent soixante-sept mille deux cent vingt-neuf yards (le yard égale 0,914 millimètres) d'une valeur de dix millions deux cent quatre-vingt-quinze mille six cent vingt et une livres sterling, mais en 1861 :

huit cent vingt-huit millions huit cent soixante-treize mille neuf cent vingt-deux yards d'une valeur de quatorze millions deux cent onze mille cinq cent soixante-douze livres sterling. Le nombre des salariés employés, qui était en 1851 de douze mille quatre-vingt-dix-huit, ne s'était élevé en 1861 qu'à douze mille cinq cent cinquante-six, ce qui fait un surcroît de quatre cent cinquante-huit individus, ou, pour toute la période décennale, une augmentation de quatre pour cent à peu près.

19. *John Barton :* « Observation on the circumstances which influence the condition of the labouring classes of society. » London, 1817, p. 16, 17.

20. *Ricardo*, l. c., p. 480.

21. L. c., p. 469.

22. *Richard Jones:* « An introductory Lecture on Pol. Economy. » Lond., 1833, p. 13.

23. *Ramsay*, l. c., p. 90, 91.

24. *H. Merrivale :* « Lectures on colonisation and colonies. » Lond., 1841 et 1842, v. I, p. 146.

25. *Malthus :* « Principles of Pol. Economy », p. 254, 319, 320. C'est dans ce même ouvrage que Malthus, grâce à Sismondi, découvre cette mirifique trinité capitaliste : excès de production, — excès de population, — excès de consommation; *three very delicate monsters*, en vérité! v. *Engels :* « Umrisse zu einer Kritik der Nationaloekonomie », l. c., p. 107 et suiv.

26. *Harriet Martineau :* « The Manchester strike », 1842, p. 101.

27. « *Essay on Trade and Commerce.* » Lond., 1770, p. 27, 28.

28. « *Reports of Insp. of Factories, 31 oct. 1863* », p. 8.

29. *Economist*, jan. 21, 1860.

30. « Il ne semble pas absolument vrai que la demande produise toujours l'offre juste au moment où il en est besoin. Cela n'a pas eu lieu du moins pour le travail de fabrique, car un grand nombre de machines chômaient faute de bras. » (*Rpts of Insp. of Fact., for 31 oct. 1866*, p. 81.)

31. Discours d'ouverture de la Conférence sur la réforme sanitaire, tenue à Birmingham, par M. J. Chamberlaine, maire de Birmingham, le 15 janvier 1875.

32. *Census*, etc., for 1861, v. III, p. 11, 2.

33. Iddio fa che gli uomini che esercitano mestieri di prima utilità nascono abbondantemente. *Galiani*, l. c., p. 78.

34. S. Laing : *National Distress*, 1844, p. 69.

35. « De jour en jour il devient donc plus clair que les rapports de production dans lesquels se meut la bourgeoisie n'ont pas un caractère un, un caractère simple, mais un caractère de duplicité; que dans les mêmes rapports dans lesquels se produit la richesse la misère se produit aussi; que dans les mêmes rapports dans lesquels il y a développement des forces productives il y a une force productive de répression; que ces rapports ne produisent la richesse bourgeoise, c'est-à-dire la richesse de la classe bourgeoise, qu'en anéantissant continuellement la richesse des membres intégrants de cette classe et en produisant un prolétariat toujours croissant. » (Karl Marx : *Misère de la philosophie*, p. 116.)

36. G. Ortès : *Della Economia nazionale libri sei*, 1717, ed. Custodi, parte moderna, t. XXI, p. 6, 9, 22, 25, etc.

37. *A Dissertation on the Poor Laws*, by a Wellwisher of Mankind (the Reverend M. J. Townsend), 1786, nouvelle éd. Londres, 1817, p. 15. Ce pasteur « délicat » dont le pamphlet que nous venons de citer ainsi que le *Voyage en Espagne* ont été impudemment pillés par Malthus, emprunta lui-même une bonne partie de sa doctrine à sir J. Steuart, tout en le défigurant. Si Steuart dit, par exemple : « L'esclavage était le seul moyen de faire travailler les hommes au-delà de leurs besoins, et pour qu'une partie de l'Etat nourrît gratuitement l'autre; c'était un moyen violent de rendre les hommes laborieux [pour d'autres hommes]. Alors les hommes étaient obligés à travailler, parce qu'ils étaient esclaves d'autres hommes; aujourd'hui les hommes sont obligés de travailler [pour d'autres hommes qui ne travaillent pas], parce qu'ils sont esclaves de leur propre besoin » (Steuart, l. c., ch. VII.) — il n'en conclut pas, comme le philanthrope clérical, qu'il faut mettre aux salariés le râtelier bien haut. Il veut, au contraire, qu'en augmentant leurs besoins on les incite à travailler davantage pour les gens comme il faut.

38. Storch, l. c., t. III, p. 224.

39. Sismondi, l. c., éd. Paris, t. I, p. 79, 80.

40. Cherbuliez, l. c., p. 146.

41. Destutt de Tracy, l. c., p. 231.

42. Ceci a été écrit en mars 1867.

43. *Tenth Report of the Commissioners of H. M.'s Inland Revenue*. Lond., 1866, p. 38.

44. Ces chiffres sont suffisants pour permettre d'établir une comparaison, mais, pris d'une façon absolue, ils sont faux, car il y a annuellement peut-être plus de cent millions de livres sterling de revenus qui ne sont pas déclarés. Les commissaires de l'*Ireland Revenue* se plaignent constamment dans chacun de leurs rapports de fraudes systématiques, surtout de la part des commerçants et des industriels. On y lit, par exemple : « Une compagnie par actions estimait ses profits imposables à six mille livres sterling; le taxateur les évalua à quatre-vingt-huit mille livres sterling, et ce fut, en définitive, cette somme qui servit de base à l'impôt. Une autre compagnie accusait cent quatre-vingt-dix mille livres sterling de profit; elle fut contrainte d'avouer que le montant réel était de deux cent cinquante mille livres sterling, etc. » (L. c., p. 42.)

45. *Census*, etc., l. c., p. 29. L'assertion de John Bright que cent cinquante landlord possèdent la moitié du sol anglais et douze la moitié de celui de l'Ecosse n'a pas été réfutée.

46. *Fourth Report*, etc., *of Ireland Revenue*. Lond., 1860, p. 17.

47. Ce sont là des revenus nets, dont on fait cependant certaines déductions que la loi autorise.

48. En ce moment même (mars 1867), le marché de l'Inde et de la Chine est de nouveau encombré par les consignations des filateurs anglais. En 1866, le salaire de leurs ouvriers avait déjà baissé de cinq pour cent. En 1867, un mouvement semblable a causé une grève de vingt mille hommes à Preston.

49. *Census*, etc., l. c., p. 11.

50. « It is one of the most melancholy features in the social state of the country, that while there was a decrease in the consuming power of the people, and an increase in the privations and distress of the labouring class and operatives, there was at the same time a constant accumulation of wealth in the upper classes and a constant increase of capital. »

51. « From 1842 to 1852 the taxable income of the country increased by six per cent... In the eight years from 1853 to 1861, it had increased from the basis taken in 1853, twenty per cent... The fact is so astonishing as to be almost incredible... This intoxicating augmentation of wealth and power... is entirely confined to classes of property..., it... it must be of indirect benefit to the labouring population, because it cheapens the commodities of general consumption — while the rich have been growing richer, the poor have been growing less poor! at any rate, whether the extremes of poverty are less, I do not presume to say. » (Gladstone, H. of C., 16 avril 1863.)

52. Voy. les renseignements officiels dans le livre bleu : *Miscellaneous statistics of the Un. Kingdom*, part VI. Lond., 1866, p. 260, 273, *passim*. Au lieu d'étudier la statistique des asiles d'orphelins, etc., on pourrait jeter un coup d'œil sur les déclamations ministérielles à propos de la dotation des enfants de la maison royale. L'enchérissement des subsistances n'y est jamais oublié.

53. « Think of those who are on the border of that region (pauperism), wages... in others not increased... human life is but, in nine cases out of ten, a struggle for existence. » (Gladstone, Chambre des communes, 7 avril 1864.) Un écrivain anglais, d'ailleurs de peu de valeur, caractérise les contradictions criantes accumulées dans les discours de M. Gladstone sur le budget en 1863 et 1864 par la citation suivante de Molière :

> Voilà l'homme, en effet. Il va du blanc au noir,
> Il condamne au matin ses sentiments du soir.
> Importun à tout autre, à soi-même incommode,
> Il change à tous moments d'esprit comme de mode.
>
> *The Theory of Exchanges*, etc., Londres, 1864, p. 135.

54. H. Fawcett, l. c., p. 67, 82. La dépendance croissante dans laquelle se trouve le travailleur vis-à-vis du boutiquier est une conséquence des oscillations et des interruptions fréquentes de son travail qui le forcent d'acheter à crédit.

55. Il serait à souhaiter que Fr. Engels complétât bientôt son ouvrage sur la situation des classes ouvrières en Angleterre par l'étude de la période écoulée depuis 1844, ou qu'il nous exposât à part cette dernière période dans un second volume.

56. Dans l'Angleterre est toujours compris le pays de Galles. La Grande-Bretagne comprend l'Angleterre, Galles et l'Ecosse, le Royaume-Uni, ces trois pays et l'Irlande.

57. *Public Health*. Sixth Report, etc., for 1863. Lond., 1864, p. 13.

58. L. c., p. 17.
59. L. c., p. 13.
60. L. c., *Appendix*, p. 232.
61. L. c., p. 232, 233.
62. L. c., p. 15.
63. « Nulle part les droits de la personne humaine ne sont sacrifiés aussi ouvertement et aussi effrontément au droit de la propriété qu'en ce qui concerne les conditions de logement de la classe ouvrière. Chaque grande ville est un lieu de sacrifices, un autel où des milliers d'hommes sont immolés chaque année au Moloch de la cupidité. » (*S. Laing*, p. 150.)
64. *Public Health.* Eighth Report. London, 1866, p. 14, note.
65. L. c., p. 89. Le Dr Hunter dit à propos des enfants que renferment ces colonies : « Nous ne savons pas comment les enfants étaient élevés avant cette époque d'agglomération des pauvres toujours plus considérable : mais ce serait un audacieux prophète que celui qui voudrait nous dire quelle conduite nous avons à attendre d'enfants qui, dans des conditions sans précédent en ce pays, font maintenant leur éducation — qu'ils mettront plus tard en pratique — de classes dangereuses, en passant la moitié des nuits au milieu de gens de tout âge, ivres, obscènes et querelleurs. » (L. c., p. 56.)
66. L. c., p. 62.
67. *Report of the Officer of Health of St. Martin's in the Fields.* 1865.
68. *Public Health.* Eighth Report. Lond., 1866, p. 93.
69. L. c., p. 83.
70. L. c., p. 89.
71. L. c., p. 56.
72. L. c., p. 149.
73. L. c., p. 50.
74. LISTE DE L'AGENT D'UNE SOCIÉTÉ D'ASSURANCES POUR LES OUVRIERS A BRADFORD

Vulcanstreet	Nos 122	1 chambre.	16 personnes.
Lumleystreet	13	1 —	11 —
Bowerstreet	41	1 —	11 —
Portlandstreet	112	1 —	10 —
Hardystreet	17	1 —	10 —
Northstreet	18	1 —	16 —
d°	17	1 —	13 —
Wymerstreet	19	1	8 adultes.
Jawettestreet	56	1 —	12 personnes.
Georgestreet	150	1 —	3 familles.
Rifle-Court-Marygate	11	1 —	11 personnes.
Marshalstreet	28	1 —	10 —
d°	49	3 —	3 familles.
Georgestreet	128	1 —	18 personnes.
d°	130	1 —	16 —
Edwardstreet	4	1 —	17 —
Yorkstreet	34	1 —	2 familles.
Salt-Pinstreet	2	1 —	26 personnes.

CAVES

Regentsquare	Nos	1 cave.	8 personnes.
Acrestreet		1 —	7 —
Robert's Court	33	1 —	7 —
Back Prattstreet, employé comme atelier de chaudronnerie		1 —	7 —
Ebenezerstreet	27	1 —	6 —

(L. c., p. 111.)

75. L. c., p. 114.
76. L. c., p. 50.
77. *Public Health*. Seventh Report. Lond., 1865, p. 18.
78. L. c., p. 165.
79. L. c., p. 18, note. Le curateur des pauvres de la Chapel-en-le-Frith-Union écrit dans un rapport au Registrar général; « A Doveholes, on a percé, dans une grande colline de terre calcaire, un certain nombre de petites cavités servant d'habitation aux terrassiers et autres ouvriers occupés au chemin de fer. Elles sont étroites, humides, sans décharge pour les immondices et sans latrines. Pas de ventilation, si ce n'est au moyen d'un trou à travers la voûte, lequel sert en même temps de cheminée. La petite vérole y fait rage et a déjà occasionné divers cas de mort parmi les Troglodytes. » L. c., n. 2.
80. La note donnée à la fin de la section IV se rapporte surtout aux ouvriers des mines de charbon. Dans les mines de métal, c'est encore bien pis. Voy. le Rapport consciencieux de la « Royal Commission » de 1864.
81. L. c., p. 180, 182.
82. L. c., p. 515, 517.
83. L. c., p. 16.
84. « Mortalité énorme par suite d'inanition chez les pauvres de Londres! (Wholesale starvation of the London Poor)... Pendant les derniers jours les murs de Londres étaient couverts de grands placards où on lisait : « Bœufs gras, hommes affamés! Les bœufs gras ont quitté leurs palais de cristal pour engraisser les riches dans leurs salles somptueuses, tandis que les hommes exténués par la faim dépérissent et meurent dans leurs misérables trous. » Les placards qui portent cette inscription menaçante sont constamment renouvelés. A peine sont-ils arrachés ou recouverts, qu'il en reparaît de nouveaux au même endroit ou dans un endroit également public... Cela rappelle les présages qui préparèrent le peuple français aux événements de 1789... En ce moment, où des ouvriers anglais avec femmes et enfants meurent de faim et de froid, l'argent anglais, le produit du travail anglais, se place par millions en emprunts russes, espagnols, italiens, et en une foule d'autres. » (*Reynold's Newspaper*, 20 jan. 1867). Il faut bien remarquer que l'est de Londres n'est pas seulement le quartier des travailleurs employés à la construction des navires cuirassés et à d'autres branches de la grande industrie, mais encore le siège d'une énorme surpopulation à l'état stagnant, répartie entre les divers départements du travail à domicile. C'est de celle-ci qu'il s'agit dans le passage suivant, extrait du *Standard*, le principal organe des tories : « Un affreux spectacle se déroulait hier dans une partie de la métropole. Quoique ce ne fût qu'une fraction des inoccupés de l'est de Londres qui paradait avec des drapeaux noirs, le torrent humain était assez imposant. Rappelons-nous les souffrances de cette population. Elle meurt de faim. Voilà le fait dans son horrible nudité! Il y en a quarante mille!... Sous nos yeux, dans un quartier de notre merveilleuse cité, au milieu de la plus gigantesque accumulation de richesses que le monde ait jamais vue, quarante mille individus meurent de faim! A l'heure qu'il est, ces milliers d'hommes font irruption dans les autres quartiers, ils crient, ces affamés de toutes les saisons, leurs maux dans nos oreilles, ils les crient au ciel; ils nous parlent de leur foyer ravagé par la misère; ils nous disent qu'ils ne peuvent ni trouver du travail ni vivre des miettes qu'on leur jette. Les contribuables de leurs localités se trouvent eux-mêmes poussés par les charges paroissiales sur le bord du paupérisme. » (*Standard*, le 5 avril 1867.)
85. Il est de mode, parmi les capitalistes anglais, de dépeindre la Belgique comme « le paradis des travailleurs », parce que là « la liberté du travail », ou, ce qui revient au même, « la liberté du capital », se trouve hors d'atteinte. Il n'y a là ni despotisme ignominieux de Trades Unions, ni curatelle oppressive d'inspecteurs de fabrique. — S'il y eut quelqu'un de bien initié à tous les mystères de bonheur du « libre » travailleur belge, ce fut sans doute feu M. Ducpétiaux, inspecteur général des prisons et des établissements de bienfaisance belges et en même temps membre de la Commission centrale de statistique belge. Ouvrons son ouvrage : *Budgets économiques des classes ouvrières en Belgique*, Bruxelles, 1855. Nous y trouvons entre autres une famille ouvrière belge normale, dont l'auteur calcule d'abord les dépenses annuelles de même que les recettes d'après des données très exactes et dont il compare ensuite le régime alimentaire à celui du soldat, du marin de l'Etat et du prisonnier. La famille « se compose du père, de la mère et de quatre enfants ». Sur ces six personnes, « quatre peuvent être occupées utilement pendant l'année entière ». On suppose « qu'il n'y a ni malades ni infirmes », ni « dépenses de l'ordre religieux, moral et intellectuel, sauf une somme très minime pour le culte (chaises à l'église) », ni « de la participation aux caisses d'épargne, à la caisse de

retraite, etc. », ni « dépenses de luxe ou provenant de l'imprévoyance »; enfin, que le père et le fils aîné se permettent « l'usage du tabac et le dimanche la fréquentation du cabaret », ce qui leur coûte la somme totale de quatre-vingt-six centimes par semaine. « Il résulte de l'état général des salaires alloués aux ouvriers des diverses professions... que la moyenne la plus élevée du salaire journalier est de un franc cinquante-six centimes pour les hommes, quatre-vingt-neuf centimes pour les femmes, cinquante-six centimes pour les garçons et cinquante-cinq centimes pour les filles. Calculées à ce taux, les ressources de la famille s'élèveraient, au *maximum,* à mille soixante-huit francs annuellement... Dans le ménage... pris pour type nous avons réuni toutes les ressources possibles.

« Mais en attribuant à la mère de famille un salaire nous enlevons à ce ménage sa direction : comment sera soigné l'intérieur ? qui veillera aux jeunes enfants ? qui préparera les repas, fera les lavages, les raccommodages ? Tel est le dilemme incessamment posé aux ouvriers. »

Le budget annuel de la famille est donc :

Le père,	300 jours à	1,56 F	468 F
La mère,	—	0,89	267
Le garçon,	—	0,56	168
La fille,	—	0,55	165
	Total		1 068

La dépense annuelle de la famille et son déficit s'élèveraient, dans l'hypothèse où l'ouvrier aurait l'alimentation :

Du marin, à	1 828 F	Déficit	760 F
Du soldat, à	1 473	—	705
Du prisonnier, à...	1 112	—	44

« On voit que peu de familles ouvrières peuvent atteindre, nous ne dirons pas à l'ordinaire du marin ou du soldat, mais même à celui du prisonnier. La moyenne générale (du coût de chaque détenu dans les diverses prisons pendant la période de 1847 à 1849) pour toutes les prisons a été de soixante-trois centimes. Ce chiffre, comparé à celui de l'entretien journalier du travailleur, présente une différence de treize centimes. Il est en outre à remarquer que si, dans les prisons, il faut porter en ligne de compte les dépenses d'administration et de surveillance, par contre les prisonniers n'ont pas à payer de loyer; que les achats qu'ils font aux cantines ne sont pas compris dans les frais d'entretien, et que ces frais sont fortement abaissés par suite du grand nombre de têtes qui composent les ménages et de la mise en adjudication ou de l'achat en gros des denrées et autres objets qui entrent dans leur consommation... Comment se fait-il, cependant, qu'un grand nombre, nous pourrions dire la grande majorité des travailleurs, vivent à des conditions plus économiques ? C'est... en recourant à des expédients dont l'ouvrier seul a le secret; en réduisant sa ration journalière; en substituant le pain de seigle au pain de froment; en mangeant moins de viande ou même en la supprimant tout à fait, de même que le beurre, les assaisonnements; en se contentant d'une ou deux chambres où la famille est entassée, où les garçons et les filles couchent à côté les uns des autres, souvent sur le même grabat; en économisant sur l'habillement, le blanchissage, les soins de propreté; en renonçant aux distractions du dimanche; en se résignant enfin aux privations les plus pénibles. Une fois parvenu à cette extrême limite, la moindre élévation dans le prix des denrées, un chômage, une maladie, augmente la détresse du travailleur et détermine sa ruine complète; les dettes s'accumulent, le crédit s'épuise, les vêtements, les meubles les plus indispensables, sont engagés au mont-de-piété, et, finalement, la famille sollicite son inscription sur la liste des indigents. » (L. c., p. 151, 154, 155.) En effet, dans ce « paradis des capitalistes » la moindre variation de prix des subsistances de première nécessité est suivie d'une variation dans le chiffre de la mortalité et des crimes. (V. « *Manifest der Maatschappij : De Vlaemingen Voruit* ». Brussel, 1860, p. 15, 16.) — La Belgique compte en tout neuf cent trente mille familles qui, d'après la statistique officielle, se distribuent de la manière suivante : quatre-vingt-dix mille familles riches (électeurs), quatre cent cinquante mille personnes; cent quatre-vingt-dix mille familles de la petite classe moyenne, dans les villes et les villages, un million neuf cent cinquante mille personnes, dont une grande partie tombe sans cesse dans le prolétariat; quatre cent cinquante mille familles ouvrières, deux millions deux cent cinquante mille personnes. Plus de deux cent mille de ces familles se trouvent sur la liste des pauvres!

86. James E. Th. Rogers (*Prof. of Polit. Econ. in the University of Oxford) :*

« *A History of Agriculture and Prices in England.* » Oxford, 1866, v. I, p. 690. Cet ouvrage, fruit d'un travail consciencieux, ne comprend encore dans les deux volumes parus jusqu'ici que la période de 1259 à 1400. Le second volume fournit des matériaux purement statistiques. C'est la première « histoire des prix » authentique que nous possédions sur cette époque.

87. *Reasons for the late Increase of the Poorrate; or, a comparative view of the price of labour and provisions.* London, 1777, p. 5, 14 et 16.

88. *Observations on Reversionary Payments.* Sixth edit. By W. Morgan. Lond., 1805, v. 11, p. 158, 159. Price remarque, p. 159 : « Le prix nominal de la journée de travail n'est aujourd'hui que quatre fois, ou tout au plus cinq fois plus grand qu'il n'était en 1514. Mais le prix du blé est sept fois, et celui de la viande et des vêtements environ quinze fois plus élevé. Bien loin donc que le prix du travail ait progressé en proportion de l'accroissement des dépenses nécessaires à la vie, il ne semble pas que proportionnellement il suffise aujourd'hui à acheter la moitié de ce qu'il achetait alors. »

89. Barton, l. c., p. 26. Pour la fin du XVIIIe siècle, Voy. Eden, l. c.

90. Parry, l. c., p. 86.

91. *Id.*, p. 213.

92. S. Laing.

93. *England and America.* Lond., 1833, v. I, p. 45.

94. *London Economist.* 1845, p. 290.

95. Dans ce but, l'aristocratie foncière s'avança à elle-même — par voie parlementaire naturellement, — sur la caisse de l'Etat, et à un taux très peu élevé, des fonds que les fermiers lui restituent au double.

96. La catégorie du recensement national qui embrasse les « fils, petits-fils, frère, neveu, fille, sœur, nièce, etc., du fermier », en un mot, les membres de la famille, que le fermier emploie lui-même, comptait en 1851 : deux cent seize mille huit cent cinquante et un individus, mais seulement cent soixante-seize mille cent cinquante et un en 1861. La décroissance de ce chiffre prouve la diminution des fermiers d'une fortune moyenne. — De 1851 à 1871, les petites fermes qui cultivent moins de vingt acres ont diminué de plus de neuf cents, celles qui en occupent cinquante jusqu'à soixante-quinze sont tombées de huit mille deux cent cinquante-trois à six mille trois cent soixante-dix, et le même mouvement descendant l'a emporté dans toutes les autres fermes au-dessous de cent acres. Par contre, le chiffre des grandes fermes s'est considérablement élevé dans la même période; celles de trois cents à cinq cents acres se sont accrues de sept mille sept cent soixante et onze à huit mille quatre cent dix, celles au-dessus de cinq cents acres, de deux mille sept cent cinquante-cinq à trois mille neuf cent quatorze celles au-dessus de mille acres, de quatre cent quatre-vingt-douze à cinq cent quatre-vingt-deux, etc.

97. Le nombre des bergers s'est accru de douze mille cinq cent dix-sept à vingt-cinq mille cinq cent cinquante-neuf.

98. *Census*, etc., l. c., p. 36.

99. Regers, l. c., p. 693. « The peasant has again become a serf », l. c., p. 10. M. Rogers appartient à l'école libérale; ami personnel des Cobden, des Bright, etc., il n'est certes pas suspect de panégyrique du temps passé.

100. *Public Health.* Seventh Report. Lond., 1865, p. 242. Il ne faut donc pas s'étonner que le loueur du logis en élève le prix quand il apprend que le travailleur gagne davantage, ou que le fermier diminue le salaire d'un ouvrier, « parce que sa femme vient de trouver une occupation ». (L. c.)

101. L. c., p. 135.

102. L. c., p. 34.

103. *Report of the Commissioners... relating to Transportation and Penal Servitude. Lond.*, v. I, n° 50.

104. L. c., p. 77. *Memorandum* by the Lord Chief Justice.

105. L. c., v. II, *Evidence.*

106. L. c., v. I, *Appendix*, p. 280.

107. *Public Health.* Sixth Report. 1863. Lond., 1864, p. 238, 249, 261, 262.

108. L. c., p. 262.

109. L. c., p. 17. L'ouvrier agricole anglais n'a que le quart du lait et que la moitié du pain que consomme l'Irlandais. Au commencement de ce siècle, dans son *Tour through Ireland*, Arthur Young signalait déjà la meilleure alimentation de ce dernier. La raison en est tout simplement que le pauvre fermier d'Irlande est infiniment plus humain que le richard d'Angleterre. Ce qui est dit dans le texte ne se rapporte pas au sud-ouest de la principauté de Galles. « Tous les médecins de cette partie du pays s'accordent à dire que l'accroissement des cas de mortalité par suite de tuberculose, de scrofules, etc., gagne en intensité à mesure que l'état physique de la population se détériore, et tous

attribuent cette détérioration à la pauvreté. L'entretien journalier du travailleur rural y est évalué à cinq pence, et dans beaucoup de districts le fermier (misérable lui-même) donne encore moins : un morceau de viande salée, sec et dur comme de l'acajou, ne valant pas la peine qu'il donne à digérer, ou bien un morceau de lard servant d'assaisonnement à une grande quantité de sauce de farine et de poireaux, ou de bouillie d'avoine, et tous les jours c'est le même régime. La conséquence du progrès de l'industrie a été pour le travailleur, dans ce rude et sombre climat, de remplacer le drap solide tissé chez lui par des étoffes de coton à bon marché, et les boissons fortes par du thé « nominal... ». Après avoir été exposé pendant de longues heures au vent et à la pluie, le laboureur revient à son cottage, pour s'asseoir auprès d'un feu de tourbe ou de morceaux de terre et de déchets de charbon, qui répand d'épaisses vapeurs d'acide carbonique et d'acide sulfureux. Les murs de la hutte sont faits de terre et de moellons; elle a pour plancher la terre nue comme avant qu'elle fût construite et son toit est une masse de paille hachée et boursouflée. Chaque fente est bouchée pour conserver la chaleur, et c'est là, dans une atmosphère d'une puanteur infernale, les pieds dans la boue et son unique vêtement en train de sécher sur son corps, qu'il prend son repas du soir avec la femme et les enfants. Des accoucheurs, forcés de passer une partie de la nuit dans ces huttes, nous ont raconté que leurs pieds s'enfonçaient dans le sol et que pour se procurer personnellement un peu de respiration ils étaient obligés de faire un trou dans le mur, ouvrage d'ailleurs facile. De nombreux témoins de tout rang affirment que le paysan insuffisamment nourri *(underfed)* est exposé chaque nuit à ces influences malsaines et à d'autres encore. Quant au résultat, une population débile et scrofuleuse, il est assurément on ne peut plus démontré... D'après les communications des employés des paroisses de Carmarthenshire et Cardiganshire, on sait que le même état de choses y règne. A tous ces maux s'en ajoute un plus grand, la contagion de l'idiotisme. Mentionnons encore les conditions climatériques. Des vents du sud-ouest très violents soufflent à travers le pays pendant huit ou neuf mois de l'année, et à leur suite arrivent des pluies torrentielles qui inondent principalement les pentes des collines du côté de l'ouest. Les arbres sont rares, si ce n'est dans les endroits couverts; là où ils ne sont pas protégés, ils sont tellement secoués, qu'ils en perdent toute forme. Les huttes se cachent sous la terrasse d'une montagne, souvent dans un ravin ou dans une carrière, et il n'y a que les moutons lilliputiens du pays et les bêtes à cornes qui puissent trouver à vivre dans les pâturages... Les jeunes gens émigrent à l'est, vers le district minier de Clamorgan et de Monmouth. Carmarthenshire est la pépinière de la population des mines et son hôtel des Invalides... Cette population ne maintient son chiffre que difficilement. — Exemple Cardiganshire :

	1851	1861
Sexe masculin	45 155	44 446
Sexe féminin.	52 459	52 955
	97 614	97 401

(Dr Hunter's *Report. Public Health.* Seventh Report, 1864. Lond., 1865, p. 498-503, *passim.*)

110. Cette loi a été quelque peu améliorée en 1865. L'expérience fera voir bientôt que tous ces replâtrages ne servent de rien.

111. Pour faire comprendre la suite de la citation, nous remarquerons qu'on appelle *close villages* (villages fermés) ceux qui ont pour propriétaires un ou deux gros seigneurs terriens, et *open villages* (villages ouverts) ceux dont le sol est réparti entre plusieurs propriétaires. C'est dans ces derniers que des spéculateurs en bâtiments peuvent construire des cottages et des maisons.

112. Un village de ce genre présente un assez bon aspect, mais il n'a pas plus de réalité que ceux que Catherine II vit dans son voyage en Crimée. Dans ces derniers temps le berger a été banni, lui aussi, de ces show-villages. A Market Harborough, par exemple, il y a une bergerie d'environ cinq cents acres, où le travail d'un seul homme suffit. Pour lui épargner des marches inutiles à travers ces vastes plaines, ces beaux pâturages de Leicester et de Northampthon, on avait ménagé au berger une chambre dans la métairie. Maintenant on lui paie un shilling de plus, pour qu'il loue un domicile à une grande distance, dans un village ouvert.

113. « Les maisons des ouvriers (dans les localités ouvertes et naturellement toujours encombrées) sont pour l'ordinaire bâties par rangées, le derrière sur la limite extrême du lambeau de terrain que le spéculateur appelle sien. L'air et la

lumière n'y peuvent donc pénétrer que sur le devant. » (Dr Hunter's *Report*, l. c., p. 136.) Très souvent le vendeur de bière ou l'épicier du village est loueur de maisons. Dans ce cas l'ouvrier de campagne trouve en lui un second maître à côté du fermier. Il lui faut être en même temps son locataire et sa pratique. « Avec dix shillings par semaine, moins une rente de quatre livres sterling qu'il a à payer chaque année, il est obligé d'acheter le peu qu'il consomme de thé, de sucre, de farine, de savon, de chandelle et de bière, au prix qu'il prend fantaisie au boutiquier de demander. » (L. c., p. 131.) Ces localités ouvertes forment en réalité les « colonies pénitentiaires » du prolétariat agricole anglais. Un grand nombre de ces cottages ne sont que des logements disponibles où passent tous les vagabonds de la contrée. L'homme des champs et sa famille, qui dans les conditions les plus répugnantes avaient souvent conservé une pureté, une intégrité de caractère vraiment étonnantes, se dépravent ici tout à fait. Il est de mode parmi les Shylocks de haute volée de lever pharisaïquement les épaules à propos des spéculateurs en cottages, des petits propriétaires et des localités ouvertes. Ils savent pourtant fort bien que sans leurs « villages fermés » et sans leurs « villages de parade » ces localités ouvertes ne pourraient exister. Sans les petits propriétaires des villages ouverts, la plus grande partie des ouvriers du sol serait contrainte de dormir sous les arbres des domaines où ils travaillent. » (L. c., p. 136.) Le système des villages « ouverts » et « fermés » existe dans toutes les provinces du centre et dans l'est de l'Angleterre.

114. « Le loueur de maisons (fermier ou propriétaire) s'enrichit directement ou indirectement au moyen du travail d'un homme qu'il paie dix shillings par semaine, tandis qu'il extorque ensuite au pauvre diable quatre ou cinq livres sterling par an pour le loyer de maisons qui ne seraient pas vendues vingt sur le marché. Il est vrai que leur prix artificiel est maintenu par le pouvoir qu'a le propriétaire de dire : « Prends ma maison ou fais ton paquet, et cherche de quoi vivre où tu voudras, sans le moindre certificat signé de moi... » Si un homme désire améliorer sa position et aller travailler dans une carrière, ou poser des rails sur un chemin de fer, le même pouvoir est là qui lui crie : « Travaille pour moi à bas prix, ou décampe dans les huit jours. Prends ton cochon avec toi, si tu en as un, et réfléchis un peu à ce que tu feras des pommes de terre qui sont en train de pousser dans ton jardin. » Dans les cas où le propriétaire (ou le fermier) y trouve son intérêt, il exige un loyer plus fort comme punition de ce qu'on a déserté son service. » (Dr Hunter, l. c., p. 131.)

115. « Le spectacle de jeunes couples mariés n'a rien de bien édifiant pour des frères et sœurs adultes, qui couchent dans la même chambre, et, bien qu'on ne puisse enregistrer ces sortes d'exemples, il y a suffisamment de faits pour justifier la remarque que de grandes souffrances et souvent la mort sont le lot des femmes qui se rendent coupables d'inceste. » (Dr Hunter, l. c., p. 137.) Un employé de police rurale, qui a fonctionné pendant de longues années comme *détective* dans les plus mauvais quartiers de Londres, s'exprime ainsi sur le compte des jeunes filles de son village : « Leur grossière immoralité dans l'âge le plus tendre, leur effronterie et leur impudeur, dépassent tout ce que j'ai vu de pire à Londres, pendant tout le temps de mon service... Jeunes gens et jeunes filles adultes, pères et mères, tout cela vit comme des porcs et couche ensemble dans la même chambre. » (*Child. Empl. Comm.* Sixth Report. London, 1867. *Appendix*, p. 77, nº 155.)

116. *Public Health.* Seventh Report. London, 1865, p. 9-14, *passim.*

117. « La noble occupation du *hind* (le journalier paysan) donne de la dignité même à sa condition. Soldat pacifique et non esclave, il mérite que le propriétaire qui s'est arrogé le droit de l'obliger à un travail semblable à celui que le pays exige du soldat lui assure sa place dans les rangs des hommes mariés. Son service, — pas plus que celui du soldat, — n'est payé au prix de marché. Comme le soldat, il est pris jeune, ignorant, connaissant seulement son métier et sa localité. Le mariage précoce et l'effet des diverses lois sur le domicile affectent l'un comme l'enrôlement et le *mutiny act* (loi sur les révoltes militaires) affectent l'autre. » (Dr Hunter, l. c., p. 132.) Parfois, quelque Landlord exceptionnel a une faiblesse, son cœur s'émeut de la solitude qu'il a créée. « C'est une chose bien triste que d'être seul dans sa terre », dit le comte de Leicester lorsqu'on vint le féliciter de l'achèvement de son château de Holkham. « Je regarde autour de moi, et ne vois point d'autre maison que la mienne. Je suis le géant de la tour des géants et j'ai mangé tous mes voisins. »

118. Un mouvement pareil a eu lieu en France dans les dix dernières années, à mesure que la production capitaliste s'y emparait de l'agriculture et refoulait dans les villes la population « surnuméraire » des campagnes. Là, également, les conditions de logement sont devenues pires et la vie plus difficile. Au sujet du « prolétariat foncier » proprement dit, enfanté par le système des parcelles,

consulter entre autres l'écrit déjà cité de Colins, et Karl Marx : *Der Achtzehnte, Brumaire des Louis Bonaparte*. New York, 1852 (p. 56 et suiv.). En 1846, la population des villes se représentait en France par vingt-quatre quarante-deux, celle des campagnes par soixante-quinze cinquante-huit; en 1861, la première s'élevait à vingt-huit quatre-vingt-six, la seconde n'était plus que de soixante et onze quarante et un. Cette diminution s'est accrue encore dans ces dernières années. En 1846, Pierre Dupont chantait déjà, dans sa chanson des « Ouvriers » :

« Mal vêtus, logés dans des trous,
« Sous les combles, dans les décombres,
« Nous vivons avec les hiboux
« Et les larrons amis des ombres. »

119. Le sixième et dernier rapport de la *Child. Empl. Comm.*, publié fin de mars 1867, est tout entier consacré à ce système des bandes agricoles.

120. « *Child. Empl. Comm.*, VI Report. » Evidence, p. 173.

121. Quelques chefs de bande cependant sont parvenus à devenir fermiers de cinq cents acres, ou propriétaires de rangées de maisons.

122. La moitié des filles de Bidford a été perdue par le Gang, l. c. *Appendix*, p. 6, n. 32.

123. V. p. 288 et 289 de cet ouvrage.

124. « Le système s'est développé dans les dernières années. Dans quelques endroits, il n'a été introduit que depuis peu. Dans d'autres, où il est ancien, on y enrôle des enfants plus jeunes et en plus grand nombre. » (L. c., p. 79, n. 174.)

125. « Les petits fermiers n'emploient pas les bandes. » Elles ne sont pas non plus employées sur les terres pauvres, mais sur celles qui rapportent de deux livres sterling à deux livres sterling dix shillings de rente par acre. (L. c., p. 17 et 14.)

126. Un de ces messieurs, effrayé d'une réduction éventuelle de ses rentes, s'emporta devant la commission d'enquête. Pourquoi fait-on tant de tapage ? s'écrie-t-il. Parce que le nom du système est mal sonnant. Au lieu de « Gang » dites, par exemple, « Association industrielle-agricole-coopérative de la jeunesse rurale », et personne n'y trouvera à redire.

127. « Le travail par bandes est meilleur marché que tout autre travail; voilà pourquoi on l'emploie », dit un ancien chef de bande. (L. c., p. 17, n. 11.) « Le système des bandes, dit un fermier, est le moins cher pour les fermiers, et sans contredit le plus pernicieux pour les enfants. » (L. c., p. 14, n. 4.)

128. « Il est hors de doute qu'une grande partie du travail exécuté aujourd'hui dans le système des bandes par des enfants l'était jadis par des hommes et des femmes. Là où l'on emploie les enfants et les femmes, il y a aujourd'hui beaucoup plus d'hommes inoccupés qu'autrefois (more men are out of work). L. c., p. 43, n. 102. D'un autre côté, on lit : « Dans beaucoup de districts agricoles, principalement dans ceux qui produisent du blé, la question du travail (labour question) est devenue si sérieuse par suite de l'émigration et des facilités que les chemins de fer offrent à ceux qui veulent s'en aller dans les grandes villes, que je considère les services rendus par les enfants comme absolument indispensables. » (Ce témoin est régisseur d'un grand propriétaire.) L. c., p. 80, n. 180. — A la différence du reste du monde civilisé, *la question du travail* dans les districts agricoles anglais n'est pas autre chose que la question des Landlords et des fermiers. Il s'agit de savoir comment, malgré le départ toujours plus considérable des ouvriers agricoles, il sera possible d'éterniser dans les campagnes une « surpopulation relative » assez considérable pour maintenir le taux des salaires à son minimum.

129. Le « *Public Health Report* », que j'ai cité dans la quatrième section de cet ouvrage, ne traite du système des bandes agricoles qu'en passant, à l'occasion de la mortalité des enfants; il est resté inconnu à la presse et conséquemment au public anglais. En revanche, le sixième rapport de la Commission du Travail des enfants a fourni aux journaux la matière, toujours bienvenue, d'articles à sensation. Tandis que la presse libérale demandait comment les nobles gentlemen et ladies, et les gros bénéficiers de l'Eglise anglicane, pouvaient laisser grandir sur leurs domaines et sous leurs yeux un pareil abus, eux qui organisent des missions aux antipodes pour moraliser les sauvages des îles du Sud, la presse comme il faut se bornait à des considérations filandreuses sur la dépravation de ces paysans, assez abrutis pour faire la traite de leurs propres enfants! Et pourtant, dans les conditions maudites où ces *brutes* sont retenues par la classe éclairée, on s'expliquerait qu'ils les mangeassent. Ce qui étonne réellement, c'est l'intégrité de caractère qu'ils ont en grande partie conservée. Les rapporteurs officiels établissent que les parents détestent le système des bandes, même dans les districts où il règne. « Dans les témoignages que nous avons rassemblés,

on trouve des preuves abondantes que les parents seraient, dans beaucoup de cas, reconnaissants d'une loi coercitive qui les mît à même de résister aux tentations et à la pression exercée sur eux. Tantôt c'est le fonctionnaire de la paroisse, tantôt leur patron, qui les force, sous menace de renvoi, à tirer profit de leurs enfants, au lieu de les envoyer à l'école. Toute perte de temps et de force, toute souffrance qu'occasionne au cultivateur et à sa famille une fatigue extraordinaire et inutile, tous les cas dans lesquels les parents peuvent attribuer la perte morale de leurs enfants à l'encombrement des cottages et à l'influence immonde des bandes, évoquent dans l'âme de ces pauvres travailleurs des sentiments faciles à comprendre et qu'il est inutile de détailler. Ils ont parfaitement conscience qu'ils sont assaillis par des tourments physiques et moraux provenant de circonstances dont ils ne sont en rien responsables, auxquelles, si cela eût été en leur pouvoir, ils n'auraient jamais donné leur assentiment, et qu'ils sont impuissants à combattre. » (L. c., p. xx, n. 82, et xxiii, n. 96.)

130. Population de l'Irlande : 1801 : cinq millions trois cent dix-neuf mille huit cent soixante-sept habitants; 1811 : six millions quatre-vingt-quatre mille neuf cent quatre-vingt-seize; 1821 : six millions huit cent soixante-neuf mille cinq cent quarante-quatre; 1831 : sept millions huit cent vingt-huit mille trois cent quarante-sept; 1841 : huit millions deux cent vingt-deux mille six cent soixante-quatre

131. Ce résultat paraîtrait encore plus défavorable, si nous remontions plus en arrière. Ainsi, en 1865 : trois millions six cent quatre-vingt-huit mille sept cent quarante-deux moutons; mais en 1856, trois millions six cent quatre-vingt-quatorze mille deux cent quatre-vingt-quatorze; — en 1865, un million deux cent quatre-vingt-dix-neuf mille huit cent quatre-vingt-treize porcs, mais en 1858, un million quatre cent neuf mille huit cent quatre-vingt-trois.

132. La table qui suit a été composée au moyen de matériaux fournis par les « *Agricultural Statistics. Ireland. General Abstracts, Dublin* », pour l'année 1860 et suiv., et par les « *Agricultural Statistics. Ireland. Tables showing the estimated average produce*, etc. » Dublin, 1866. On sait que cette statistique est officielle et soumise chaque année au Parlement. — La statistique officielle indique pour l'année 1872, comparée avec 1871, une diminution de cent trente-quatre mille neuf cent quinze acres dans la superficie du terrain cultivé. Une augmentation a eu lieu dans la culture des navets, des carottes, etc., une diminution de seize mille acres dans la surface destinée à la culture du froment, de quatorze mille acres pour l'avoine, de quatre mille acres pour l'orge et le seigle, de soixante-six mille six cent trente-deux acres, pour les pommes de terre, de trente-quatre mille six cent soixante-sept acres pour le lin, et de trente mille acres pour les prairies, les trèfles, les vesces, les navettes et colzas. Le sol cultivé en froment présente pendant les cinq dernières années cette échelle décroissante : 1868, deux cent quatre-vingt-cinq mille acres; 1869, deux cent quatre-vingt mille acres; 1870, deux cent cinquante-neuf mille acres; 1871, deux cent quarante-quatre mille acres; 1872, deux cent vingt-huit mille acres. Pour 1872, nous trouvons en nombres ronds une augmentation de deux mille six cents chevaux, de quatre-vingt mille bêtes à cornes, de soixante-huit mille six cent neuf moutons, et une diminution de deux cent trente-six mille porcs.

133. « *Tenth Report of the Commissioners of Ireland Revenue.* » Lond., 1866.

134. Le revenu total annuel, sous la catégorie D, s'écarte ici de la table qui précède, à cause de certaines déductions légalement admises.

135. L'Irlande étant traitée comme la terre promise du « principe de population », M. Th. Sadler, avant de publier son *Traité de la population*, lança contre Malthus son fameux livre : *Ireland, its Evils and their Remedies*, 2e éd. Lond., 1829, où il prouve par la statistique comparée des différentes provinces de l'Irlande et des divers districts de ces provinces que la misère y est partout, non en raison directe de la densité de population, comme le veut Malthus, mais, au contraire, en raison inverse.

136. Pour la période de 1851 à 1874, le nombre total des émigrants est de deux millions trois cent vingt-cinq mille neuf cent vingt-deux.

137. D'après une table donnée par Murphy dans son livre : *Ireland Industrial, Political and Social*, 1870, quatre-vingt-quatorze six pour cent de toutes les fermes n'atteignent pas cent acres, et cinq quatre pour cent les dépassent.

138. *Reports from the Poor Law Inspectors on the wages of Agricultural Labourers in Dublin*, 1870. Comp. aussi *Agricultural Labourers (Ireland) Return*, etc., dated 8 March 1861, Lond., 1862.

139. L. c., p. l.

140. L. c., p. 12, 13.

141. L. c., p. 12.

142. L. c., p. 25.
143. L. c., p. 27.
144. L. c., p. 26.
145. L. c., p. 1.
146. L. c., p. 32.
147. L. c., p. 25.
148. L. c., p. 30.
149. L. c., p. 21, 13.

150. « Such is Irish life and such are Irish wages. » L'inspecteur Baker ajoute au passage cité cette réflexion : « Comment ne pas comparer cet habile artisan à l'air maladif avec les puddleurs du sud du Staffordshire, florissants et bien musclés, dont le salaire hebdomadaire égale et souvent dépasse le revenu de plus d'un *gentleman* et d'un savant, mais qui, néanmoins, restent au niveau du mendiant et comme intelligence et comme conduite. » (*Rpts of Insp. of fact., for 31 october 1867*, p. 96, 97.)

151. Dans la partie du second volume de cet ouvrage qui traite de la propriété foncière, on verra comment la législature anglaise s'est accordée avec les détenteurs anglais du sol irlandais pour faire de la disette et de la famine les véhicules de la révolution agricole et de la dépopulation. J'y reviendrai aussi sur la situation des petits fermiers. En attendant, voici ce que dit Nassau W. Senior, dans son livre posthume : *Journals Conversations and Essays relating to Ireland*, 2 volumes. Lond., 1868 : « Comme le docteur G. le remarque fort justement, nous avons en premier lieu notre loi des pauvres, et c'est là déjà une arme excellente pour faire triompher les landlords. L'émigration en est une autre. Aucun ami de l'Irlande (lisez de la domination anglaise en Irlande) ne peut souhaiter que la guerre (entre les landlords anglais et les petits fermiers celtes) se prolonge, et encore moins qu'elle se termine par la victoire des fermiers. Plus cette guerre finira promptement, plus rapidement l'Irlande deviendra un pays de pacage *(grazing country)*, avec la population relativement faible que comporte un pays de ce genre, mieux ce sera pour toutes les classes. » (L. c., V, II, p. 282.) — Les lois anglaises sur les céréales, promulguées en 1815, garantissaient le monopole de la libre importation de grains dans la Grande-Bretagne à l'Irlande; elles y favorisaient ainsi, d'une manière artificielle, la culture du blé. Ce monopole lui fut soudainement enlevé quand le Parlement, en 1846, abrogea les lois céréales. Abstraction faite de toute autre circonstance, cet événement seul suffit pour donner une impulsion puissante à la conversion des terres arables en pâturages, à la concentration des fermes et à l'expulsion des cultivateurs. Dès lors, — après avoir, de 1815 à 1846, vanté les ressources du sol irlandais qui en faisaient le domaine naturel de la culture des grains — agronomes, économistes et politiques anglais, tout à coup de découvrir que ce sol ne se prête guère à d'autre production que celle des fourrages. Ce nouveau mot d'ordre, M. L. de Lavergne s'est empressé de le répéter de l'autre côté de la Manche. Il n'y a qu'un homme sérieux, comme M. de Lavergne l'est sans doute, pour donner dans de telles balivernes.

Notes du chapitre XXVI.

1. Gœthe, irrité de ces billevesées, les raille dans le dialogue suivant :
« *Le Maître d'école :* Dis-moi donc d'où la fortune de ton père lui est venue ?
« *L'Enfant :* Du grand-père.
« *Le Maître d'école :* Et à celui-ci ?
« *L'Enfant :* Du bisaïeul.
« *Le Maître d'école :* Et à ce dernier
« *L'Enfant :* Il l'a prise. »

2. En Italie, où la production capitaliste s'est développée plus tôt qu'ailleurs, le féodalisme a également disparu plus tôt. Les serfs y furent donc émancipés de fait avant d'avoir eu le temps de s'assurer d'anciens droits de prescription sur les terres qu'ils possédaient. Une bonne partie de ces prolétaires, libres et légers comme l'air, affluaient aux villes, léguées pour la plupart par l'Empire romain, et que les seigneurs avaient de bonne heure préférées comme lieux de séjour. Quand les grands changements, survenus vers la fin du XVe siècle dans le marché universel, dépouillèrent l'Italie septentrionale de sa suprématie commerciale et amenèrent le déclin de ses manufactures, il se produisit un mouvement en sens contraire. Les ouvriers des villes furent en masse refoulés dans les campagnes, où dès lors la petite culture, exécutée à la façon du jardinage, prit un essor sans précédent.

Notes du chapitre XXVII.

1. Jusque vers la fin du XVIIe siècle, plus des quatre-vingts pour cent du peuple anglais étaient encore agricoles. V. Macaulay : *The History of England*. Lond., 1858, vol. I, p. 413. Je cite ici Macaulay parce qu'en sa qualité de falsificateur systématique il taille et rogne à sa fantaisie les faits de ce genre.

2. Mirabeau : *De la Monarchie prussienne*. Londres, 1778, t. II, p. 125-126.

3. L'édition originale des Chroniques de Holinshed a été publiée en 1577, en deux volumes. C'est un livre rare; l'exemplaire qui se trouve au British Museum est défectueux. Son titre est : *The firste volume of the Chronicles of England, Scotlande, and Irelande*, etc. *Faithfully gathered and set forth*, by Raphael Holinshed. At London, imprinted for John Harrison. » Même titre pour : *The Laste volume*. La deuxième édition en trois volumes, augmentée et continuée jusqu'à 1586, fut publiée par J. Hooker, etc., en 1587.

4. Dans son Utopie, Thomas Morus parle de l'étrange pays « où les moutons mangent les hommes ».

5. Bacon fait très bien ressortir comment l'existence d'une paysannerie libre et aisée est la condition d'une bonne infanterie : « Il était, dit-il, d'une merveilleuse importance pour la puissance et la force virile du royaume d'avoir des fermes assez considérables pour entretenir dans l'aisance des hommes solides et habiles, et pour fixer une grande partie du sol dans la possession de la yeomanry ou de gens d'une condition intermédiaire entre les nobles et les cottagers et valets de ferme. C'est en effet l'opinion générale des hommes de guerre les plus compétents... que la force principale d'une armée réside dans l'infanterie ou gens de pied. Mais pour former une bonne infanterie, il faut des gens qui n'aient pas été élevés dans une condition servile ou nécessiteuse, mais dans la liberté et une certaine aisance. Si donc un Etat brille surtout par ses gentilshommes et beaux messieurs, tandis que les cultivateurs et laboureurs restent simples journaliers et valets de ferme, ou bien cottagers, c'est-à-dire mendiants domiciliés, il sera possible d'avoir une bonne cavalerie, mais jamais des corps de fantassins solides. C'est ce que l'on voit en France et en Italie et dans d'autres pays, où il n'y a en réalité que des nobles et des paysans misérables... à tel point que ces pays sont forcés d'employer pour leurs bataillons d'infanterie des bandes de mercenaires suisses et autres. De là vient qu'ils ont beaucoup d'habitants et peu de soldats. » (*The Reign of Henry VII*, etc. *Verbatim Reprint from Kennets' England*, ed. 1719, Lond., 1870, p. 308.)

6. Dr Hunter, l. c., p. 134 : « La quantité de terrain assignée (par les anciennes lois) serait aujourd'hui jugée trop grande pour des travailleurs, et tendant plutôt à les convertir en petits fermiers. » (George Roberts : *The social History of the People of the Southern Counties of England in past Centuries*. Lond., 1856, p. 184, 185.)

7. « Le droit du pauvre à avoir sa part des dimes est établi par la teneur des anciens statuts. » (Tuckett, l. c., vol. II, p. 804, 805.)

8. William Cobbet : *A History of the protestant reformation*, § 471.

9. R. Blakey : *The History of political literature from the earliest times*. Lond., 1855, vol. II, p. 83, 84. — En Ecosse, l'abolition du servage a eu lieu quelques siècles plus tard qu'en Angleterre. Encore en 1698, Fletcher de Salhoun fit à la Chambre des communes d'Ecosse cette déclaration : « On estime qu'en Ecosse le nombre des mendiants n'est pas au-dessous de deux cent mille. Le seul remède que moi, républicain par principe, je connaisse à cette situation, c'est de rétablir l'ancienne condition du servage et de faire autant d'esclaves de tous ceux qui sont incapables de pourvoir à leur subsistance. » De même Eden, l. c., vol. I, ch. I : « La paupérisme date du jour où l'ouvrier agricole a été libre... Les manufactures et le commerce, voilà les vrais parents qui ont engendré notre paupérisme national. » Eden, de même que notre Ecossais républicain par principe, se trompe sur ce seul point : ce n'est pas l'abolition du servage, mais l'abolition du droit au sol, qu'il accordait aux cultivateurs, qui en a fait des prolétaires, et en dernier lieu des *paupers*. — En France, où l'expropriation s'est accomplie d'une autre manière, l'ordonnance de Moulins en 1571 et l'édit de 1656 correspondent aux lois des pauvres de l'Angleterre.

10. Il n'est pas jusqu'à M. Rogers, ancien professeur d'économie politique à l'Université d'Oxford, siège de l'orthodoxie protestante, qui ne relève dans la préface de son *Histoire de l'agriculture* le fait que le paupérisme anglais provient de la réformation.

11. A. Letter to Sir T. C. Banbury, Brt : *On the High Prices of Provisions*, by a Suffolk gentleman. Ipswich, 1795, p. 4. L'avocat fanatique du système des grandes fermes, l'auteur de l'*Inquiry into the Connection of large farms*, etc.,

Lond., 1773, dit lui-même, p. 133 : « Je suis profondément affligé de la disparition de notre yeomanry, de cette classe d'hommes qui a en réalité maintenu l'indépendance de notre nation; je suis attristé de voir leurs terres à présent entre les mains de lords monopoleurs et de petits fermiers, tenant leurs baux à de telles conditions qu'ils ne sont guère mieux que des vassaux toujours prêts à se rendre à première sommation dès qu'il y a quelque mal à faire. »

12. De la morale privée de ce héros bourgeois on peut juger par l'extrait suivant : « Les grandes concessions de terres faites en Irlande à lady Orkney en 1695 sont une marque publique de l'affection du roi et de l'influence de la dame... Les bons et loyaux services de lady Orkney paraissent avoir été *fœda labiorum ministeria.* » Voy. la *Sloane manuscript collection*, au British Museum, nº 4224; le manuscrit est intitulé : *The character and behaviour of king William, Sunderland*, etc., *as represented in original Letters to the Duke of Shrewsbury from Somers, Halifax, Oxford, secretary Vernon*, etc. Il est plein de faits curieux.

13. « L'aliénation illégale des biens de la couronne, soit par vente, soit par donation, forme un chapitre scandaleux de l'histoire anglaise... une fraude gigantesque commise sur la nation *(gigantic fraud on the nation)*. » F. W. Newman : *Lectures on political econ.* Lond., 1851, p. 129, 130.

14. Qu'on lise, par exemple, le pamphlet d'Edmond Burke sur la maison ducale de Bedford, dont le rejeton est lord John Russel : *The tomtit of liberalism.*

15. « Les fermiers défendirent aux cottagers de nourrir, en dehors d'eux-mêmes, aucune créature vivante, bétail, volaille, etc., sous le prétexte qu'autrement ils feraient voler les granges. Si vous voulez que les cottagers restent laborieux, dirent-ils, maintenez-les dans la pauvreté. Le fait réel, c'est que les fermiers s'arrogent ainsi tout droit sur les terrains communaux et en font ce que bon leur semble. » (*A Political enquiry into the consequences of enclosing waste Lands.* Lond., 1785, p. 75.)

16. Eden, l. c., *Préface.* — Les lois sur la clôture des communaux ne se font qu'en détail, de sorte que sur la pétition de certains landlords la Chambre des communes vote un bill sanctionnant la clôture en tel endroit.

17. *Capital-farms : Two Letters on the Flour Trade and the Dearness of Corn*, by a Person in business. Londres, 1767, p. 19, 20.

18. *Merchant-farms : An Inquiry into the present High Prices of Provisions.* Lond., 1767, p. 11, *nota.* Cet excellent écrit a pour auteur le Rév. Nathaniel Forster.

19. Thomas Wright : *A short address to the public on the monopoly of large farms*, 1779, p. 23.

20. Rév. Addington : *Enquiry into the Reasons for or against enclosing open field.* Lond., 1772, p. 37-43, *passim.*

21. Dr R. Price, l. c., vol. II, p. 155. Qu'on lise Forster, Addington, Kent, Price et James Anderson, et que l'on compare le misérable bavardage du sycophante Mac Culloch dans son catalogue : *The Literature of Political Economy.* Lond., 1845.

22. L. c., p. 147.

23. L. c., p. 159. On se rappelle les conflits de l'ancienne Rome. « Les riches s'étaient emparés de la plus grande partie des terres indivises. Les circonstances d'alors leur inspirèrent la confiance qu'on ne les leur reprendrait plus, et ils s'approprièrent les parcelles voisines appartenant aux pauvres, partie en les achetant avec acquiescement de ceux-ci, partie par voies de fait, en sorte qu'au lieu de champs isolés ils n'eurent plus à faire cultiver que de vastes domaines. A la culture et à l'élevage du bétail ils employèrent des esclaves, parce que les hommes libres pouvaient en cas de guerre être enlevés au travail par la conscription. La possession d'esclaves leur était d'autant plus profitable que ceux-ci, grâce à l'immunité du service militaire, étaient à même de se multiplier tranquillement, et qu'ils faisaient en effet une masse d'enfants. C'est ainsi que les puissants attirèrent à eux toute la richesse, et tout le pays fourmilla d'esclaves. Les Italiens, au contraire, devinrent de jour en jour moins nombreux, décimés qu'ils étaient par la pauvreté, les impôts et le service militaire. Et même lorsque arrivaient des temps de paix ils se trouvaient condamnés à une inactivité complète, parce que les riches étaient en possession du sol et employaient à l'agriculture des esclaves au lieu d'hommes libres. » *Appien : Les Guerres civiles romaines*, I, 7. Ce passage se rapporte à l'époque qui précède la loi Licinienne. Le service militaire, qui a tant accéléré la ruine du plébéien romain, fut aussi le moyen principal dont se servit Charlemagne pour réduire à la condition de serfs les paysans libres d'Allemagne.

24. *An Inquiry into the Connection between the present Prices of Provisions*, etc., p. 124, 129. Un écrivain contemporain constate les mêmes faits, mais avec une tendance opposée : « Des travailleurs sont chassés de leurs cottages et

forcés d'aller chercher de l'emploi dans les villes, mais alors on obtient un plus fort produit net et par cela même le capital est augmenté. » (*The Perils of the Nation*. 2e éd. Lond., 1843, p. 14.)

25. F. W. Newman, l. c., p. 132.

26. James Anderson : *Observations on the means of exciting a spirit of National Industry*, etc. Edinburgh, 1777.

27. L. c., t. I, ch. XVI.

28. En 1860, des gens violemment expropriés furent transportés au Canada sous de fausses promesses. Quelques-uns s'enfuirent dans les montagnes et dans les îles voisines. Poursuivis par des agents de police, ils en vinrent aux mains avec eux et finirent par leur échapper.

29. David Buchanan : *Observations on*, etc., *A. Smith, Wealth of Nations*. Edinb., 1814.

30. George Ensor : *An Inquiry into the Population of Nations*. Lond., 1815, p. 215, 216.

31. Lorsque Mme Beecher Stowe, l'auteur de *la Case de l'Oncle Tom*, fut reçue à Londres avec une véritable magnificence par l'actuelle duchesse de Sutherland, heureuse de cette occasion d'exhaler sa haine contre la république américaine et d'étaler son amour pour les esclaves noirs, amour qu'elle savait prudemment suspendre plus tard, au temps de la guerre du Sud, quand tout cœur de noble battait en Angleterre pour les esclavagistes, — je pris la liberté de raconter dans le *New York Tribune* l'histoire des esclaves sutherlandais. Cette esquisse (Carey l'a partiellement reproduite dans son *Slave Trade*, Lond., 1855, p. 202, 203) fut réimprimée par un journal écossais. De là une polémique agréable entre celui-ci et les sycophantes des Sutherland.

32. On trouve des détails intéressants sur ce commerce de poissons dans le *Portfolio* de M. David Urquhart, *New Series*. — Nassau W. Senior, dans son ouvrage posthume déjà cité, signale l'exécution des Gaëls dans le Sutherlandshire comme un des « clearings » les plus bienfaisants que l'on ait vu de mémoire d'homme.

33. Il faut remarquer que les « deer forests » de la haute Ecosse ne contiennent pas d'arbres. Après avoir éloigné les moutons des montagnes, on y pousse les daims et les cerfs, et l'on nomme cela une « deer forest ». Ainsi pas même de culture forestière!

34. Et la bourse de l'amateur anglais est longue! Ce ne sont pas seulement des membres de l'aristocratie qui louent ces chasses, mais le premier parvenu enrichi se croit un M'Callum More lorsqu'il peut vous donner à entendre qu'il a son « lodge » dans les Highlands.

35. Robert Somers : *Letters from the Highlands, or the Famine of 1847*. Lond., 1848, p. 12-28, *passim*.

36. En Allemagne, c'est surtout après la guerre de Trente Ans que les propriétaires nobles se mirent à exproprier leurs paysans de vive force. Ce procédé, qui provoqua plus d'une révolte (dont une des dernières éclata encore en 1790 dans la Hesse-Electorale), infestait principalement l'Allemagne orientale. Dans la plupart des provinces de la Prusse proprement dite, Frédéric II fut le premier à protéger les paysans contre ces entreprises. Après la conquête de la Silésie, il força les propriétaires fonciers à rétablir les huttes, les granges, qu'ils avaient démolies, et à fournir aux paysans le bétail et l'outillage agricole. Il avait besoin de soldats pour son armée, et de contribuables pour son trésor. Du reste, il ne faut pas s'imaginer que les paysans menassent une vie agréable sous son régime, mélange de despotisme militaire, de bureaucratie, de féodalisme et d'exaction financière. Qu'on lise, par exemple, le passage suivant, emprunté à son admirateur, le grand Mirabeau : « Le lin, dit-il, fait donc une des grandes richesses du cultivateur dans le nord de l'Allemagne. Malheureusement pour l'espèce humaine, ce n'est qu'une ressource contre la misère, et non un moyen de bien-être. Les impôts directs, les corvées, les servitudes de tout genre, écrasent le cultivateur allemand, qui paye encore des impôts indirects dans tout ce qu'il achète... et, pour comble de ruine, il n'ose pas vendre ses productions où et comme il veut; il n'ose pas acheter ce dont il a besoin aux marchands qui pourraient le lui livrer au meilleur prix. Toutes ces causes le ruinent insensiblement, et il se trouverait hors d'état de payer les impôts directs à l'échéance sans la filerie; elle lui offre une ressource en occupant utilement sa femme, ses enfants, ses servantes, ses valets, et lui-même; mais quelle pénible vie même aidée de ce secours!

En été, il se couche à 9 heures et se lève à 2 pour suffire aux travaux; en hiver, il devrait réparer ses forces par un plus grand repos, mais il manquera de grains pour le pain et les semailles, s'il se défait des denrées qu'il faudrait vendre pour payer les impôts. Il faut donc filer pour suppléer à ce vide... il y faut apporter la plus grande assiduité. Aussi le paysan se couche-t-il en hiver à minuit, 1 heure, et se lève à 5 ou 6; ou bien il se couche à 9 et se lève à 2, et cela tous les jours de sa vie, si ce n'est le dimanche. Cet excès de veille et de travail use la nature humaine, et de là vient que hommes et femmes vieillissent beaucoup plus tôt dans les campagnes que dans les villes. » (Mirabeau, l. c., t. III, p. 212 et suiv.)

Notes du chapitre XXVIII.

1. Hollingshed : *Description of England*, vol. I, p. 186.
2. « Sous le règne d'Edouard VI », remarque un champion des capitalistes, l'auteur de l'*Essay on Trade*, etc., 1770, « les Anglais semblent avoir pris à cœur l'enoouragement des manufactures et l'occupation des pauvres, comme le prouve un statut remarquable où il est dit que tous les vagabonds doivent être marqués du fer rouge, etc. » (L. c., p. 8).
3. *John Strype* M. A. « Annals of the Reformation and Establishment of Religion, and other various occurrences in the Church of England during Queen Elisabeth's Happy Reign. » La seconde édition de 1725 fut encore publiée par l'auteur lui-même.
4. « Partout où la législation tente de régler les différends entre les maîtres et leurs ouvriers, elle a toujours les maîtres pour conseillers. » (Adam Smith.)
5. *Sophisms of Free Trade*, by a Barister. Lond., 1850, p. 206. « La législation était toujours prête, ajoute-t-il, à interposer son autorité au profit des patrons; est-elle impuissante dès qu'il s'agit de l'ouvrier ? »
6. On voit par une clause du statut 2, Jacques Ier, c. 6, que certains fabricants de drap prirent, en leur qualité de juges de paix, sur eux de dicter dans leurs propres ateliers un tarif officiel du salaire. — En Allemagne les statuts ayant pour but de maintenir le salaire aussi bas que possible se multiplient après la guerre de Trente Ans. « Sur le sol dépeuplé les propriétaires souffraient beaucoup du manque de domestiques et de travailleurs. Il fut interdit à tous les habitants des villages de louer des chambres à des hommes ou à des femmes célibataires. Tout individu de cette catégorie qui ne voulait pas faire l'office de domestique devait être signalé à l'autorité et jeté en prison, alors même qu'il avait une autre occupation pour vivre, comme de travailler à la journée pour les paysans ou même d'acheter ou de vendre des grains. » (Privilèges impériaux et sanctions pour la Silésie, I, 125.) Pendant tout un siècle les ordonnances de tous les petits princes allemands fourmillent de plaintes amères contre la canaille impertinente qui ne veut pas se soumettre aux dures conditions qu'on lui fait ni se contenter du salaire légal. Il est défendu à chaque propriétaire isolément de dépasser le tarif établi par les Etats du territoire. Et avec tout cela les conditions du service étaient parfois meilleures après la guerre qu'elles ne le furent un siècle après. « En 1652 les domestiques avaient encore de la viande deux fois par semaine en Silésie; dans notre siècle, il s'y est trouvé des districts où ils n'en ont eu que trois fois par an. Le salaire aussi était après la guerre plus élevé que dans les siècles suivants. » (G. Freitag.)
7. L'article 1 de cette loi est ainsi conçu : « L'anéantissement de toutes espèces de corporations du même état et profession étant l'une des bases de la constitution française, il est défendu de les rétablir de fait sous quelque prétexte et sous quelque forme que ce soit. » L'article 4 déclare que, « si des citoyens attachés aux mêmes professions, arts et métiers, prenaient des délibérations, faisaient entre eux des conventions tendant à refuser de concert ou à n'accorder qu'à un prix déterminé le secours de leur industrie ou de leurs travaux, lesdites délibérations et conventions seront déclarées inconstitutionnelles, attentatoires à la liberté et à la déclaration des droits de l'homme, etc. », c'est-à-dire félonies, comme dans les anciens statuts. (*Révolutions de Paris*, Paris, 1791, t. III, p. 253.)
8. *Révolutions de France*, etc., nº LXXVII.
9. Buchez et Roux : *Histoire parlementaire de la Révolution française*, X, p. 193-95, *passim* (édit. 1834).

Notes du chapitre XXIX.

1. « Les fermiers, dit Harrison dans sa Description de l'Angleterre, qui autrefois ne payaient que difficilement quatre livres sterling de rente, en paient aujourd'hui quarante, cinquante, cent, et croient avoir fait de mauvaises affaires,

si à l'expiration de leur bail ils n'ont pas mis de côté une somme équivalente au total de la rente foncière acquittée par eux pendant six ou sept ans. »

2. L'influence que la dépréciation de l'argent exerça au XVIe siècle sur diverses classes de la société a été très bien exposée par un écrivain de cette époque dans : *A Compendious or briefe Examination of Certayne Ordinary Complaints of Diverse of our Countrymen in these our Days*, by W. S. Gentleman. London, 1581. La forme dialoguée de cet écrit contribua longtemps à le faire attribuer à Shakespeare, si bien qu'en 1751 il fut encore édité sous son nom. Il a pour auteur William Stafford. Dans un passage le chevalier (knight) raisonne comme suit :

LE CHEVALIER. — « Vous, mon voisin le laboureur, vous, maître mercier, et vous, brave chaudronnier, vous pouvez vous tirer d'affaire ainsi que les autres artisans. Car, si toutes choses sont plus chères qu'autrefois, vous élevez d'autant le prix de vos marchandises et de votre travail. Mais nous, nous n'avons rien à vendre sur quoi nous puissions nous rattraper de ce que nous avons à acheter. » Ailleurs le chevalier interroge le docteur : « Quels sont, je vous prie, les gens que vous avez en vue, et d'abord ceux qui, selon vous, n'ont ici rien à perdre ? » — LE DOCTEUR : « J'ai en vue tous ceux qui vivent d'achat et de vente, car, s'ils achètent cher, ils vendent en conséquence. » — LE CHEVALIER : « Et quels sont surtout ceux qui, d'après vous, doivent gagner ? » — LE DOCTEUR : « Tous ceux qui ont des entreprises ou des fermes à ancien bail, car, s'ils paient d'après le taux ancien, ils vendent d'après le nouveau, c'est-à-dire qu'ils paient leur terre bon marché et vendent toutes choses à un prix toujours plus élevé... » — LE CHEVALIER : « Et quels sont les gens qui, pensez-vous, auraient dans ces circonstances plus de perte que les premiers n'ont de profit ? » — LE DOCTEUR : « Tous les nobles, gentilshommes, et tous ceux qui vivent soit d'une petite rente, soit de salaires, ou qui ne cultivent pas le sol, ou qui n'ont pas pour métier d'acheter et de vendre. »

3. Entre le seigneur féodal et ses dépendants à tous les degrés de vassalité, il y avait un agent intermédiaire qui devint bientôt homme d'affaires, et dont la méthode d'accumulation primitive, de même que celle des hommes de finance placés entre le trésor public et la bourse des contribuables, consistait en concussions, malversations et escroqueries de toutes sortes. Ce personnage, administrateur et percepteur des droits, redevances, rentes et produits quelconques dus au seigneur, s'appela en Angleterre *Steward*, en France *Régisseur*. Ce régisseur était parfois lui-même un grand seigneur. On lit, par exemple, dans un manuscrit original publié par Monteil : « C'est le compte que messire Jacques de Thoraine, chevalier chastelain sor Besançon rent es seigneur, tenant les comptes à Dijon pour monseigneur le duc et comte de Bourgogne, des rentes appartenant à ladite chastellenie, depuis XXVe jour de décembre MCCCIX jusqu'au XXVIIIe jour de décembre MCCCLX, etc. » (Alexis Monteil : *Histoire des Matériaux manuscrits*.) On remarquera que dans toutes les sphères de la vie sociale la part du lion échoit régulièrement à l'intermédiaire. Dans le domaine économique, par exemple, financiers, gens de bourse, banquiers, négociants, marchands, etc., écrèment les affaires; en matière civile, l'avocat plume les parties sans les faire crier; en politique, le représentant l'emporte sur son commettant, le ministre sur le souverain, etc.; en religion, le médiateur éclipse Dieu pour être à son tour supplanté par les prêtres, intermédiaires obligés entre le bon pasteur et ses ouailles. — En France, de même qu'en Angleterre, les grands domaines féodaux étaient divisés en un nombre infini de parcelles, mais dans des conditions bien plus défavorables aux cultivateurs. L'origine des *fermes* ou *terriers* y remonte au XIVe siècle. Ils allèrent en s'accroissant et leur chiffre finit par dépasser cent mille. Ils payaient en nature ou en argent une rente foncière variant de la douzième à la cinquième partie du produit. Les terriers, fiefs, arrière-fiefs, etc., suivant la valeur et l'étendue du domaine, ne comprenaient parfois que quelques arpents de terre. Ils possédaient tous un droit de juridiction qui était de 4 degrés. L'oppression du peuple assujetti à tant de petits tyrans était naturellement affreuse. D'après Monteil, il y avait alors en France cent soixante mille justices, là où aujourd'hui quatre mille tribunaux ou justices de paix suffisent.

Notes du chapitre XXX.

1. Dans ses *Notions de philosophie naturelle*, Paris, 1838.
2. Un point que Sir James Stewart fait ressortir.
3. « Je permettrai dit le capitaliste, que vous ayez l'honneur de me servir, à condition que vous me donniez le peu qui vous reste pour la peine que je

prends de vous commander. » J.-J. Rousseau : *Discours sur l'Economie politique.*

4. Mirabeau : l. c., t. III, p. 20, 21, 109.

5. « Vingt livres de laine tranquillement converties en hardes de paysan par la propre industrie de la famille, pendant les moments de loisir que lui laisse le travail rural — cela ne fait pas grand fracas : mais portez-les au marché, envoyez-les à la fabrique, de là au courtier, puis au marchand et vous aurez de grandes opérations commerciales et un capital nominal engagé, représentant vingt fois la valeur de l'objet... la classe productive est ainsi mise à contribution afin de soutenir une misérable population de fabrique, une classe de boutiquiers parasites et un système commercial, monétaire et financier, absolument fictif. » (David Urquhart, l. c., p. 120.)

6. Tuckett, l. c., vol. I, p. 144.

7. David Urquhart, l. c., p. 122. Mais voici Carey qui accuse l'Angleterre, non sans raison assurément, de vouloir convertir tous les autres pays en pays purement agricoles pour avoir seule le monopole des fabriques. Il prétend que c'est ainsi que la Turquie a été ruinée, l'Angleterre « n'ayant jamais permis aux propriétaires et cultivateurs du sol turc de se fortifier par l'alliance naturelle de la charrue et du métier, du marteau et de la herse. » (*The Slave Trade*, etc., p. 125.) D'après lui, D. Urquhart lui-même aurait été un des principaux agents de la ruine de la Turquie en y propageant dans l'intérêt anglais la doctrine du libre-échange. Le plus joli, c'est que Carey, grand admirateur du gouvernement russe, veut prévenir la séparation du travail industriel d'avec le travail agricole au moyen du système protectionniste, qui n'en fait qu'accélérer la marche.

Notes du chapitre XXXI.

1. Le mot « industriel » est ici employé par opposition; dans le sens *catégorique*, le fermier est tout aussi bien un capitaliste industriel que le fabricant.

2. *The natural and artificial Rights of Property contrasted.* Lond., 1832, p. 38, 39. L'auteur de cet écrit anonyme est Th. Hodgskin.

3. Dr Aikin, l. c.

4. William Howitt : *Colonization and Christianity. A Popular History of the treatment of the natives by the Europeans in all their colonies.* Lond., 1838, p. 9. Sur le traitement des esclaves on trouve une bonne compilation chez Charles Comte (*Traité de la Législation*, 3e édit., Bruxelles, 1837). Il faut étudier ce sujet en détail pour voir ce que le bourgeois fait de lui-même et du travailleur, partout où il peut, sans gêne, modeler le monde à son image.

5. Thomas Stamford Raffles, late Governor of Java : *Java and its dependencies.* Lond., 1817.

6. En 1866, plus d'un million d'Hindous moururent de faim dans la seule province d'Orissa. On n'en chercha pas moins à enrichir le trésor public par les prix de vente des denrées offertes aux affamés.

7. William Cobbett remarque qu'en Angleterre toutes les choses publiques s'appellent *royales*, mais que par compensation il y a la *dette nationale.*

8. Quand, au moment le plus critique de la deuxième guerre de la Fronde, Bussy-Rabutin demande, pour pouvoir lever un régiment, des assignations sur « les tailles du Nivernois encore dues » et sur le sel, Mazarin répond : « Plût à Dieu que cela se pût, mais tout cela est destiné pour les rentes sur l'Hôtel de Ville de Paris, et il serait étrange conséquence de faire des levées de ces deniers-là; il ne faut point irriter les rentiers ni contre moi ni contre vous. » (*Mémoires du comte de Bussy-Rabutin.* Nouv. éd., Amsterdam 1751, t. I, p. 165.)

9. « Si les Tartares inondaient aujourd'hui l'Europe, il faudrait bien des affaires pour leur faire entendre ce que c'est qu'un financier parmi nous. » (Montesquieu, *Esprit des Lois*, t. IV, p. 33, éd., Londres, 1769.)

10. Mirabeau,

11. Eden, l. c., l. II, ch. I, p. 421.

12. John Fielden : *The Curse of the factory system*, p. 5, 6. — Relativement aux infamies commises à l'origine des fabriques, voyez Dr Aikin (1795), l. c., p. 219, et Gisbourne : *Enquiry into the duties of man*, 1795, vol. II. — Dès que la machine à vapeur transplanta les fabriques des cours d'eau de la campagne au milieu des villes, le faiseur de plus-value, amateur « d'abstinence », trouva sous la main toute une armée d'enfants sans avoir besoin de mettre des workhouses en réquisition. — Lorsque Sir R. Peel (père du *ministre de la plausibilité*) présenta en 1815 son bill sur les mesures à prendre pour protéger les enfants, F. Horner, l'ami de Ricardo, cita les faits suivants devant la Chambre des communes : « Il est notoire que récemment, parmi les meubles d'un banquerou-

tier, une bande d'enfants de fabrique fut, si je puis me servir de cette expression, mise aux enchères et vendue comme faisant partie de l'actif! Il y a deux ans (1813), un cas abominable se présenta devant le tribunal du *Banc du Roi*. Il s'agissait d'un certain nombre d'enfants. Une paroisse de Londres les avait livrés à un fabricant, qui de son côté les avait passés à un autre. Quelques amis de l'humanité les découvrirent finalement dans un état complet d'inanition. Un autre cas encore plus abominable a été porté à ma connaissance lorsque j'étais membre du Comité d'enquête parlementaire. Il y a quelques années seulement, une paroisse de Londres et un fabricant conclurent un traité dans lequel il fut stipulé que par vingtaine d'enfants sains de corps et d'esprit vendus il devrait accepter un idiot. »

13. Voy. le livre déjà cité du Dr Aikin, 1795.

14. En 1790 il y avait dans les Indes occidentales anglaises dix esclaves pour un homme libre; dans les Indes françaises quatorze pour un; dans les Indes hollandaises vingt-trois pour un. (Henry Brougham : *An Inquiry into the colonial policy of the European powers*. Edinb., 1803, vol. II, p. 74.)

15. Cette expression *labouring poor* se trouve dans les lois anglaises, depuis le temps où la classe des salariés commence à attirer l'attention. La qualification de *labouring poor* est opposée d'une part à celle de *idle poor*, le pauvre fainéant, mendiant, etc., d'autre part à celle de travailleur, possesseur de ses moyens de travail, n'étant pas encore tout à fait *plumé*. De la loi l'expression est passée dans l'économie politique depuis Culpeper, J. Child, etc., jusqu'à Adam Smith et Eden. On peut juger d'après cela de la bonne foi de *l'execrable political cantmonger* Edmond Burke, quand il déclare l'expression *labouring poor* un *execrable political cant*. Ce sycophante, qui à la solde de l'oligarchie anglaise a joué le romantique contre la Révolution française, de même qu'à la solde des colonies du nord de l'Amérique, au commencement de leurs troubles, il avait joué le libéral contre l'oligarchie anglaise, avait l'âme foncièrement bourgeoise. « Les lois du commerce, dit-il, sont les lois de la nature et conséquemment de Dieu. » (E. Burke, l. c., p. 31, 32.) Rien d'étonnant que, fidèle aux lois de Dieu et de la nature, il se soit toujours vendu au plus offrant enchérisseur. On trouve dans les écrits du Rév. Tucker — il était pasteur et tory, au demeurant homme honorable et bon économiste — un portrait bien réussi de cet Edmond Burke, au temps de son libéralisme. A une époque comme la nôtre, où la lâcheté des caractères s'unit à la foi la plus ardente aux « lois du commerce », c'est un devoir de stigmatiser sans relâche les gens tels que Burke, que rien ne distingue de leurs successeurs, rien, si ce n'est le talent.

16. Marie Augier : *Du Crédit public*. Paris, 1842, p. 265.

17. « Le capital, dit la *Quarterly Review*, fuit le tumulte et les disputes, et est timide par nature. Cela est très vrai, mais ce n'est pas pourtant toute la vérité. Le capital abhorre l'absence de profit ou un profit minime, comme la nature a horreur du vide. Que le profit soit convenable, et le capital devient courageux : dix pour cent d'assurés, et on peut l'employer partout; vingt pour cent, il s'échauffe; cinquante pour cent, il est d'une témérité folle; à cent pour cent, il foule aux pieds toutes les lois humaines; trois cents pour cent, et il n'est pas de crime qu'il n'ose commettre, même au risque de la potence. Quand le désordre et la discorde portent profit, il les encourage tous deux; preuve : la contrebande et la traite des nègres. » (F. J. Dunning, l. c., p. 436.)

Notes du chapitre XXXII.

1. « Nous sommes dans une condition tout à fait nouvelle de la société... nous tendons à séparer toute espèce de propriété d'avec toute espèce de travail. » (Sismondi : *Nouveaux principes de l'Econ. polit.*, t. II, p. 434.)

2. « Le progrès de l'industrie, dont la bourgeoisie est le véhicule inconscient, remplace peu à peu l'isolement des travailleurs né de la concurrence par leur union révolutionnaire au moyen de l'association. A mesure que la grande industrie se développe, la base même sur laquelle la bourgeoisie a assis sa production et son appropriation des produits se dérobe sous ses pieds. Ce qu'elle produit avant tout, ce sont ses propres fossoyeurs. Son élimination et le triomphe du prolétariat sont également inévitables... De toutes les classes subsistant aujourd'hui en face de la bourgeoisie le prolétariat seul forme une classe réellement révolutionnaire. Les autres dépérissent et s'éteignent devant la grande industrie, dont le prolétariat est le produit propre... La classe moyenne, le petit industriel, le petit commerçant, l'artisan, le cultivateur, tous combattent la bourgeoisie pour sauver leur existence comme classes moyennes... Ils sont réactionnaires, car ils cherchent à faire tourner en arrière la roue de l'histoire. »

(F. Engels et Karl Marx : *Manifest der kommunistischen Partei*. Lond., 1847, p. 9, 11.)

Notes du chapitre XXXIII.

1. Il s'agit ici de colonies réelles, d'un sol vierge colonisé par des émigrants libres. Les Etats-Unis sont encore, au point de vue économique, une colonie européenne. On peut aussi du reste faire entrer dans cette catégorie les anciennes plantations dont l'abolition de l'esclavage a depuis longtemps radicalement bouleversé l'ordre imposé par les conquérants.

2. Les quelques aperçus lumineux de Wakefield avaient déjà été développés par Mirabeau père, le physiocrate, et avant lui par des économistes anglais du XVIIe siècle, tels que Culpeper, Child, etc.

3. Plus tard, il devient une nécessité temporaire dans la lutte de la concurrence internationale. Mais, quels que soient ses motifs, les conséquences restent les mêmes.

4. « Un nègre est un nègre. Ce n'est que dans certaines conditions qu'il devient esclave. Cette machine que voici est une machine à filer du coton. Ce n'est que dans des conditions déterminées qu'elle devient capital. Hors de ces conditions, elle est aussi peu capital que l'or par lui-même est monnaie, et que le sucre n'est le prix du sucre... Le capital est un rapport social de production. C'est un rapport de production historique. » (*Karl Marx : Lohnarbeit und Kapital*. Voy. *N. Rh. Zeitung*, n° 266, 7 avril 1849.)

5. E. G. Wakefield : *England and America*, vol. II, p. 33.

6. L. c., vol. I, p. 17, 18.

7. L. c., p. 81.

8. L. c., p. 43, 44.

9. L. c., vol. II, p. 5.

10. « Pour devenir élément de colonisation, la terre doit être non seulement inculte, mais encore propriété publique, convertible en propriété privée. » (L. c., vol. II, p. 125.)

11. L. c., vol. I, p. 297.

12. L. c., p. 22, 23.

13. L. c., vol. II, p. 116.

14. L. c., vol. I, p. 130, 131.

15. L. c., v. II, p. 5.

16. *Merivale*, l. c., v. II, p. 235, 314, *passim*. — Il n'est pas jusqu'à cet homme de bien, économiste vulgaire et libre-échangiste distingué, M. de Molinari, qui ne dise : « Dans les colonies où l'esclavage a été aboli sans que le travail forcé se trouvât remplacé par une quantité équivalente de travail libre, on a vu s'opérer la contrepartie du fait qui se réalise *tous les jours* sous nos yeux. On a vu les simples *(sic)* travailleurs exploiter à leur tour les entrepreneurs d'industrie, exiger d'eux des salaires hors de toute proportion avec *la part légitime* qui leur revenait dans le produit. Les planteurs, ne pouvant obtenir de leurs sucres un prix suffisant pour couvrir la hausse de salaire, ont été obligés de fournir l'excédent, d'abord sur leurs profits, ensuite sur leurs capitaux mêmes. Une foule de planteurs ont été ruinés de la sorte, d'autres ont fermé leurs ateliers pour échapper à une ruine imminente... Sans doute, il vaut mieux voir périr des accumulations de capitaux que des générations d'hommes (quelle générosité! Excellent M. Molinari!), mais ne vaudrait-il pas mieux que ni les uns ni les autres ne périssent ? » (Molinari, l. c., p. 51, 52.) Monsieur Molinari! monsieur Molinari! Et que deviennent les dix commandements, Moïse et les prophètes, la loi de l'offre et la demande, si en Europe l'entrepreneur rogne sa part légitime à l'ouvrier et dans l'Inde occidentale l'ouvrier à l'entrepreneur ? Mais quelle est donc, s'il vous plaît, cette *part légitime* que, de votre propre aveu, le capitaliste ne paie pas en Europe ? Allons, maître Molinari, vous éprouvez une démangeaison terrible de prêter là dans les colonies, où les travailleurs sont assez *simples* « pour exploiter le capitaliste », un brin de secours policier à cette pauvre loi de l'offre et la demande qui ailleurs, à votre dire, marche si bien toute seule.

17. Wakefield, l. c., v. II, p. 52.

18. L. c., p. 191, 192.

19. L. c., v. I, p. 47, 246, 247.

20. « C'est, ajoutez-vous, grâce à l'appropriation du sol et des capitaux que l'homme, qui n'a rien que ses bras, trouve de l'occupation et se fait un revenu... : c'est au contraire grâce à l'appropriation individuelle du sol qu'il se trouve des hommes n'ayant que leurs bras... Quand vous mettez un homme dans le vide,

vous vous emparez de l'atmosphère. Ainsi faites-vous quand vous vous emparez du sol... C'est le mettre dans le vide de richesses, pour ne le laisser vivre qu'à votre volonté. » (Colins, l. c., t. III, p. 268, 271, *passim.*)

21. Wakefield, l. c., v. II, p. 192.

22. L. c., p. 45.

23. Dès que l'Australie devint autonome, elle édicta naturellement des lois favorables aux colons : mais la dilapidation du sol, déjà accomplie par le gouvernement anglais, lui barre le chemin. « Le premier et principal objet que vise le nouveau *Land Act* (loi sur la terre) de 1862, c'est de créer des facilités de plus en plus grandes pour l'établissement de la population. » (*The Land law of Victoria by the Hon. G. Duffy, Minister of Public Lands.* Lond., 1862.)

Notes des extraits de la postface.

1. *Théorie de la valeur et du capital de Ricardo*, etc. Kiew, 1871.

2. « *Les théoriciens du socialisme en Allemagne.* » Extrait du *Journal des Economistes*, juillet et août 1872.

3. N° de mai 1872, p. 426-36.

4. La postface de la deuxième édition allemande est datée du 24 janvier 1873, et ce n'est que quelque temps après sa publication que la crise qui y a été prédite éclata dans l'Autriche, les Etats-Unis et l'Allemagne. Beaucoup de gens croient à tort que la crise générale a été escomptée pour ainsi dire par ces explosions violentes, mais partielles. Au contraire, elle tend à son apogée. L'Angleterre sera le siège de l'explosion centrale, dont le contrecoup se fera sentir sur le marché universel.

LE « CAPITAL[1] »

par

FRIEDRICH ENGELS

I

Depuis qu'il y a des capitalistes et des ouvriers sur terre, il n'a pas paru de livre, qui ait pour les ouvriers l'importance du livre présent. Le rapport du capital et du travail, le pivot autour duquel tourne tout notre système social actuel, est ici pour la première fois développé scientifiquement...

Jusqu'à ce jour, l'économie politique nous apprend que le travail est la source de toute richesse et la mesure de toutes les valeurs, de sorte que deux objets dont la production a coûté le même temps de travail, ont aussi la même valeur, et puisque, en moyenne, seules des valeurs égales sont échangeables entre elles, elles doivent aussi être échangées l'une contre l'autre.

Mais, en même temps, elle enseigne qu'il existe une espèce de travail emmagasiné, qu'elle appelle capital; que ce capital, par les ressources qu'il contient, multiplie par cent et par mille la productivité du travail vivant, et que, pour cela, il réclame une certaine indemnisation, que l'on nomme profit ou gain.

Comme nous le savons tous, les choses en réalité se présentent ainsi : les profits du travail mort emmagasiné deviennent toujours plus immenses, les capitaux des capitalistes toujours plus énormes, tandis que le salaire du travail vivant devient toujours plus petit, la masse des travailleurs vivant uniquement de leur salaire, toujours plus nombreuse et plus pauvre.

Comment résoudre cette contradiction ? Comment peut-il rester un profit pour le capitaliste, si l'on restitue à l'ouvrier la pleine valeur du travail qu'il ajoute à son produit ? Et comme seules des valeurs égales s'échangent, c'est bien ce qui devrait arriver.

D'autre part, comment des valeurs égales peuvent-elles être échangées, comment le travailleur peut-il recevoir la pleine valeur de son produit, si, ainsi que beaucoup d'économistes le recon-

1. Article paru dans le *Demokratisches Wochenblatt* (Leipzig des 21 et 28 mars 1868).

naissent, ce produit est partagé entre lui et le capitaliste ?

L'économie jusqu'à ce jour reste désemparée devant cette contradiction et n'écrit ou ne balbutie à ce sujet que des formules embarrassées et vides. Même les critiques socialistes de l'économie n'ont pas été à même jusqu'ici de faire plus que de relever la contradiction; aucun ne l'avait résolue, avant que Marx n'eût enfin retracé aujourd'hui le procès de formation de ce profit jusque dans ses origines, et ainsi tout mis au clair.

En étudiant le développement du capital, Marx part du fait simple et notoire que les capitalistes font valoir leur capital par l'échange : ils achètent de la marchandise pour leur argent, et la revendent ensuite pour plus d'argent qu'elle ne leur a coûté.

Par exemple, un capitaliste achète du coton pour mille thalers et le revend pour onze cents thalers, il « gagne » donc cent thalers. Cet excédent de cent thalers sur le capital initial est appelé par Marx *plus-value*. D'où vient cette plus-value ?

Selon ce que pensent les économistes, seules des valeurs égales s'échangent, et cela est certes vrai dans le domaine de la théorie abstraite. L'achat de coton et sa revente ne peuvent donc pas plus fournir une plus-value que l'échange d'un thaler d'argent contre trois cents groschen d'argent, ou inversement, l'échange de la monnaie contre le thaler d'argent, opération par laquelle on ne devient pas plus riche ni plus pauvre.

Mais la plus-value ne peut pas davantage provenir de ce que les vendeurs vendent les marchandises au-dessus de leur valeur, ou de ce que les acheteurs les achètent au-dessous de leur valeur, étant donné que chacun est tantôt acheteur, tantôt vendeur à tour de rôle, et qu'ainsi cela s'équilibrerait de nouveau.

De même la plus-value ne peut pas venir de ce que les acheteurs ont surestimé et les vendeurs sous-estimé les marchandises, car cela ne créerait pas une nouvelle valeur ou plus-value, mais seulement une répartition différente du capital existant entre les capitalistes.

Et cependant, bien que le capitaliste achète les marchandises à leur valeur et les vende à leur valeur, il en tire plus de valeur qu'il n'y en a mis.

Comment cela se fait-il ?

Le capitaliste trouve sur le marché de marchandises, dans les circonstances sociales actuelles, *une marchandise* qui a l'étrange propriété d'être ainsi faite que *sa consommation est source de valeur nouvelle, création de valeur nouvelle*, et cette marchandise est — *la force de travail*.

Quelle est la valeur de la force de travail ? La valeur de chaque marchandise est mesurée par le travail qu'exige sa production. La force de travail existe sous la forme de l'ouvrier vivant, qui pour exister et pour entretenir sa famille — celle-ci assurant la continuité de la force de travail même après sa mort — a besoin d'une certaine somme de subsistances.

Le temps nécessaire pour produire ces subsistances représente donc la valeur de la force de travail. Le capitaliste paie l'ouvrier à la semaine et achète pour cela l'usage du travail hebdomadaire de l'ouvrier. Jusque-là, messieurs les économistes seront à peu près d'accord avec nous sur la valeur de la force de travail.

Le capitaliste met à présent son ouvrier au travail. Dans un temps déterminé l'ouvrier aura fourni autant de travail qu'en représentait son salaire hebdomadaire. Mettons que le salaire hebdomadaire d'un ouvrier représente trois jours de travail. L'ouvrier qui commence le lundi, aura donc restitué au capitaliste, mercredi soir, *la valeur entière du salaire payé*.

Mais cesse-t-il alors de travailler ? Aucunement.

Le capitaliste a acheté son travail *hebdomadaire*, et l'ouvrier devra encore travailler les trois derniers jours de la semaine. Ce *sur-travail* fourni par l'ouvrier pendant le temps qui dépasse celui qui eût été nécessaire à la restitution de son salaire, est *la source de la plus-value*, du profit, de l'augmentation constamment croissante du volume du capital.

Que l'on ne dise pas que c'est faire une supposition gratuite que de prétendre qu'au bout de trois jours l'ouvrier a soldé par le travail le salaire qu'il a reçu, et que les trois autres jours, il travaille pour le capitaliste. Il n'importe aucunement ici, il est vrai, de savoir si l'ouvrier a besoin précisément de trois jours pour restituer son salaire ou de deux ou de quatre, et d'ailleurs cela varie d'après les circonstances; mais ce qui importe essentiellement, c'est que le capitaliste en dehors du travail qu'il paye, extorque encore du travail *qu'il ne paye pas*, et cela n'est pas une supposition gratuite, vu que le jour où le capitaliste ne tirerait à la longue de l'ouvrier qu'autant de travail qu'il lui paye de salaire, ce jour-là, il fermerait son atelier, car tout son profit s'effriterait.

Et voilà la solution de toutes les contradictions.

La formation de la plus-value (dont le profit du capitaliste constitue une partie importante) est devenue à présent tout à fait claire et naturelle.

La valeur de la force de travail est payée, mais cette valeur est bien inférieure à celle que le capitaliste s'entend à extorquer de la force de travail, et la différence, *le travail non payé*, constitue précisément la part du capitaliste, ou pour parler plus exactement, de la classe capitaliste.

Car même ce profit que dans l'exemple donné plus haut, le marchand de coton a tiré de son coton, doit, si les prix du coton n'ont pas augmenté, consister en travail non payé. Le marchand doit avoir vendu sa marchandise à un fabricant de cotonnades, qui, en dehors de ces cent thalers peut retirer encore de son produit manufacturé un profit pour lui-même et qui, par conséquent, partage avec lui le travail non payé qu'il a empoché.

C'est ce travail non payé qui par ailleurs entretient tous les membres oisifs de la société. C'est de ce fonds que sont payés les impôts de l'État et des communes, en tant qu'ils atteignent la classe capitaliste, les rentes foncières des propriétaires fonciers, etc. C'est sur le travail non payé que repose tout l'état social actuel.

D'autre part, *il serait absurde de supposer que le travail non payé ne doit ses origines qu'aux conditions actuelles, où la production est entreprise d'une part par les capitalistes, de l'autre par les ouvriers salariés. Au contraire. La classe opprimée a de tous temps dû fournir du travail non payé. Pendant toute la longue période où l'esclavage était la forme dominante de l'organisation du travail, les esclaves ont dû fournir un travail bien supérieur à ce qui leur était restitué sous forme de subsistances;* sous le régime du servage et jusqu'à l'abolition de la corvée paysanne, il en fut de même; ici la différence entre le temps que le travailleur donne pour obtenir son entretien, et le sur-travail donné au seigneur, est même tangible, puisqu'en effet le second est accompli tout à fait en dehors du premier. La forme est changée maintenant, mais la chose demeure, car aussi longtemps qu'

une partie de la société possède le monopole des moyens de production, le travailleur, libre ou non, est forcé d'ajouter au temps de travail nécessaire à son propre entretien, un surplus destiné à produire la subsistance du possesseur des moyens de production. (MARX : *le Capital*).

II

Dans l'article précédent, nous avons vu que tout ouvrier occupé par un capitaliste fait un travail double : pendant une partie du temps où il travaille, il restitue le salaire que lui avance le capitaliste, et c'est cette partie du travail que Marx appelle le *travail nécessaire*. Mais ensuite, il faut qu'il continue encore à travailler, et il produit pendant ce temps, pour le capitaliste, la *plus-value*, dont le profit constitue une partie importante. Cette partie du travail s'appelle le sur-travail.

Supposons que l'ouvrier travaille trois jours par semaine, pour restituer son salaire, et trois jours pour produire la plus-value pour le capitaliste. En d'autres termes, cela veut dire qu'à raison de douze heures de travail par jour, il travaille quotidiennement six heures pour son salaire, et six heures pour produire la plus-value. Impossible de tirer de la semaine plus de six jours, ou, si l'on y ajoute le dimanche, plus de sept jours.

Mais de chaque jour pris à part, on peut tirer six, huit, dix, douze, quinze et même plus d'heures de travail encore. L'ouvrier a vendu au capitaliste pour son salaire journalier, une journée de travail. *Mais qu'est-ce qu'une journée de travail ?* Huit heures ou dix-huit heures ?

Le capitaliste a intérêt à ce que la journée de travail soit faite aussi longue que possible. Plus elle est longue, plus elle produit de plus-value.

L'ouvrier a le juste sentiment que chaque heure de travail qu'il donne en plus du temps nécessaire à la restitution de son salaire lui est extorquée de façon illégitime, et c'est dans sa propre chair qu'il devra éprouver ce que veut dire travailler trop longtemps.

Le capitaliste lutte pour son profit, l'ouvrier pour sa santé, pour quelques heures de repos quotidien, afin de pouvoir non seulement travailler, dormir et manger, mais d'une autre manière encore s'affirmer comme homme.

Soit dit en passant, il ne dépend point du tout de la bonne volonté d'un capitaliste en particulier de se laisser entraîner ou non dans cette lutte, car la concurrence force, même le plus philanthrope d'entre eux, à se rallier à ses confrères et à prendre pour règle la même durée de travail qu'eux.

La lutte pour la fixation de la journée de travail a commencé avec la première entrée en scène d'ouvriers libres dans l'histoire, et elle dure jusqu'à nos jours. Selon les industries, la coutume impose des journées de travail d'une durée différente; mais en réalité, il est rare qu'elles soient maintenues.

C'est seulement là où la loi fixe la journée de travail et en surveille l'observation, qu'on peut vraiment dire qu'il existe une journée de travail normale. Et cela jusqu'ici est exclusivement le cas dans les districts industriels d'Angleterre. Ici la journée de travail de dix heures (dix heures et demie pendant cinq jours et sept heures et demie le samedi) a été fixée pour toutes les femmes et pour les garçons de treize à dix-huit ans, et comme les hommes ne peuvent travailler sans ceux-ci, ils bénéficient, eux aussi, de la journée de travail de dix heures.

Cette loi, les ouvriers de fabrique anglais l'ont conquise eux-mêmes, par de longues années de persévérance, par la lutte la plus tenace, la plus opiniâtre avec les fabricants, au moyen de la liberté de la presse, du droit de coalition et de réunion, de même que par une utilisation habile des scissions dans la classe dominante. Elle est devenue le palladium des ouvriers anglais et elle a été peu à peu étendue à toutes les branches de la grande industrie, et, l'année passée, à presque *toutes les entreprises*, du moins à toutes celles où l'on emploie des femmes et des enfants.

Sur l'histoire de la réglementation légale de la journée de travail en Angleterre, l'ouvrage présent contient une documentation des plus détaillées. Le prochain « Reichstag de l'Allemagne du Nord » aura, lui aussi, à discuter une loi industrielle, et par conséquent la réglementation du travail de fabrique. Nous espérons que pas un des députés imposés par les ouvriers allemands, n'entrera dans la discussion de cette loi, avant de s'être complètement familiarisé avec le livre de Marx. *Il y a là beaucoup à faire. Les scissions dans les classes dominantes sont plus favorables aux ouvriers qu'elles ne le furent jamais en Angleterre, parce que le suffrage universel force les classes possédantes à mendier la faveur des ouvriers.*

Dans ces conditions, quatre ou cinq représentants du prolétariat sont *une puissance*, s'ils savent tirer parti de leur situation, et, avant tout, s'ils savent de quoi il s'agit, ce qui n'est pas le cas des bourgeois. Et pour cela le livre de Marx leur fournit, toute prête, une documentation complète.

Nous laisserons de côté une série d'autres très belles recherches d'un intérêt plus théorique, et nous ne nous arrêterons plus qu'au chapitre final, qui traite *de l'accumulation du capital.*

On y prouve d'abord que la méthode de production capitaliste, c'est-à-dire celle mise en œuvre, d'une part par les capitalistes, de l'autre, par les ouvriers salariés, non seulement produit toujours de nouveau pour le capitaliste son capital, mais produit toujours en même temps la pauvreté de l'ouvrier; de telle sorte que *l'on a pourvu à ce qu'il y ait toujours de nouveau*, d'un côté, les capitalistes, qui sont les propriétaires de tous les moyens de subsistance, de toutes les matières premières et de tous les instruments de travail, et de l'autre, la grande masse des ouvriers qui se voit obligée de vendre sa force de travail à ces capitalistes pour une certaine quantité de subsistances, laquelle, en mettant les choses au mieux, suffit tout juste à le maintenir en état de travailler et d'élever une nouvelle génération de prolétaires en état de travailler.

Mais le capital ne fait pas que se reproduire : il augmente constamment et par là accroît sa puissance sur la masse sans bien des ouvriers. Et de même que le capital se reproduit sur une toujours plus grande échelle, le mode de production capitaliste reproduit sur une toujours plus grande échelle, en un nombre toujours croissant, la classe sans bien des ouvriers.

L'accumulation ne fait que reproduire ce rapport sur une échelle également progressive, avec plus de capitalistes (ou de plus gros capitalistes) d'un côté, plus de salariés de l'autre... *Accumulation du capital est donc en même temps accroissement du prolétariat*. (MARX : *le Capital*).

Mais comme grâce aux progrès du machinisme et à une agriculture perfectionnée, etc., on a besoin de toujours moins d'ouvriers pour obtenir la même quantité de produits, comme ce perfectionnement, c'est-à-dire le fait de créer un excédent d'ouvriers, progresse toujours plus vite que même le capital qui va croissant, qu'advient-il de ce nombre toujours plus grand d'ouvriers ?

Ils forment une armée industrielle de réserve, qui pendant les temps où les affaires marchent plus mal et plus médiocrement, est payée *au-dessous* de la valeur de son travail, et est occupée irrégulièrement, ou encore retombe à la charge de l'assistance publique, mais qui pendant les temps où les affaires sont particulièrement prospères, est indispensable à la classe des capitalistes, comme cela apparaît clairement en Angleterre, mais qui, *quelles que soient les circonstances*, sert à briser la force de résistance des ouvriers régulièrement occupés, et à maintenir bas leurs salaires.

Plus la richesse sociale est considérable... plus est nombreuse la surpopulation relative ou l'armée de réserve industrielle. Mais plus la réserve grossit, comparativement à l'armée active du travail (régulièrement occupée), plus grossit aussi la surpopulation consolidée (permanente), ou autrement dit, plus les couches ouvrières, dont la misère est en raison directe du labeur imposé, deviennent denses. Plus s'accroît enfin cette couche des Lazare de la classe salariée et l'armée de réserve industrielle, plus s'accroît aussi le paupérisme officiel. *Voilà la loi générale, absolue, de l'accumulation capitaliste.* (MARX : *le Capital*).

Telles sont, démontrées d'une façon rigoureusement scientifique, — et les économistes officiels se gardent bien de faire ne fût-ce qu'une tentative de réfutation — quelques-unes des lois principales du système social capitaliste des temps modernes.

Mais avec cela, a-t-on tout dit ? Nullement.

Si Marx met en relief les mauvais côtés de la production capitaliste, il prouve tout aussi clairement que cette forme sociale était nécessaire, pour élever progressivement les forces productives de la société jusqu'à un niveau où tous les membres de la société pourront également développer leurs valeurs humaines. Pour y parvenir, toutes les formes sociales antérieures étaient trop pauvres.

La production capitaliste crée, la première, les richesses et les forces de production qui en sont les conditions nécessaires, mais c'est en créant en même temps aussi la foule des ouvriers opprimés, qu'elle forme la classe sociale qui se verra de plus en plus forcée de revendiquer l'usage de ces richesses et de ces forces productives pour la société tout entière — et non, comme c'est la cas aujourd'hui — pour une classe monopolisatrice.

TABLE DES MATIÈRES

CINQUIÈME SECTION. — RECHERCHES ULTÉRIEURES SUR LA PRODUCTION DE LA PLUS-VALUE

SIXIÈME SECTION. — LE SALAIRE

SEPTIÈME SECTION. — ACCUMULATION DU CAPITAL

HUITIÈME SECTION. — L'ACCUMULATION PRIMITIVE

GF — TEXTE INTÉGRAL — GF

11680-1985. — Impr.-Reliure Mame, Tours.
N° d'édition 10671. — Septembre 1985. — Printed in France.